Enigma

Graag uw reacties:
http://www.facebook.com/Luc.Deflo.LifeandWorks
www.deflo.be
luc.deflo@gmail.com

DEFLO

Enigma

THRILLER

Dank aan mijn testlezers Sam Helsen, Samira Ouerghui en Mieke Vercruijsse

© 2012 Uitgeverij Manteau/ WPG Uitgevers België nv,
Mechelsesteenweg 203, B-2018 Antwerpen en Luc Deflo
www.manteau.be
info@manteau.be

Vertegenwoordiging in Nederland:
WPG Uitgevers België
Herengracht 370/372
NL-1016 CH Amsterdam

Eerste druk september 2012

Omslagontwerp: Wil Immink
Omslagfoto: Laura Morris / Arcangel Images / Hollandse Hoogte

ISBN 978 90 223 2790 6
D 2012/0034/451
NUR 330

I

Wie ik ben en waar ik vandaan kom, weet ik niet, en hoewel ik niet gewenst was, hield ik zo oneindig veel van mezelf dat ik mijn eigen stront opvrat. Zeggen ze. Maar ze zeggen zo veel. Wat ik zeker weet is dat ik geadopteerd ben. Ze hebben me gered uit een of ander grauw stadsgetto en me gedeporteerd naar dit kleine, lieflijke strontdorp waar ik tegen de muren opvlieg van frustratie en verveling. Er is niks te beleven hier. Echt waar niks. Lege straten en lege levens. Mijn biologische moeder? Geen idee. Geen herinnering aan. Mijn adoptieouders? Mijn tweedehandsouders, zul je bedoelen. Boh. Over mijn ersatzmoeder, dat overtollige creatuur, valt weinig zinnigs te vertellen. Ze is thuis. Altijd. Je weet nooit wat ze denkt. Ze ligt op de loer. Zoals een spin in haar web. Probeert me het leven zo moeilijk mogelijk te maken. Ze is bang van mij. Ze had me door, denk ik. Van in het begin, toen ik de eerste keer opzettelijk in haar hand scheet. Ze is dus intelligenter, enfin, minder naïef dan mijn vader, over wie evenmin veel te vertellen valt. Ambtshalve rust de belangrijke taak op zijn schouders om de juiste brief telkens weer in de juiste brievenbus te steken, en dat soms tot honderd keer per etmaal. Mijn vader is, in tegenstelling tot mijn moeder, een open boek. Een man met een missie ook, met uitgesproken ideeën en een eigen mening. Wat me altijd zal bijblijven van hem, is dat hij nooit nieuwe onderbroeken kocht. Omdat je die dingen toch niet ziet.

Waar ik ben?

Ja, hallo. Dat heb ik toch al gezegd.

Of ik vrienden heb?

Waar? In ons dorp, bedoel je?

Hey. Hey, momentje.

Time-out.

Ik begrijp dat je nieuwsgeil bent, dat is des mensen, maar laten we voor de goede orde een duidelijke afspraak maken. Ik wil – en zal – mijn verhaal vertellen in mijn eigen tempo. Een gerichte vraag af en toe, dat kan, maar onderbreek me niet te pas en te onpas, want dan ben ik de draad kwijt en daar word ik pisnijdig van.

Goed. Waar waren we gebleven? Vrienden? De inheemsen van ons dorp, zul je ongetwijfeld bedoelen. Boh. Ze vegeteren in een dorpsrealiteit die niet de mijne is en die ik niet kan en niet wil begrijpen. Noch aanvaarden. Zoals mijn nepouders zijn ze met walgelijk weinig tevreden. Met niks eigenlijk. Ze streven naar en wentelen zich in eenvoudig geluk, wat dat dan ook moge zijn. Ze houden van stilte. Dezelfde stilte die mijn hoofd vacuüm zuigt en het dan doet inklappen. Ze klampen zich vast aan het verleden, aan zekerheden, die één: niet bestaan, en twee: de creativiteit fnuiken. Funest voor een artiest zoals ikzelf. Hèhèhè. Maar daarover later meer.

Eigenlijk, weet je, zijn ze slechter dan ik maar dat beseffen ze niet eens, de perverten. Ik maak er namelijk geen punt van om toe te geven dat mijn navel het middelpunt van het universum is. Ik niet. Zij wel. De egoïstische boerenlullen spelen liever spelletjes. Heel immorele spelletjes, waarbij de perversiteit in het detail schuilt. Zoals die medelevende kreuk in hun smoel als ze op een pseudoserviel jammertoontje blèren hoe vreselijk onrechtvaardig ze het vinden dat 'Blablabla' is moeten gaan, en zó jong nog.

Begrijp je 't?

Begrijp je wat ik bedoel!

Nee, dus.

Ik wel. En laat ik je dit vertellen. Ik krijg er het schijt van. Ja, ook van jou! Al zie je dat niet aan mij, want zo dom ben ik niet.

Man, man, man.

Zo moeilijk is dat toch niet? Wat ze eigenlijk bedoelen is: gelukkig ben ík het niet die met achtenveertig jaar het bijltje erbij heeft moeten neerleggen.

Begrijp je 't nu?

Enfin. Laat maar.

Mij wordt wel eens verweten dat ik ongevoelig ben, maar niks is minder waar. Ik rouw echt om mijn doden. Geliefden zijn het die altijd bij me blijven. Maar zij! Hun hypocrisie, ik kijk er zo makkelijk doorheen. Ik walg van hen. Daar zijn geen woorden voor.

Mochten gedachten kunnen doden, de wereld zou een veel schonere plek zijn. De keren dat ik hen heb doodgemarteld, geëlektrocuteerd, zo lang en intens dat ik de zalige stank van verbrand vlees nog amper uit mijn neusgaten krijg... Soms stijg ik op en dan zuig ik me vol energie en bliksem ik hen dood, of ik laat met één vingerknip de malse plattelandsregen veranderen in striemende vlagen zoutzuur.

Hun kronkelende lijven. Zie je ze? Het sissen van hun huid, de oerkreten, doodsgereutel en boerenkeutels. Hoor je 't?

Nee?

Sluit je ogen. Dan kun je 't ruiken.

Je ruikt het niet? Hm. Ik anders wel. Ik krijg er de kriebels van als ik er nog maar aan denk. Gewoon mijn ogen sluiten en hijgen, maar niet te luid. Niet als er anderen in de buurt zijn.

Wat zeg je?

Je hebt niet zoveel fantasie als ik?

Hm. Tja. Luister. Gelukkig! Gelukkig heb ik nog mijn eigen hoofd om me in terug te trekken en om me in uit te leven, want het allerergste, het nec plus ultra, is - maar ik val in herhaling - de verveling. Die is hier dodelijk. Moordend. Wreed. Verscheurend. Rampzalig. Funest. Slopend. En zo kan ik nog wel even doorgaan. Het totale niets. Leegte. Gevoelloosheid. Ik word er hoorndol van, en doodsbang. Jaja, ook bang. Niks menselijks is me vreemd. Onlangs heb ik me langs de kant van de weg in de brandnetels gegooid. Om te voelen dat ik nog leefde.

Geen klote, geen klotefuck is er hier te beleven. Daarom is mijn leven, sedert ze me hier in de koeienstront hebben geplant, een constante veld-slag geworden. Uit pure noodzaak. Het is de enige manier om te overleven in een dorp vol zombies.

Wat?

Mijn eerste slachtoffer?

Hèhèhè. Blij dat je mee bent. En klaar om mee te surfen op mijn wave. I am the silver surfer. I can see darkness in the light. Je hebt ondertussen al wel door dat ik geen brave jongen ben. Goed zo. Mijn eerste slachtoffer dus. En dan bedoel je waarschijnlijk niet een slachtoffer ontsproten aan mijn fantasie?

Hmm. Sorry dat ik lach maar we kunnen het er, neem ik aan, toch wel over eens zijn dat – tenzij jullie een manier kennen om die eeuwigdraai-ende motor te laten stilvallen – het enige echte en waarachtige leven van een mens zich voornamelijk afspeelt in zijn hoofd en niet in zijn daden, die vaak niet meer zijn dan wat een welbepaald hoopje knoken en vlees wil dat we zien en horen, en soms voelen.

Maar goed. Daden. Daar gaat het om.

Hm. Effe denken.

Mijn eerste echte prooi was een kikker. Jaja, lach maar. Die arrogan-te groene slijmbal daagde me uit. Kwaken. Pal onder míjn slaapkamer-raam. Aan één stuk door. De derde nacht heb ik hem opgejaagd en ge-vangen en dan geradbraakt tussen het kamwiel en de ketting van mijn fiets, de origineelste, vind ik, van alle straffen die ik gedurende nacht twee had bedacht. Het meest fascinerende echter was dat het beest nog leefde, want het begon te spartelen toen ik mijn piemel in zijn opengereten buik duwde. Het voelde vreemd aan. Het effect van warme, vochtige kikker-darmen op een hitsige menselijke piemel mag zeker niet worden onder-schat. Maar al dat geglibber en gespartel. Toch een beetje een afknapper.

Ik weet dat je daar geen ervaring mee hebt. Maar ik wel. Daarom vertel ik het je ook. Ik heb er de hele nacht van wakker gelegen. Nat be-zweet. Wikken en wegen. Denken, denken, denken. Pas tegen de ochtend kwam ik met mezelf in het reine en heb ik aanvaard dat een mens niet alles onder controle kan hebben, want daar draait het uiteindelijk allemaal om, en toen ik die klip eenmaal had gerond, overheerste eindelijk het gevoel dat het goed was.

Zo. Dat was het. Veel stelt het allemaal niet voor, maar toch. Je bent de eerste aan wie ik dit verhaal vertel. Ik ben geen opschepper. Waarom zou ik.

Hoe oud ik was?

Zeven, denk ik.

Nee, uiteraard niet.

Natuurlijk was het niet de eerste keer dat ik een dier folterde. Maar wel de eerste keer dat het een beest was waarvan je het hart zag kloppen en de ingewanden voelde glibberen. Heel anders qua beleving dan de poten van een hooiwagen uittrekken, snap je, of een mot in de fik steken. Insecten zijn fun. Oké. Maar toch. Wat me tegen de borst stuit is het volslagen gebrek aan emoties. Ze kermen niet. Kijken je niet aan, hoewel ze meestal van die bizarre facetogen hebben. Wat ze echt voelen, wie zal het zeggen. Er is geen doorwrocht proces, geen afgelijnd begin en eindpunt. En dat stoort me. Ja.

Wat?

Oké, ik begrijp dat je met veel vraagtekens zit, maar nu moet ik weg. Dringend, want morgen breekt het uur van de waarheid aan en ik moet nog naar het bos.

Om wat te doen?

Gewoon. Een put graven. Liefst voordat het donker is.

Waarom?

Moet ik met die schop in mijn eigen poten steken! Of wat!

Sorry. Zo had ik het niet bedoeld. Hèhèhè. We kunnen maar beter vrienden blijven.

Waarvoor die put moet dienen?

Dat zien we morgen dan wel weer. Je bent veel te nieuwsgierig.

Hèhèhè.

1

*

DELLEN

Het woord was op de witte en overigens onberispelijk geboende tegelvloer geschreven. Met brede vegen, bijna als
penseelstreken. Degene die de boodschap wereldkundig
had willen maken, had dus waarschijnlijk handschoenen
gedragen, en dan was er wellicht sprake van voorbedachten
rade, of hij had brede, spatelvormige vingertoppen. Misschien had hij – of zij, wat Nadia Mendonck betwijfelde,
vrouwen plegen zelden zulke beestachtige moorden – twee
vingers gebruikt. Misschien wel een kwast. Dat was voer
voor de technische collega's en voor de fotograaf, die zijn
statief had gemonteerd en zijn strijklicht ontstak. Mendonck zette een pas terug en probeerde zo afstand te nemen.
Letterlijk.

'Zo noemen ze dát in Holland', mompelde een van de
technische speurders, onherkenbaar in zijn stofafstotende
pak en door het monddoekje amper verstaanbaar.

'Wat dát?' vroeg Mendonck aan de nieuweling. Want dat
was hij. Wie draagt er nu een monddoekje op een plaats
delict.

'Dát soort vrouwen', zei de jonge man en hij wees naar
de grond.

Nadia staarde naar de boodschap. De kleur van de letters
was roestbruin, wat erop duidde dat de feiten zich al een
hele tijd geleden hadden afgespeeld, want ze twijfelde er

geen seconde aan dat de boodschap was geschreven met bloed van de overledene, die als een voddenbaal op zijn zij lag. Een voet lag op de luxueuze en ongetwijfeld peperdure designsofa van wit leer.

'Ik denk niet dat hij het zelf gedaan heeft', beantwoordde rechercheur Dirk Deleu spontaan de volgende logische vraag die zich opdrong. 'Hoewel de letters op het einde van het woord aan kracht lijken te verliezen.'

Nadia Mendonck schrok. Niet van de woorden maar omdat ze hem niet had voelen naderen, haar lief. Ze knikte stug terwijl ze naar de stoffelijke resten staarde. Naar de diepe vleeswonden. Ze er telde er tien. Minstens tien. Lukraak toegebracht. Zonder herkenbaar patroon. De moordenaar moest als een waanzinnige tekeer zijn gegaan. Werkelijk uitzinnig van razernij. De blonde man, het slachtoffer, was forsgebouwd en had zich ongetwijfeld verzet. Getuige daarvan waren zowel de zwarte vegen op de tegels, die duidden op een heftige worsteling, als de bebloede rechterhand van het slachoffer. Uit de positie van de stompe ringvinger kon je opmaken dat het middenhandsbeentje en het handwortelbeentje van elkaar waren gescheiden. Gekraakt. Dat kon alleen met brute kracht zijn gebeurd. De blauwe rafelige vleesresten waren *musculi interossei*, meende Mendonck zich van haar cursus toegepaste anatomie te herinneren. Of het om de *musculus interosseus dorsalis* of *volaris* ging, daar durfde ze haar hand niet voor in het vuur te steken.

Hoofdwonden had de dode zo te zien niet en dus was het weinig waarschijnlijk dat hij was aangevallen met de koevoet die bij de voordeur was gevonden. Op die koevoet waren trouwens geen zichtbare bloedsporen.

'Dus je denkt niet dat hij door een hoer is vermoord en daarna beroofd en dat hij ons op deze manier heeft willen waarschuwen?' verwoordde Mendonck haar gedachtekronkels. Ze kreeg geen antwoord. Deleu was al weg. Ze had hem niet voelen komen en evenmin voelen gaan. Die gedachte beangstigde haar. Al wist ze niet meteen waarom. Er was sowieso al die latente onrust als ze zich op een moordlocatie bevond. Er aan wennen doe je niet. Wie het tegendeel durft te beweren is een leugenaar. Of een klinkklare psychopaat.

'Waarschijnlijk roofmoord', beaamde een van de speurders haar redenering. Moeilijk was dat niet. Hoewel. Mendoncks heldere blauwe ogen gleden over het interieur. Ze hielden stil bij de glanzende, smaragdgroene wandkast, handig ingewerkt in de kunstig gestucte wand. De twee deuren stonden wagenwijd open. De laden daarentegen hingen er niet uit. Iemand had iets gezocht. Maar wat?

De dader had de laden een voor een opengetrokken en keurig weer dichtgedaan toen hij niet had gevonden waar hij naar op zoek was. Het kon. Om de eventuele roofmoord te verdoezelen. Maar waarom had hij die kastdeuren dan wagenwijd open laten staan? Het opentrekken was met bruut geweld gebeurd; het was Mendonck niet ontgaan dat het onderste scharnier van de linker kastdeur was losgekomen. Was dat dan de reden waarom de deuren openstonden? Vragen, vragen, vragen. Misschien had hij wel gezocht naar iets. Iets groots dat niet in een lade paste. Ze pakte haar pen en schreef de conclusie van haar redenering als ezelsbruggetje in haar notitieboekje:

Laden controleren op evt. beschadigingen.

Deleu stond een drietal meter verderop bij een verchroomd salontafeltje in de vorm van een liggende u. Ook al peperduur design, dat iedereen wel knap vindt maar wat niet erg praktisch is. De hele loft, gelegen in een historisch pand vlak bij de E19, ademde trouwens klasse uit. Nadia

Mendonck had haar ogen de kost gegeven. Een schitterende daktuin, een badkamer van wit porselein, poepchique hangtoiletten, akoestische isolatie met zwevende vloerconstructies, exclusieve keramische muur- en vloertegels in badkamer en keuken, witgebeitste houten vloeren in de woonruimten en de slaapkamers, antieke gerestaureerde binnendeuren, het kon echt niet op. Deleu, gewurgd door de maandelijkse alimentatie, zou er zijn rechterhand voor geven.

Hij had trouwens iets vast. In die rechterhand. Nadia Mendonck schuifelde dichterbij, voorzichtig omdat plastic beschermhoezen en gladgeboende vloeren een minder geslaagde combinatie zijn. Toen Deleu het doosje, dat leeg was, een kwartslag draaide, las Mendonck: Ferrero Rocher.

'Chocolade. Niet goed voor je nachtrust', mompelde ze.

'Hmm. Misschien last van een slecht geweten', vulde Deleu aan. Nadia keek hem aan. Uit zijn blik was niet op te maken of hij het over zichzelf had of over de overledene. Dirk Deleu was nerveus. Keek voortdurend op zijn horloge. Logisch, het was bijna tien uur.

'Ik durf te betwijfelen of hij hier sliep', zei Schele Pierre, die net was binnengekomen en met onbehouwen tred in hun richting stommelde. Mendonck en Deleu staarden de oude rot in het vak met vragende ogen aan. Pierre snoof en hief zijn kin naar de dode.

'Erik Boen woont hier niet. Althans niet officieel. Deze flat wordt gehuurd door Tom Slootmaekers.'

Voor Mendonck sloeg de mededeling, hoe banaal ook, in als een bom. Ze ontweek de stekende ogen van Deleu en besefte eens te meer dat niets is wat het lijkt. Vooral niet tijdens een moordonderzoek. Ze was ervan uitgegaan dat de dode man op de vloer – op zijn identiteitskaart, die al was verpakt en gelabeld, stond inderdaad 'Erik Boen' – het slachtoffer was geworden van een bestiale roofmoord. Dat idee had ze al sedert ze hier vanmorgen vroeg naartoe waren gekomen, nadat de conciërge van dit industriële pand met meerdere lofts haar nieuwsgierigheid niet meer had kunnen bedwingen en de op een kier staande deur, die haar al twee dagen irriteerde, had geopend en hen had gebeld.

Het eerste wat Nadia Mendonck had gedaan was de plaats delict vakkundig laten 'bevriezen'. Daarna was ze als eerste naar binnen gegaan en logischerwijze op zoek gegaan naar de personalia van de vermoorde man. Ze had zijn identiteitskaart gevonden. In zijn portefeuille. Had de naam gelezen en naar de foto gekeken. So far so good. Maar! Nadien het adres van de man controleren had ze over het hoofd gezien. Daar had ze nu heel veel spijt van. Maar spijt komt meestal te laat. Schele Pierre had zijn kans gegrepen en niet nagelaten haar voor schut te zetten. In het bijzijn van haar collega's nog wel. En laat dat nu net zijn wat ze aan de man bewonderde. Zijn onbevangenheid en zijn onbeschofte directheid, ontdaan van alle maatschappelijke franjes.

'Bedankt, Pierre', grijnsde Deleu. 'Puik speurwerk.'

De ironie in zijn stem was Mendonck niet ontgaan. Voor wie die ironische toets was bestemd, was niet duidelijk. Wel duidelijk was dat Deleu hoe langer hoe nerveuzer werd. Dat kwam, zo wist ze, door het spanningsveld. Het was zaterdag. Zíjn weekend. De kinderen kwamen logeren. En dat was heilig voor Dirk Deleu. Hij had er hard voor moeten vechten.

Nadia Mendonck wenkte met haar hoofd naar de deur. Deleu begreep het. Hij gooide haar een klapzoen toe en liep haastig naar buiten.

**

Na Mendoncks korte update duwde Deleu zijn gsm in de uitsparing onder het dashboard. Ze hadden Tom Slootmaekers, de huurder van de luxueuze loft, nog steeds niet te pakken gekregen. Via zijn werkgever, Cyber Electronics, was Nadia te weten gekomen dat de dertigjarige ICT-systeemanalist op zakenreis was in het buitenland. Ergens in de hak van de Italiaanse laars. Deleu was de naam van het dorpje al weer vergeten. In de buurt van Lecce was het, waar hij ooit, in een lang vervlogen en daarom extra te koesteren verleden toen het met Barbara nog koek en ei was, met zijn gezin een korte maar zalige vakantie had doorgebracht.

Het alibi van Slootmaekers was nog niet nagetrokken, maar aangezien de man met het vliegtuig naar Lizzanello – de naam schoot Deleu plots weer te binnen doordat hij aan dat lekkere Italiaanse, ijsgekoelde citrusdrankje limoncello zat te denken – was gereisd en daar ondertussen al vijf dagen verbleef, mochten ze hun eerste ingeving, dat hij voortvluchtig was, naar de prullenmand verwijzen. De kans was zeer reëel dat de dertigjarige systeemanalist niet eens wist dat er in zijn loft een moord was gepleegd.

Deleu probeerde te focussen op het slachtoffer. Wat hem was opgevallen waren de kleren van de man. Die pasten niet bij het interieur en leken zo weggewaaid uit een tweedehandswinkel. Een opgewolde trui met daaronder een hawaïhemdje uit een vorige eeuw en een broek die al zoveel keer was gewassen dat de originele kleur nog nauwelijks te bepalen was.

Nu, het kon. Erik Boen was zelfstandige. Klusjesman. Misschien had de eigenaar van de flat hem tijdens zijn afwezigheid gevraagd voor een of andere klus. Maar werktuigen voor een herstelling waren er niet aangetroffen. Bovendien moesten die twee elkaar dan wel heel goed gekend hebben, Boen had de sleutel van de achterdeur in zijn broekzak. De sleutel van de garagedeur zat aan de binnenkant in het slot en aangezien zijn auto in de garage stond, had Boen waarschijnlijk, nadat hij zijn auto had binnengereden, de sleutel aan de binnenkant in het slot gestoken maar de garagepoort niet op slot gedaan. Mogelijk was de moordenaar daarlangs binnengekomen, want hoewel er in de ingewikkelde constructie van lofts een aantal gemeenschappelijke ruimten waren, was elke loft voorzien van een individuele toegang, een trapje dat via de garage naar de achterdeur leidde.

De moordenaar kon dus ongezien via de garage naar de loft van Slootmaekers zijn gegaan en daar hebben aangebeld. Uit het zicht van andere bewoners. Of misschien was ook de achterdeur van de flat niet op slot geweest toen hij er aankwam.

Eigenaardig was wel dat ook de voordeur op een kier stond toen de conciërge de moord had ontdekt. Zo niet, dan was het lijk van Erik Boen pas gevonden wanneer Slootmaekers thuis zou zijn gekomen van zijn trip.

Zat daar een bedoeling achter, vroeg Deleu zich af. Wist de moordenaar dat de eigenaar van de flat op reis was? En wilde hij dat de dode tijdens diens afwezigheid werd gevonden? En waarom dan wel? Om de schuld op Slootmaekers te kunnen afschuiven? Er zat muziek in die theorie. Hoewel. Dat de klusjesman en de analist elkaar wellicht goed kenden, hoefde niet noodzakelijk te betekenen dat ook de moordenaar een kennis was van Slootmaekers. Of juist wel?

Deleu zuchtte. Hij had niet op de bocht gelet en trapte stevig op de rem. Hij gooide een snelle blik in de achteruitkijkspiegel. Charlotte, zijn dochter van drie, voelde zich blijkbaar in haar sas, want ze kraaide het uit van de pret.

Dirk Deleu voelde een warme golf van voldoening door

zijn borst gaan. Een gevoel dat hij moeilijk kon plaatsen en dat misschien nog het dichtst aanleunde bij wellust. Blij was hij. Blij dat het eindelijk 'zijn' weekend was. Blij dat hij bij zijn kinderen kon zijn. Dat hij er voor hen kon zijn. Blij ook dat hij nog iets te betekenen had voor zijn dierbaarste bezit op aarde en dat hij had doorgezet en had gevochten voor het hoederecht. Blij dat Barbara, zijn ex, ofschoon hij in haar gedachten tot slaaf van zijn lusten was gedegradeerd, uiteindelijk had ingezien dat kinderen ook hun vader nodig hebben. Blij dat Rob, ondertussen bijna negentien en op kot in Leuven, nog steeds met volle goesting om het andere weekend bij zijn pa kwam logeren. Blij ook dat Nadia, zijn lief en zelf kinderloos, hem zonder al te veel inmenging of betutteling dat eenvoudige geluk gunde.

De remblokken waren nu echt wel dringend aan vervanging toe, bedacht Deleu toen de Golf krijsend tot stilstand kwam. Charlotte vond het prima. Charlotte vond vandaag alles prima. Gelukkig besefte ze niet hoe schattig ze wel was. Nog niet, dacht Deleu, en hij strekte zijn arm, streelde door haar blonde krullen, stapte uit en maakte de veiligheidsgordel van haar autostoeltje los. Voorwaar een ingewikkelde klus als je niet voor ingenieur had gestudeerd.

Hij liep met Charlotte in zijn armen over het tuinpad. Moest zich bedwingen om het blonde wicht niet dood te knijpen. Hij zette haar neer op de grond en hand in hand gingen ze de hoek om. Rob was er nog niet. Wat hij wel zag, was een meisje. Ze, of beter haar zware rugzak zonder zichtbaar logo, leunde tegen de muur. Een typische puber nog met, hoewel zwart bij de wortel, knalrode haren. Ze keek hem vluchtig aan en nipte van haar Black Booster. Ze droeg een zilveren ringetje in haar neusvleugel en haar lange wimpers waren beslist ijzersterk want ondanks de massa zwarte mascara die ze torsten, stonden ze nog steeds rechtop. Het wicht leek met andere woorden zo weggelopen uit een boek van Stieg Larsson.

Deleus ogen dwaalden automatisch af naar de grond, op zoek naar een platgetrapte joint. Hij hoorde opeens snelle voetstappen. Achter zich. Hij maakte een kwartdraai, sloeg beschermend zijn arm om Charlotte en zijn hand gleed in een reflex naar zijn jaszak, klaar om zijn huid, en vooral die van Charlotte, duur te verkopen.

Rob Deleu staarde zijn vader aan. Glimlachte.

'Ik zie dat jullie mekaar al hebben ontmoet.'

Dirk Deleu zei niets of deed niets. Gewoon omdat hij niet wist wat.

'Pa. Sorry, ik had je moeten bellen. Maar vind je het goed als mijn vriendin dit weekend hier blijft slapen?'

'Waar?' Meer woorden kreeg Deleu met de beste wil van de wereld niet door zijn keel geperst. Daar had zijn zoon, die zijn hand door zijn wuivende bos krullen haalde, duidelijk ook nog niet over nagedacht. Nu, dat hoefde ook niet, dacht Deleu, toen hij over zijn eerste verwarring heen was en besefte dat hij eigenlijk blij moest zijn. Zijn zoon had een vriendinnetje en dat 'gegeven' wilde hij delen met zijn vader. Deleu stak de sleutel in het slot en keek het meisje aan. Hij stak zijn hand uit.

'Raicha', zei het meisje. Ze had puntige zwarte nageltjes.

'Hoi', probeerde Deleu het luchtig te houden, zich ervan bewust dat het bij een eerste onmoeting erop of eronder is. 'Dirk, Dirk Deleu. Ik...'

'Ik weet het', zei Raicha. 'Woelfie heeft me alles over jou verteld', en ze glipte giechelend samen met Rob 'Woelfie' Deleu naar binnen.

Balen. Dit is echt balen!

Neenee. Ik heb het niet over de kuil. Die is diep genoeg. Ik heb hem gisteren gegraven. Voor het donker werd. Weet je 't nog? De wortels kapotsteken was het zwaarste werk. Ik had mijn graafwerk wat verder weg van die gevorkte boom moeten beginnen maar ik wilde een herkenningspunt.

Maar goed. Hij is klaar. Meer dan een meter diep. Ik heb hem gisteravond nog gauw dichtgegooid en de boel afgedekt met gras en bladeren.

Waarom?

Stel dat een verdwaalde wandelaar die kuil had opgemerkt. Of erger nog, erin was gevallen. Wat dan? Dan was alles voor niks geweest. Enfin. Het doet er niet toe. Die kuil moest klaar zijn. Punt uit. Dat is een essentieel onderdeel van mijn plan.

Fuck. Dit is echt balen!

Wat?

Nee nee. Godverdomme. Ik heb je toch al gezegd dat die kuil niet het probleem is! De losse aarde er opnieuw uit scheppen ging als een fluitje van een cent en dat is nodig, want het moet snel gaan. Ik wil niet het risico lopen dat ik betrapt word.

Ja. En daar ligt ze nu. Met haar boekentas nog op haar rug. Rina Valk, mijn klasgenote met haar grote muil. Hij hangt nog half open trouwens, die muil. Voorgoed. Haar ogen ook. Wijd open van verbazing.

Goh, wat ben ik een stomme lul.

Kijk niet zo!

Trut!

Nee, nee, ik heb het niet tegen jou. Ik heb het tegen die trut van een Rina Valk. Man. Ik heb niet genoeg energie om in die kuil te kruipen en ze te sluiten. Echt niet. Ik voel me rot. Futloos. Had me er zoveel meer van voorgesteld. Ik had alles zo zorgvuldig gepland. En nu. Zie me hier nu staan. Met mijn poten in de modder.

Ja! Het heeft geregend vannacht! En nee! Je bent niet grappig!

Weet je. Mijn piemel, die ondertussen een lul is geworden, is niet eens uit mijn broek geweest. En ik ben al twaalf.

Ja! Twaalf, ja! Werd het niet stilaan tijd voor mijn eerste menselijke slachtoffer?

Wat?

Nee, dat is het probleem niet!

De kick was er. Natuurlijk was die er. Toen ik in de struiken lag te wachten. Ik heb haar opgewacht. Tot daar ging het goed.

Maar dan.

Pfft.

Ik heb veel te hard geslagen.

Ja! Te hard, ja. Veel te hard. Ze was op slag dood, denk ik. Er was niks aan. Al mijn plannetjes. In rook opgegaan.

Wat een ellende.

Plof.

Weg. Trut!

Plof. Plofplofplofplof.

Weg. Haar gezicht is bedekt met een laag aarde. Alsof ze nooit heeft bestaan. En misschien is dat ook wel zo. Ze is namelijk hier geboren.

Plof.

Damn. Wat sta ik dat kind hier te bekladden? Dat verdient ze niet. Ze had geen kans. Het is mijn schuld. Ik was veel te nerveus.

Ja! Bang ook! Ja! Maar een ander soort angst. Schrik dat al mijn plannen in rook zouden opgaan. Wat alsnog is gebeurd. Ja!

Verdomme.

Plof.

Voilà. Alleen haar tieten zijn nog te zien. Het lijken wel twee padden-stoelen met dat rode T-shirt van haar. Die tieten heb ik bewaard tot het laatst.

En dan. Wat dan. En nu!

Zie me hier nu staan!

Ik ben helemaal in de war.

Waarom! Waarom, vraag je!

Ik heb zelfs niks gedaan met het lijk. Helemaal niks. Doodgeslagen en de put in gepleurd. Ik was veel te nerveus. En razend.

Nee, niet op jou. Op mezelf.

Plof.

Klote. Dit is echt klote.

Waarom ik haar heb gekozen?

Weet ik veel. Omdat ze de ideale route naar huis nam, zeker.

Omdat ze al tieten had?

Hèhèhè. Je begint me te kennen.

Plof. Plofplof. Plof plofplofplofplofplofplof.

Tieten? Welke tieten?

Hè...hèhè..hèhè....ha...haha....hahahahahaaaahhhhh....

Hij draagt alvast een eerlijk T-shirt, dacht Nadia Mendonck. I LOVE ME, stond er in koeien van letters op de borst van Tom Slootmaekers.

Onderzoeksrechter Jos Bosmans, die de zaak naar zich toe had getrokken, had na overleg met het team besloten om niet te snel in hun kaarten te laten kijken. Twee agenten in burger hadden de systeemanalist na zijn terugvlucht uit Lecce discreet opgewacht op de luchthaven en hem hiernaartoe gebracht. Naar het politiebureau aan de Merodestraat in Mechelen.

Slootmaekers, tot nader order de eerste en enige betrokkene in deze lugubere moordzaak, was niet op de hoogte gebracht van de feiten die zich in zijn flat hadden afgespeeld. Dat was een bewuste zet. Nadia Mendonck, enige vrouw in het team, mocht de honneurs waarnemen en de confrontatie aangaan.

'Meneer Slootmaekers, ga zitten alstublieft', zei Mendonck en ze probeerde kalm te zijn, hoewel haar hart pompte van ingehouden spanning. De eerste minuten, wellicht seconden, waren cruciaal, wist ze, en de reactie van Slootmaekers kon van doorslaggevend belang zijn om een correcte inschatting te maken van zijn betrokkenheid.

De man bleef bij de deur staan, weifelend, maar al bij al, gezien de situatie, vrij onbewogen. Hij duwde zijn bril wat vaster op zijn neus.

'Wat is er gebeurd? Is er iets met ons ma?'

Een logische reactie, dacht Mendonck. Slootmaekers had tot zo'n vijf jaar geleden bij zijn moeder ingewoond, in een piepklein huisje midden in het groen. Op de Molenheide in Hofstade bij Mechelen, een buurt waar peis en vree heerste, mondialisering een non-issue was en zelfs de stad voor de meeste mensen als een ver en gevaarlijk oord werd beschouwd. De vader van Slootmaekers was overleden. Meer dan tien jaar geleden. De moeder woonde nog steeds in haar kleine huisje in het groen.

'Nee. Maakt u zich geen zorgen. Gaat u gewoon even zitten', herhaalde Mendonck en ze zette haar verzoek kracht bij met een handgebaar.

Slootmaekers ging niet op de uitnodiging in. Hij bleef staan. Begon opnieuw aan zijn bril te prutsen.

'Moet ik een advocaat bellen?'

'Heb ik u ergens van beschuldigd?' pareerde Mendonck de vraag.

Slootmaekers schuifelde dichterbij en ging bedeesd zitten.

'Ik wil u gewoon een paar vragen stellen. Kan dat?'

'Ja. Natuurlijk.'

'U hebt er geen bezwaar tegen dat dit gesprek wordt opgenomen en gefilmd?'

Nadia Mendonck verbeet haar frustratie. De vraag zou het wild mogelijk kunnen opschrikken, maar er was spijtig genoeg geen keuze. De rechtsgang eist wat de rechtsgang eist. Bovendien stond Bosmans toe te kijken. Achter de spiegelwand.

Slootmaekers' ogen dwaalden naar die wand, alsof hij zich ervan bewust was dat ze allesbehalve alleen waren. Wat hij ook wist, was dat dit geen beleefdheidsbezoekje was. Hij keek naar het plafond. Op zoek naar de camera. Instinctief. Voor het eerst was er een spoor van lichte paniek. Nu de ernst van de zaak tot hem doordrong. Hij duwde zijn bril op zijn neus, die vochtig was, en had zichzelf vrij snel weer in de hand. Haalde iets té nonchalant de schouders op. Dat kon van belang zijn. Later.

Toen Mendonck probeerde oogcontact te maken, vluchtten zijn ogen weg. Ze hield het op schuchterheid. Niet zozeer angst.

'Ik heb niks te verbergen', mompelde Slootmaekers uiteindelijk.

'Oké', zei Mendonck. 'Meneer Slootmaekers? Laat me maar meteen met de deur in huis vallen. Kent u Erik Boen?'

'Ja. Waarom?'

'In welke hoedanigheid kent u de heer Boen?'

'Hij is een vriend. Waarom?'

'Meneer Slootmaekers. Kunt u antwoorden op de vragen? Dan is dit interview' – Mendonck vermeed bewust het woord ondervraging – 'zo afgelopen. Dat beloof ik u.' Bijna had ze gezegd: en dan kunt u naar huis.

'Is er iets aan de hand met Erik dan?'

Mendonck glimlachte. Slootmaekers besefte zijn vergissing en beantwoordde schuchter de glimlach. Dat hij zich niet op zijn gemak voelde bij vrouwen was meteen duidelijk. Al deed dat weinig ter zake. Het gebaar van wederzijds begrip brak de spanning. Eigenlijk wel jammer, vond Mendonck. Haar buik vertelde haar dat deze ietwat onhandige dikkerd wellicht geen potentiële dader was. Als hij het gedaan had, als hij de moordenaar was van Erik Boen, dan speelde hij het verdomd handig en zou dit een harde noot om te kraken worden.

Mendonck glimlachte beminnelijk, niet van plan om in haar kaarten te laten kijken.

'Waarvan kent u Erik Boen?'

'Boh. Ik heb Erik leren kennen in de avondschool. Tijdje geleden al.'

'Avondschool?'

'Ja. Spaans.'

'Spaans. Beroepshalve?'

'Nee.'

'Waarom bent u dan Spaans gaan volgen?'

'Omdat het een mooie taal is.'

Mendonck keek vluchtig op en noteerde ijverig. Ze deed het om tijd te winnen. Het gesprek werd immers opgenomen. Deze informatie was nieuw maar ze besloot om er niet op in te zoomen. Niet nu. Nu moest ze bij de kern van de zaak blijven.

'En de heer Boen kwam af en toe bij u langs?'

'Soms. Ja. Waarom?'

Mendonck glimlachte en zweeg.

'Sorry. Ik ben het gewend om vragen te stellen. Ben een analist. Beetje vakidioot.'

Mendonck knikte.

'Wat deden jullie dan?'

Slootmaekers haalde de schouders op, nogal defaitistisch. Hij deed het voortdurend. Zat erbij als een bloemzak. Brilletje wat hoger schuiven. Schouders ophalen. Hij leek geen moordenaar. Mendonck wist wel beter.

'Gewoon.'

'Gewoon wat?' bleef Mendonck haar beminnelijke zelf. Haar gedachten dwaalden af naar Deleu. Hoewel ze dat niet wilde. Maar liefde laat zich niet dwingen. Hij had haar opgebeld. Hypernerveus. Rob had een vriendinnetje meegebracht voor het weekend. En waar dat wicht dan wel moest slapen? Mendonck schudde de gedachte van zich af.

'Gewoon wat?' herhaalde ze vriendelijk haar vraag.

Slootmaekers keek vluchtig naar zijn kruis. Het had iets komisch.

'Babbeltje doen', herstelde hij zich. 'Pintje drinken. Niks speciaals.'

'Komt hij wel eens langs als u niet thuis bent?'

Slootmaekers aarzelde. Toen hij zijn rechterdij over de linker kruiste, hield Nadia Mendonck de adem in. Ze wist dat mensen als ze liegen vaak onbewust van lichaamshouding veranderen.

'Meneer Slootmaekers?'

'Ik ben vaak op reis, ja.'

'Kunt u een antwoord geven op mijn vraag?' vroeg Mendonck vriendelijk, zich bewust van de kracht van haar vrouwelijkheid. Slootmaekers ging verzitten en herviel in zijn bloemzakpose.

'Ja, dat gebeurt wel af en toe.'

'Dus hij... hmm... heeft een sleutel?' vroeg Mendonck op een drafje en ze hield de adem in, blij dat ze het woord 'had' op tijd had ingeslikt. Haar zenuwen leken strakgespannen snaren.

'Ja. Hij heeft een sleutel.'

'Waarom?'

'Om de planten water te geven', flapte Slootmaekers eruit en hij zette zijn leugen kracht bij door zijn dijen over elkaar te slaan. Duidelijk, dacht Mendonck. Er stonden geen planten in de flat. 'Ik bedoel...' probeerde Slootmaekers zijn flater te herstellen. 'Ik bedoel dat ik nogal wat dure apparatuur in mijn flat heb. Erik hield af en toe een oogje in het zeil. Meer valt daar niet achter te zoeken.'

'Zoek ik dan ergens iets achter?'

Slootmaekers rechtte zijn rug. Hij leek eindelijk klaar om in de tegenaanval te gaan. Hier had Mendonck op gewacht. Benieuwd hoeveel energie daarvan zou uitgaan. En of dat voldoende zou zijn om een man, die hij zijn vriend noemde, zeventien messteken toe te dienen. Hij bleef evenwel rustig. Verbazingwekkend rustig zelfs. Zijn hand ging in zijn zak. Hij had een gsm vast. Begon erop te tokkelen.

'Meneer Slootmaekers?'

'Wat!'

'Wat bent u aan het doen?'

De hand van Slootmaekers begon te beven. Hij snoof.

'Ik stuur een sms naar Erik!'

'Nu?' vroeg Mendonck. Heel neutraal en zakelijk maar vanbinnen rommelde het. Als Tom Slootmaekers echt een sms wilde versturen naar zijn vriend, dan had hij niets met de moord te maken. Als hij daarentegen wel betrokken partij was, dan was het een verdomd intelligente zet om het zo te spelen. Slootmaekers stopte de gsm gefrustreerd in zijn zak.

'Kijk, mevrouw. Ofwel vertelt u me nu wat er aan de hand is. Ofwel bel ik Erik! En daarna mijn advocaat.'

'Uw advocaat, dat kan', zei Mendonck en ze pakte de rode map die al de hele tijd uitnodigend op de hoek van het bureau lag. Sloeg ze langzaam open. Gooide de foto's van de plaats delict voor de neus van Tom Slootmaekers, die, geconfronteerd met zijn dode vriend, wit wegtrok en naar adem hapte.

Toen hij zijn zakdoek pakte en begon te kokhalzen, besefte Mendonck dat ze te impulsief was geweest en dat dit een lang en slopend onderzoek dreigde te worden.

***

Voor zijn leeftijd was Dirk Deleu over het algemeen een vlotte, moderne kerel, vond Mendonck. Behalve, zo bleek, als zijn eigen zoon betrokken partij was.

Deleu had haar apart genomen in de kleine keuken die hij – God weet waarom – op een nogal onorthodoxe manier van onder tot boven had geboend en waar haar een dampende spaghetti bolognese alla Deleu wachtte. Heerlijk zonder meer. En een heksentoer want in de koelkast was amper een dode muis te vinden. Dus was hij speciaal voor haar naar de supermarkt gegaan. Mét woelwater Charlotte. Voorwaar een huzarenstukje.

Nadia, doodmoe na de drukke werkdag, had zwijgend haar benen onder tafel geschoven en de gezegende spijzen tot zich genomen. Dat had Dirk min of meer op zijn gemak gesteld. Hoewel. Toen hij op adem was gekomen, had hij haar fijntjes en daardoor juist opvallend op het hart gedrukt dat ze voorzichtig toenadering moest zoeken tot het meisje, want dat je meestal maar één kans krijgt. Alsof ze dat al niet wist na de desastreuze ondervraging op het bureau. Daarna had hij haar met zijn grote hondenogen nog maar een keer bijna gesmeekt om de zaken niet te bruuskeren – ze had zich als een seriemoordenares gevoeld –, om haar dan vol in het gezicht te gooien dat, mocht zijn zoon ooit besluiten om niet meer met zijn liefje bij zijn pa te komen logeren, dit háár schuld zou zijn.

Hallo! had Nadia gedacht, maar ze had wijselijk haar lippen op elkaar gehouden. Toen hij haar nerveus en met zachte dwang de woonkamer inloodste, had ze hem terloops verteld dat ze al 'Hoi, welkom, ik ben Nadia' had gezegd en dat daarmee, wat haar betrof, voorlopig de kous af was. Daarna was hij eindelijk een beetje tot rust gekomen.

Ze hadden samen een glas wijn gedronken en hoewel hij haar bijna in de gordijnen had gejaagd terwijl hij dat hoegenaamd – want zo zijn mannen – niet besefte, had ze geen tegengas gegeven. Hij meende het goed en dat vond ze eigenlijk wel lief.

Toen ze hem een geruststellende zoen had gegeven, op zoek naar wat tederheid en intimiteit in deze nieuwe en voor haar toch wel onwennige situatie, en hem had willen meelokken naar de geborgenheid van hun slaapkamer, had hij ook die hint niet begrepen en had hij alle registers opengetrokken en haar bestookt met vragen over het lopende onderzoek. Dat kruisverhoor was nog steeds aan de gang. Een stuk na middernacht.

'Dirk, voor zover we hebben kunnen nagaan, is hij vrijgezel. Althans volgens zijn moeder. En...'

'Ja, maar die kan ondertussen al op de hoogte geweest zijn...'

'...én die we tegelijkertijd met haar zoon hebben ondervraagd!'

Deleu schraapte de keel. Hij zweeg, hoewel ze hem op een arrogante manier de pas had afgesneden. Zolang ze dat niet deed met het nieuwe liefje van Rob, was alles onder controle. Een man moet kunnen kiezen in het leven. Hij wachtte geduldig. Nadia geeuwde. Er kwam niets meer.

'Oké. Even recapituleren', nam Deleu het woord. 'Volgens jou weet die gast, Slootmaekers, niet dat zijn beste vriend werd vermoord, maar weet hij wel en wil hij niet verklaren wat Boen uitspookte in zijn appartement.'

'Ja, daar liegt hij over', vatte Nadia de complexe volzin kernachtig samen. 'En we gaan hem morgen vragen waarom.' Nadia Mendonck geeuwde nog maar een keer. 'Na de autopsie.'

Ze trok de koelkast open, op zoek naar een slok water. Ze schrok. De koelkast leek wel de grot van Ali Baba. Het enige wat ontbrak was de kreeft. Ze keek Deleu met grote ogen aan.

'Ik dacht, ik ga gauw naar de supermarkt. En sla maar een flinke voorraad in. Dat dat meiske niet denkt dat we arme schooiers...' De koelkast plofte dicht. 'En met een man meer en zo...'

'Ze is geen man', klonk het bars. Nadia kon van die vreselijke gemoedswisselingen hebben, vond Deleu. 'En waar gaan ze nu uiteindelijk slapen?'

Deleu kreeg een schokje. Hij had er niet meer bij stilgestaan. Hij vloog naar de woonkamer. Zette de zoemende tv af. De twee lagen te slapen in de sofa. Hij rilde toen Nadia hem in de hals zoende. Hij glimlachte en trok haar mee. Ze verzette zich.

'Condooms?'

'Wat, condooms?' zei Deleu en er kwam een diepe frons tussen zijn wenkbrauwen.

'Je moet overal condooms laten rondslingeren', zei Nadia en het klonk alsof ze het meende. 'Geloof me maar.'

Deleu bleef zonder reactie. Ze liepen hand in hand naar de slaapkamer.

'Je kunt die van ons gebruiken.'

'Wat, die van ons?' vroeg Deleu. Hij voelde de vermoeidheid in zijn schouders bijten. Het was een lange en slopende dag geweest.

'Onze condooms. Strooi ze overal maar rond.'

Deleu hield wijselijk zijn mond. Negeerde de stekende blauwe ogen. Een robbertje bekvechten over Nadia al dan niet zwanger schoppen. Hij had er geen zin in.

'Misschien neemt ze de pil', probeerde Deleu, goed wetend dat Nadia daar absoluut tegen gekant was. Mocht er ooit een baby komen, dan zou dat een gezonde baby zijn.

'Als haar dokter dat "spul" al wil voorschrijven', zei ze fijntjes en ze liep naar de kleine badkamer. Slapen zonder te douchen. Oké. Slapen zonder je tanden te poetsen. Nooit!

'Wat bedoel je? Al wil voorschrijven!'

Mendonck draaide zich om in de deuropening. Zette

haar handen op haar heupen. Trok een bedenkelijk gezicht. 'Deleu. Tegenwoordig schminken ze zich al van hun twaalfde. Je gaat me toch niet vertellen dat je echt gelooft dat dat meisje meerderjarig is.'

Dirk Deleu wist niet meer wat te zeggen. Het enige wat hij nog bewust zag, was Nadia's elegante rug die een bruuske kwartdraai maakte en in de badkamer verdween. 'Maar bon. Ik ben de moeder niet. Dat gun je me niet. Jouw verantwoordelijkheid. Jouw probleem.'

De deur sloeg dicht. En weg was ze. Zijn giftige muze, die haar angel uiteindelijk met de glimlach diep in zijn vel had geplant.

'Godverdomme, Nadia! Ga je weer beginnen', brieste Deleu. 'Je bent de moeder wel!'

De deur vloog open. Nadia's ogen bliksemden.

'Die discussie voer ik niet meer. Oké!'

'Sssst', siste Deleu.

'Ik wil voor hen zorgen. Zo goed en zo kwaad als het kan. Maar Rob en Charlotte zijn jouw kinderen. Niet die van mij. Oké? Of moet ik het spellen!'

Deleu draaide zich om en plofte op het bed. De deur sloeg met een nijdige zwaai dicht.

'Sorry.'

III

Het uur der wrake is aangebroken.

Vandaag, deze heuglijke nacht – lijk-e, heb je 'm? – gaat mijn eerste grote mens voor de bijl.

Enfin, mens? Groot woord. Het is een vrouw. Ze is weduwe. Ze woont recht tegenover ons in een huisje dat zo saai en netjes onderhouden is dat ik er bijna van moet kotsen.

Ze is, laat het me zo stellen, als het ware een soort van symbool voor mijn opgekropte haat.

Wat?

Hoe het met Rina Valk is afgelopen?

Dat heb ik je toch al verteld. Wil je alsjeblieft wat aandachtiger zijn!

Ah. Je bedoelt het onderzoek? Zeg dat dan gewoon!

Geen idee. Ik ben nog altijd maar veertien, hé! Las jij op die leeftijd de krant? Of volgde je het journaal op tv? Djeezes.

Uiteraard is er een beetje een hetze geweest op school en in ons dorp. Maar dat mocht wel. Niet? Een beetje leven in de brouwerij. Er zijn flikken in burger bij te pas gekomen. Uit de stad. Ze hebben ons ondervraagd. Jaja. Iedereen. Mij ook. Dat was fun. Hèhèhè. Vooral op school.

Wat?

Of ze haar gezocht hebben?

Zal wel zijn, zeker. Ik heb er vanuit mijn kamer een paar zien klooien tussen het groen. Aan de rand van het domein.

Gegraven?

Nee. Bij mijn weten niet. Ze zijn wel met honden in de weer geweest.

Wat?

Hèhèhè.

Natuurlijk hebben die arme beesten niks gevonden. Hoe kon het ook? Ik heb haar niet voor niks bijna een kilometer ver gedragen. En een meter diep begraven.

Of ik haar heb bezocht?

Da's een interessante vraag. Ja. Een paar keer. Onlangs pas. Nadat die charlatans het uiteindelijk hebben opgegeven. Ik wilde geen onnodige risico's nemen. Jammer. Haar nog een keer opgraven was wel fun geweest. Maar nu bezoek ik haar niet meer. Mijn lul voelt er niks voor om tussen de wormen te moeten wroeten.

Wat?

Ik heb er wel foto's van. Ja. Van haar graf. Geschoten met de polaroidcamera die ik heb gekregen voor mijn plechtige communie. Mijn vader is apetrots dat ik eindelijk een hobby heb. En zo zie je maar. Aan alle tegenslagen is uiteindelijk ook een positief kantje.

Of ik spijt heb?

Kijk. Ik was jong. Té jong. En ik heb fouten gemaakt. Maar ik heb er wel van geleerd. En nu, denk ik, ben ik er wel klaar voor.

Wat zeg je?

Een grote mens, stelt dat nu zoveel meer voor dan pakweg een kikker of een meisje?

Weet ik veel. Zal wel zijn, zeker. Het is alleszins sterker dan een kikker of een kind. Veel taaier, dichter bij de dood en daarom meer bewust van de waarde van het leven, denk ik. Enfin. We zien wel. Ik ben zelf ook benieuwd.

Maar ook op mijn hoede.

Hey!

Ik wéét dat het folteren van een grote mens heftiger en gevaarlijker zal zijn dan het folteren van een kind of pakweg een beest, maar dat kan de kick alleen maar vergroten. En dan heb ik het niet over het louter fysieke aspect.

Je snapt niet wat ik bedoel?

Tja!

Oké. Opnieuw. Dus je begrijpt niet, los van het fysieke, waarom het molesteren van een kind of een beest minder gevaarlijk is dan van een grote mens?

Goed.

Simpel. Een kind hoef je niet dood te maken. Niet echt. Het durft je toch niet te verraden. Vraag dat maar aan de paterkes. Hèhèhè.

En een beest?

Da's nogal evident. Niet? Sprekende kikkers bestaan alleen in sprookjes.

Misschien moest ik, bij wijze van relatief ongevaarlijk experiment, maar eens beginnen met een doofstomme grote mens. Of beter, met een zwakzinnige doofstomme. Maar die hebben we hier niet.

Hèhèhè.

Genoeg gefantaseerd.

't Is tijd! Buurvrouw, here I come.

Wat?

Of ik mijn piemel in haar ga steken?

Ik weet het niet. Ik ga vooraf geen grote uitspraken meer doen. Ik heb niks gepland deze keer. Dan is de ontgoocheling nadien minder groot als het fout gaat.

We zien wel.

Of ze doodgaat?

Ja. Ze moet in elk geval dood, ja.

Of moet ik het nog een keer uitleggen waarom een kind of een beest... blablabla.

Here Jezus!

3

'Dokter? Heeft Erik Boen seks gehad', vroeg Jos Bosmans.
Wetsdokter Van Grieken tuurde over de rand van zijn
leesbril.
'Ja. We hebben zaadresten gevonden.'
'Weet u ook welk soort seks?'
Van Grieken masseerde zijn schedel. 'Dan worstelt u
wellicht met de vraag of de onfortuinlijke man anaal is
gepenetreerd', klonk het droog.
Bosmans, die het onzinnige van zijn vraag inzag, hield
zijn mond. Van Grieken pakte het autopsierapport. Sloeg
het open en tikte met zijn vinger op een passage in het lij-
vige verslag.
'Het antwoord is nee. Wel psilocybine en chocolade', zei
Van Grieken en hij kruiste zijn benen en draaide een krul
in zijn sik. 'In zijn maag.'
Nu bijkomende vragen stellen was zinloos, wist Bosmans. Van Grieken zou er handig op inspelen om hen plat
te walsen met zijn vakkennis. Ook Nadia Mendonck, die
zich bewust was van het psychopathische trekje van de
nochtans integere en rustige wetsdokter, zweeg. Van
Grieken snoof. Besefte dat Bosmans en Mendonck niet
bereid waren om het spel mee te spelen en dronk rustig van
zijn koffie. Toen hij de kop met een tik neerzette, wist
Mendonck dat hij klaar was om over de brug te komen.

'Paddo's', zei Van Grieken.

'Erik Boen was gedrogeerd', haakte Bosmans erop in.

'Met paddenstoelen?'

Van Grieken knikte. Hij staarde met glazige ogen naar de borsten van Nadia Mendonck, alsof hij zelf gedrogeerd was. Ze werd er ongemakkelijk van.

'En nog geen klein beetje. Minstens vijf gram. Een uitzonderlijk hoge dosis als je weet dat een normale geestverruimende "portie" psilocybine zes à twaalf milligram bedraagt.'

'Dus zou het kunnen dat Erik Boen is vergiftigd?' vroeg Mendonck, zeer op haar hoede voor voorbarige conclusies.

'Zo kun je het wel stellen', beaamde Van Grieken en hij dronk het laatste restje koffie op. 'Vergiftigd door iemand zonder de nodige kennis van zaken of, mocht hij het zelf hebben gedaan, gewoon dom.'

'Dan bestaat de mogelijkheid dat hij al dood was toen iemand hem de messteken heeft toegediend', voegde Bosmans er gretig aan toe, meegesleept door zijn enthousiasme.

Van Grieken ging verzitten. Toen hij geniepig zijn smalle lippen tuitte, besefte Bosmans dat hij alsnog in de val was getrapt.

'Meneer de rechter. Voor de meeste plantaardige derivaten geldt dat acute intoxicaties zeldzaam zijn. Ik herinner me een casus met goede afloop na een zelfmoordpoging door inname van driehonderd gram gedroogde *Psilocybe semilanceata*, in de volksmond puntige kaalkopjes genoemd, en ik durf, zonder in op casuïstiek gebaseerde algemene conclusies te vervallen, te stellen dat de letale dosis bij de mens wordt geschat op ongeveer het eigen lichaamsgewicht aan verse paddenstoelen. Daar heb je oneindig veel geduld, een paar hectaren bos en een gigantische zak van

Sinterklaas voor nodig. En, last but not least, een reuzenhonger. Nee. De doodsoorzaak is harttamponade. Ik heb vierhonderd milligram bloed aangetroffen in het hartzakje. Perforatie van hart en grote bloedvaten, waardoor hemopericard is ontstaan met overloop naar de pleuraholte. Maar ik bespaar je de details.'

Van Grieken scharrelde zijn papieren bij elkaar en begon langzaam en met overtuiging zijn brillenglazen te poetsen.

'Dokter? De chocolade?' probeerde Mendonck het gesprek te reanimeren.

'In zijn maag is inderdaad een aanzienlijke hoeveelheid chocolade gevonden, ja. Pure. Tachtig procent puur. Van pure chocolade is bekend dat die het roeseffect van de psilocybine doet toenemen.'

'Dokter?' zei Mendonck en ze trok haar fluwelen handschoenen aan. 'Ik weet dat gissen niet tot uw vakgebied behoort, maar als zelfmoord plegen met die kaalkopjes zo goed als onmogelijk is, dan zou dat kunnen betekenen dat iemand hem die paddenstoelen heeft toegediend. Vermengd met chocolade, om hem daarna te kunnen vermoorden.'

'Dat zou kunnen', beaamde Van Grieken. 'Ik zou zelfs durven te stellen dat in uw redenering een behoorlijke dosis logica zit vervat.'

Van Grieken keek gefrustreerd naar zijn beeper, die plots tot leven was gekomen. Hij strekte zijn benen en stond op.

'Nog een vraagje', zei Bosmans, die de uitgestoken hand drukte. 'Je had het over hectaren bos. Kun je die paddo's, die kaalkoppen zoals je ze noemde, zomaar vinden in de natuur? Met andere woorden, maken ze deel uit van onze Vlaamse fauna en flora?'

'Dat moet je aan een bioloog vragen', zei Van Grieken en hij keek naar zijn hand. Bosmans hield ze vast.

'Ik bedoel, kunnen die paddenstoelen een goedkope manier zijn om je verslaving te onderhouden?'

'Daarvoor moet je dan weer bij een toxicoloog te rade gaan', klonk het cynisch en de dunne, kille vingers gleden uit Bosmans' hand.

Politiearts Hubert Van Grieken drukte ook Mendonck de hand en liep met kaarsrechte rug naar de deur, waar hij bleef staan met de klink in zijn hand, klaar om nog een laatste keer uit te pakken met zijn encyclopedische kennis.

'Wat ik wel weet is dat het meestal om occasionele gebruikers gaat, tuk op een snelle roes. Lichamelijke afhankelijkheid komt niet voor. En wat geestelijke afhankelijkheid betreft, tja, het hangt er natuurlijk van af hoe je dat begrip definieert, maar indien het synoniem zou zijn met verslaving, dan is ook hier het risico onbestaand. Daarvoor is de gewenning te groot, waardoor de hallucinogene effecten al vrij snel verwaarloosbaar worden. Nee, beste vrienden, paddo's worden vooral genuttigd op experimentele basis. Een langdurig gebruik komt zelden voor. Al noopt de volledigheid me, zonder eens te meer in casuïstiek te vervallen, te vermelden dat er voorbeelden zijn uit andere culturen waar mensen een leven lang en met enige regelmaat gebruikt hebben zonder symptomen van chronische toxiciteit. Over mutageniteit en teratogeniteit zijn onvoldoende statistische gegevens beschikbaar om tot een consistente conclusie te komen, maar het ligt alleszins niet in de lijn der verwachtingen dat de Psilocybe semilanceata of enig ander specimen uit de kroostrijke en in Vlaanderen wijdverbreide familie der Strophariaceae deze eigenschappen zou bezitten. Gegroet.'

Bosmans en Mendonck staarden naar de deur, die met een plofje dichtviel.

'Merde!' riep Mendonck. Ze staarde Bosmans aan.

'Wat? Begrijpt je 't niet?' zei een grinnikende Bosmans.

'Die koevoet. Die we bij de voordeur hebben gevonden. We zijn vergeten te vragen of Erik Boen verwondingen had die veroorzaakt zijn door stomp geweld en...'

Bosmans schudde nee en trok haar mee naar de uitgang.

'Maak je geen zorgen. Denk je nu echt dat Van Grieken zoiets niet had vermeld?'

Nadia Mendonck bedaarde. Bosmans, die over zijn buik wreef, had gelijk. Hoewel de wetsdokter een vervelende klier kon zijn, zou hij nooit een cruciaal detail over het hoofd zien of vergeten te vermelden. Daarvoor was hij te zeer vakman.

'Ik heb honger', zei Bosmans. 'Gaan we gauw een stukje eten? Ik ken een goed restaurantje. Vlakbij.'

'Euhmm... ja, zeker. Wat...?'

'Steak', grijnsde Bosmans. 'Steak champignon. En à propos, die koevoet...'

'Wat? Wat is er met die koevoet?'

'Die heeft de moordenaar niet gebruikt om Boen te molesteren.'

Nadia fronste de wenkbrauwen. Bosmans, geroemd om zijn dossierkennis, wist blijkbaar meer.

'En evenmin heeft Boen zich met dat ding verdedigd', voegde Bosmans er fijntjes aan toe.

Nadia Mendonck hield de pas in. Tuk op het laatste nieuwtje.

'Op die koevoet zijn laksporen aangetroffen', zei Bosmans en hij liet de woorden even bezinken en maakte zo het mysterie alleen maar groter. 'Laksporen afkomstig van de auto van Erik Boen, die in de garage stond.'

Nu stond Nadia Mendonck pal. Niet van plan nog een voet te verzetten voordat ze hier het fijne van wist.

'Iemand, waarschijnlijk de moordenaar, heeft de kofferbak van Erik Boens auto opengebroken.'

'Waarom?'

'Om dat uit te vissen, mijn beste juffrouw Mendonck,' zei Bosmans en hij speelde met de rand van zijn potsierlijke tirolerhoedje, 'heb ik professionele speurders ter beschikking.'

***

De rit was kort maar bezaaid met de nodige hindernissen, zoals de wegwerkzaamheden aan de Liersesteenweg en de structurele files op zowat alle uitvalswegen van en naar Mechelen. Nadia Mendonck kon zich er niet meer over opwinden. Dat de gewenning sluipenderwijs was toegenomen, weet ze aan het ouder worden.

Ze draaide de Merodestraat in, reed traag langs nummer honderdzeventien, een riante nieuwbouw met een prima onderhouden voortuintje, en parkeerde haar Clio een paar meter verderop. Ze zette de motor af, bleef zitten en probeerde haar gedachten te ordenen.

Tom Slootmaekers, die voorlopig bij zijn moeder logeerde, was eindelijk, na een meer dan een drie uur durend kruisverhoor, met een aanvaardbaar verhaal komen aanzetten. Zijn definitieve versie van de reden waarom Boen alleen in zijn flat was geweest, was banaal en precies daarom geloofwaardig.

Erik Boen had een reservesleutel, en als zijn vriend er niet was, kon Boen de flat gebruiken voor wat Slootmaekers omschreef als 'Eriks buitenschoolse activiteiten'.

Schele Pierre had het iets plastischer verwoord, herinnerde Mendonck zich. Dat ging ongeveer zo: '*Dus Boen had de sleutels van uw appartement om er wijven te neuken als gij er niet waart! Stoemmerik, ge hadt beter naar de film Loft gekeken!*'

40

Of het om betaalde seks ging, wist Slootmaekers niet. De twee hadden een stilzwijgend pact. Een soort van gentlemen's agreement. No questions asked. Erik moest de flat netjes achterlaten en dat was dat. Een tegenprestatie, zo beweerde Slootmaekers, was er niet.

Toen hem werd gevraagd hoe lang hun stilzwijgend pact al aan de gang was, had hij beweerd dat vriend Erik de flat nog maar drie keer had gebruikt, en zelfs al had hij zijn dijen niet over elkaar geslagen, dan nog had Mendonck hem niet geloofd. Bij de volgende vraag, hoe hij dat kon weten als Boen een sleutel had en er verder nooit over werd gesproken, was Slootmaekers dichtgeklapt.

Waarom loog hij, vroeg Mendonck zich af. Was hij op de een of andere manier betrokken partij? Ze zuchtte. Er waren nog een heleboel andere vragen waarmee ze Slootmaekers moesten confronteren. Zoals de lege verpakking van Ferrero Rocher, waarin hoogstwaarschijnlijk de paddo's hadden gezeten die werden aangetroffen in de maaginhoud van Boen, vermengd met chocolade. Iemand had chocolade gesmolten, er gemalen paddo's bijgevoegd en dan het goedje in vormpjes gegoten of er bolletjes van gerold. De vraag was: wie?

Mendonck zuchtte, stapte uit en liep naar de overkant van de straat, op weg naar de volgende onplezierige taak. De confrontatie met Aimée Gysemans, echtgenote van Erik Boen. De vrouw was op een correcte manier op de hoogte gebracht. Als eerste, en voordat de moord in de media was. Slachtofferhulp had ze geweigerd.

Toen ze wilde aanbellen, zwaaide de voordeur open en Mendonck keek in het vermoeide gezicht van Aimée Gysemans.

'Ik had jullie al eerder verwacht', zei de vrouw zonder een groet en ze slofte de gang in en liet de deur open. Mendonck liep de vrouw achterna. In de woonkamer twijfelde ze of ze zich zou legitimeren of niet.

'Ga zitten', zei Aimée Gysemans en ze wees met een futloos gebaar naar een stoel. 'Ik heb hier niks mee te maken. Knoop dat alvast maar in je mooie blonde kopje.'

Mendonck liet de woorden bezinken. Aimée Gysemans, dik twintig jaar ouder dan haar dertigjarige overleden echtgenoot, beantwoordde aan Mendoncks beeld van een doorsneevrouw van vooraan in de vijftig. Ze wist haar overtollige kilootjes handig te camoufleren in een royale maar stijlvolle kamerjas, donkerblauw met dito slippers eronder. Was niet overdreven koket, maar zeker ook niet ordinair of marginaal. Ze paste in het sobere maar smaakvolle interieur dat ze ongetwijfeld zelf had gekozen. Waarom ze zo onbeschoft reageerde, op het agressieve af, was voor Mendonck een raadsel.

Was het de vermoeidheid? Had de onzekerheid haar gekraakt en probeerde ze die onmacht nu af te reageren? Of had ze weet van het dubbelleven van haar man en kon het haar geen zier schelen wat er met hem was gebeurd? Had ze het zelf gedaan en was dit haar strategie om zand in de ogen te strooien? Haar eerste reactie nadat ze van de feiten op de hoogte was gebracht, was in elk geval verbijstering geweest, wist Mendonck, die nu plompverloren 'Innige deelneming' zei.

De vrouw voor haar, die op het puntje van haar stoel zat, leek erdoor te bedaren. Ze kwam van haar stoel en ging in de sofa zitten, leunde achterover en nam een afwachtende houding aan.

'Mag ik u een paar vragen stellen?'

'Ja, doet u maar. Excuseer, euhmm, mevrouw...'

'Mendonck, Nadia Mendonck. Zeg maar Nadia.'

De vrouw knikte gelaten. Mendonck probeerde het gesprek weer in handen te nemen.

'Aimée? Is er iemand bij wie je steun kunt vinden?'

'Ik was al achtenveertig en vrijgezel toen we elkaar hebben ontmoet', zei de vrouw, een mededeling waarmee ze probeerde duidelijk te maken dat er geen kinderen waren om op terug te vallen. 'Ik ben geen gezinsmens. En Erik was dat ook niet. We hadden genoeg aan elkaar.'

'Dat begrijp ik. Ik heb eigenlijk maar één echte vraag voor u. Had Erik vijanden?'

'Niet dat ik weet. Erik had een gesloten karakter. We gingen, laten we zeggen, elk onze weg, met eigen vrienden en zo, maar we hielden van elkaar. Op onze eigen manier. Dat is nu voorbij. Daar moet ik me bij neerleggen.' Aimée Gysemans keek op. In haar ooghoek blonk een traan. 'Proberen bij neer te leggen.' Ze frommelde een zakdoek uit haar mouw. Snoot discreet haar neus.

Mendonck observeerde de vrouw. Probeerde in te schatten of haar reactie gemeend was. Ze wist dat Gysemans bemiddeld was maar niet steenrijk. De nieuwbouw was gefinancierd met haar geld. De twee waren gehuwd in gemeenschap van goederen. Stel dat Aimée Gysemans wist dat haar man vreemdging. En dat hij de helft van het huis zou vorderen. En dat ze geen andere uitweg meer kon bedenken dan hem te vermoorden of te laten vermoorden. De kunst was om de materie op een handige manier ter sprake te brengen.

'Aimée? Vertel eens wat meer over de vrienden van je man.'

'Erik had bij mijn weten maar één echte vriend. Tom, die hij heeft leren kennen in de Spaanse les, vermoed ik, en die jullie ongetwijfeld al hebben ontmoet.'

'Ja. Dat klopt. Is Tom ooit hier geweest?'

'Nee. Dat denk ik niet. Zoals ik al zei, we gingen ieder

zowat onze eigen weg. Ook wat vriendschappen betreft.'

'Had Erik ook vriendinnen?' flapte Mendonck er gemaakt onverschillig uit.

De reactie van Aimée Gysemans was op zijn minst eigenaardig. Ze glimlachte.

'Ik weet waar u op aanstuurt.'

'Waar stuur ik dan op aan?' vroeg Mendonck.

'Ik vermoed dat er wel een aantal waren, ja. Maar hun namen ken ik niet. Zo tactloos was Erik niet.'

Hier moest Mendonck toch wel even van slikken. Ze besloot om er niet omheen te draaien.

'Je bedoelt dat hij af en toe vreemdging en dat jij daarvan op de hoogte was?'

'Ja.'

'En hij wist dat jij het wist?'

'Inderdaad.'

'Oké', zei Mendonck luchtig. 'Geen probleem.'

Aimée Gysemans keek op. Haar ogen hielden Mendonck vast.

'Wel een probleem', zei ze.

Mendonck, die allesbehalve de emotionele toer op wilde gaan, besloot deze kelk aan zich voorbij te laten gaan.

'Een groot probleem zelfs. Maar Erik was twintig jaar jonger dan ik. En ik hield van hem. En hij ook van mij. Maar toch doet het pijn. Daar wil ik niet luchtig over doen.'

'Dat... hoeft u ook niet te doen. Ik begrijp wat u voelt.'

'Is dat zo?' vroeg Gysemans en haar ogen lieten Mendonck, die zich alsmaar ongemakkelijker begon te voelen, nog steeds niet los. 'Ik denk het niet. Ik denk dat je zoiets alleen kunt begrijpen als het je zelf overkomt. Altijd weer die vragen. Die door je hoofd blijven spoken. Niet als hij terugkwam. Dan was het goed. Dan waren we samen. Maar als hij wegging. Altijd weer die vragen. Gaat hij naar een vrouw? En welke vrouw? En wat voelt hij? Wat voelt hij echt als ze samen in bed liggen? Hij moet, moest, het me niet vertellen. Dat hebben we zo afgesproken. Maar toch. Toch wil je het weten. Kun je dat begrijpen?'

'Dat wel, ja', zei Mendonck en toen ze besefte dat ze haar dijen over elkaar sloeg, schrok ze van zichzelf. Natuurlijk begreep ze dat niet. Wat die vrouw vertelde, klonk als de hel op aarde. Je weet dat degene die je liefhebt bij een ander is. Maar je mag er niks over vragen, of weten, of zelfs maar vermoeden. '...Nee. Ook dat begrijp ik niet. Maar ik voel wel met u mee. Dat probeer ik tenminste.'

'Bedankt. Dat is een eerlijk antwoord', zei Aimée Gysemans en ze stond op. Ze liep resoluut naar de open keuken. Ze slofte niet meer. Alsof ze dankzij het uiten van haar gevoelens haar zelfrespect had teruggevonden. 'Kan ik u iets te drinken aanbieden? Koffie?'

'Doe maar een glas water', zei Mendonck, opgelucht dat het heikele onderwerp achter de rug was en de hemel weer wat was opgeklaard.

'Is er echt niets dat je me kunt vertellen?'

'Waarover?' zei Aimée Gysemans en ze zette het glas voor Mendonck neer.

'Over Erik. Als mens.'

'Nee. Erik was een rustige man. Hij hield van het leven. Hij werkte graag en hard. Echte hobby's had hij niet. Erik was een natuurmens. In zijn schaarse vrije tijd kon hij soms uren in de tuin zitten. Zomaar. Hij had ruimte nodig. Werd gek in de stad. Hij maakte soms urenlange wandelingen. Om tot rust te komen. Vaak alleen. Soms gingen we samen. Ik hou er ook wel van. Wandelen, bedoel ik. Dat is wat ons bond. Denk ik. Vaak. Soms.'

Aimée Gysemans viel stil. Staarde mijmerend voor zich uit, met een ondefinieerbare glimlach om haar mond, ongetwijfeld verpozend in een verleden, waar ook goede herinneringen bij hoorden.

'Is er niets dat je is opgevallen de laatste tijd?'

'Nee.'

'Problemen met klanten? Klachten? Een aanslepend conflict?' probeerde Mendonck.

De vrouw schudde gelaten het hoofd.

'Weet u waar zijn gsm is?'

'De gsm van Erik?' zei Aimée Gysemans en ze hield haar hoofd een tikkeltje schuin. Plots weer alert. Er kwam een diepe rimpel tussen haar ogen.

'Ja. Zijn gsm, ja.'

'Erik heeft geen gsm.'

Mendonck, verrast door dat antwoord, zweeg. Dit was niet het geschikte moment om de pijnlijke kwestie, de ontrouw, opnieuw op te rakelen.

'Tenzij jullie meer weten dan ik', zei Aimée Gysemans, en hoewel het luchtig klonk, schreeuwden haar ogen om antwoorden.

'Nee nee', haastte Mendonck zich. 'Ik stelde de vraag omdat we geen gsm hebben gevonden en omdat tegenwoordig, nu ja, bijna iedereen een gsm heeft.'

'Erik niet. En ik ook niet. We hebben een vaste lijn. Dat volstaat. Zoals ik u al zei, Erik had daar geen behoefte aan. Een pc had hij evenmin.'

'En u ook niet?'

'Ik wel, ja. Maar Erik gebruikt die pc niet. Hij weet niet eens hoe hij dat ding moet opstarten.'

'Waar was u eigenlijk, de nacht dat uw man is vermoord?'

'Op mijn pc.'

'Op uw pc?'

'Ja. Facebook. Het helpt. Om de tijd te doden. Ik slaap niet zo goed.'

'Als uw man er niet is, bedoelt u?'

'Ja, dan ook. Vooral dan.'

'Oké. Bedankt', zei Mendonck en ze dronk haar glas leeg en stond op. Ze drukte de vrouw de hand. 'Je hoort nog van ons.'

'Misschien is er toch nog wel iets', zei Aimée Gysemans toen Mendonck al bij de deur stond. 'Onbelangrijk, waarschijnlijk.'

Mendonck keek achterom.

'Niets is onbelangrijk in een moordonderzoek, mevrouw Gysemans. Elk detail telt.'

Gysemans stond bedremmeld voor de sofa. Ze frunnikte aan de revers van haar kamerjas. Toen ze opkeek, blonk er een traan in haar ooghoek.

'Wat hij ook heeft gedaan, dit verdiende hij niet. Hij deed geen vlieg kwaad. Heeft hij afgezien?'

'Nee. Dat denk ik niet', loog Mendonck. 'Hij heeft waarschijnlijk niet eens beseft wat hem overkwam.'

'Dat is goed.'

'Wat wilde je me nog vertellen?'

'Ach, ja. We haddden het daarstraks over hobby's. Het is misschien niet echt een hobby, maar Erik verwisselde voortdurend van kleren.'

'Verwisselde van kleren?' vroeg Mendonck.

'Ja. Hij kwam soms thuis met andere kleren aan dan die waarmee hij 's morgens was vertrokken. Zomaar.'

Mendonck wist niet wat ze met deze informatie moest. In gedachten zag ze de opgewolde trui van de dode Erik Boen. Het hawaïhemdje. De verlepte jeans. Ze fronste haar wenkbrauwen.

'Tweedehands', lichtte Aimée Gysemans haar woorden toe. Ze voelde Mendoncks verwarring. 'Erik kocht nooit nieuwe spullen. Dat vond hij zonde van het geld. Maar hij veranderde wel heel graag van outfit. Vandaar het compromis dat hij met zichzelf heeft gesloten. Hij verkocht ter plekke zijn oude rommel en kocht andere oude rommel in de plaats.'

Nadia Mendonck ging niet dieper op de kwestie in. Wat voor zin heeft het, vroeg ze zich af. Ze had nog heel wat vragen in het achterhoofd – zoals de opengebroken kofferbak van Boens auto – maar die vragen wilde ze bewaren voor een geschikter moment. Als er, hopelijk, tastbare bewijzen waren opgedoken. Want hoewel de vrouw onschuldig oogde, toch besefte Mendonck dat ze zich niet mocht laten misleiden. Aimée Gysemans had een motief. De ontrouw van haar man.

IV

Hoe ik binnengeraakt ben?

Gewoon. Door de voordeur.

Niet op slot? Toch wel. Dat wijf heeft zeven sloten op haar deur. Hoe lelijker ze zijn, hoe banger dat ze verkracht gaan worden.

Hèhèhè.

Jaja. Ik hoor je wel. Je valt in herhaling. Herinner je onze afspraak!

Hm.

Gewoon. De voordeur bevindt zich aan de zijkant van het huis. Van de straat zie je ze niet. Ik heb ze opengebroken met een koevoet. Heel voorzichtig. Bijna geluidloos. Alleen dat al gaf me een ontzettende kick. Daarna ben ik dat enge gangetje ingelopen, dat stinkt naar ouwe mensen. Daar heb ik gewacht. Volle vijf minuten. De langste van mijn leven tot nog toe. Bloednerveus was ik. Er hing een spiegel. Ik heb zulke afschuwelijke grimassen getrokken dat ik bang werd van mezelf. Zie je me staan? In de schemering. Creepy man. Echt crazy.

Enfin. Toen het stil bleef, ben ik, bijna op de tast, naar de keuken gelopen.

Wat? Een hond?

Nee. Dat wijf is veel te gierig. En bovendien volkomen aseksueel. Wat zou zo iemand zich laten beffen.

Hèhèhè.

Maar hou nu effe je klep, wil je, want nu wordt het spannend.

Bon. In de keuken vond ik het mes. Het blonk in het maanlicht. Ik heb er minutenlang naar gestaard. Messen hebben iets magisch, vind ik. Er gaat een hypnotische kracht van uit. Daarom kan ik er uren naar staren. Heel primitief allemaal. Ik weet het wel.

Ik ben voorzichtig teruggelopen naar de gang, heb nog wat gekke bekken getrokken met het mes tussen mijn tanden en zo en ben dan begonnen aan het moeilijkste deel. De beklimming van de trap. Zonder licht te maken. Traag. Trede voor trede. Ik genoot van elke pas. Me er sterk van bewust dat er grootse verwezenlijkingen op me wachtten. Ik moest me bedwingen om niet te gaan hijgen. De adrenaline stroomde door mijn lijf, zo intens dat ik het gevoel had dat ik gloeide. Zo heftig. Je kunt je dat amper voorstellen.

Op de overloop heb ik met ingehouden adem staan luisteren. Ze ronkte als een bende strontzatte dokwerkers met astma. Haar slaapkamerdeur stond op een kier. De scharnieren waren goed geolied.

En daar lag ze, op haar rug, met die gigantische uiers die tot bijna onder haar oksels hingen, een moddervette maar nutteloze koe, die al jaren geen melk meer produceert.

Ik heb voorzichtig de deken weggetrokken en heb aan dat roze vlees geroken. Op mijn knieën. Gesnuffeld heb ik, zoals het hondje dat ze niet bezat. Ze stonk naar oude pis en belegen kaas. Walgelijk. Haar tanden stonden op het nachttafeltje. Ondergedompeld in water in een antiek glas met een barst erin. Een troebel vocht dat naar een ziekenhuis stonk. Ik wilde haar nachtjapon opensnijden maar dat durfde ik niet. Ik heb met de punt van mijn mes in die dikke loezen geprikt, heel zachtjes. Ze kreunde, de dikke teef. En geloof me, niet van de pijn. Dat was pas later, toen er een lijntje bloed uit haar tepelhof sijpelde en ze plots rochelend en spugend haar ogen wijd opentrok.

Ik heb vier keer toegestoken, krachtig en gericht.

Ik heb er in totaal al vier weken voor vastgezeten. In een gesloten jeugdinstelling. Nu ben ik in voorlopige vrijheid gesteld. Totdat het proces zal plaatsvinden en gerechtigheid zal geschieden.

Onze buurt is in shock, zoals dat heet. Al moet je je daar ook niet al te veel bij voorstellen. Veel gefezel. Een paar schuwe blikken in de richting van ons huisje door zogezegd verdwaalde dorpelingen wier honden nu plotsklaps allemaal in onze straat willen schijten.

Heb je 'm?

Meer is het niet. Veel geblaat maar weinig wol. Die mensen zíjn gewoon zo. Laf en dom. Ze hebben de duivel geïmporteerd, maar dat willen of kunnen ze niet begrijpen omdat hun ogen en oren vol koeienstront zitten. Behalve eentje. Gerard, de dorpsidioot. Hij heeft me door. Als hij me ziet, begint hij heel hard te lachen, bijna hysterisch, en in zijn handen te klappen en daarna loopt hij weg en begint hij te huilen, zoals een bange wolf in het nauw.

Maar goed. Zolang ze niet aan introspectie beginnen te doen en blijven denken dat híj de idioot is, zit het allemaal wel snor.

Wat ze me gevraagd hebben?

De flikken zul je bedoelen. Boh. Ze vroegen me waarom ik haar heb gestoken. Ik wist het eerlijk gezegd niet. Had ik haar dan moeten doodknuppelen, zoals een zeeolifant?

Of ik de intentie had om haar te doden? Pfft. Ja. Hallo. Zal wel zijn zeker. Acupunctuur, dat doe je toch met naalden, denkt een mens dan al gauw. Ik heb die gedachten niet uitgesproken. Die flikken zouden mijn humor toch niet kunnen appreciëren. Dat zijn geen verfijnde heren. Eerder van die platte stront-en-darmentypetjes.

Had ik de intentie om haar te doden?

Stom is de vraag eigenlijk allerminst. En eerlijk gezegd, ik denk het niet. Ik was gewoon benieuwd naar haar reactie. Gefascineerd door haar weekheid en hoe het zou voelen om een mens af te slachten. Al moet ik toegeven dat er ergens in mijn achterhoofd de gedachte borrelde om haar te neuken. In die gapende wonden, zoals bij die kikker. Zoiets. Maar een echte, weldoordachte strategie was dat niet. Eerder een bevlieging, een ontspoorde fantasie.

Ze vroegen me waarom ik haar heb uitgekozen. Dat vond ik pas een intrigerende vraag. Ik ben uiteraard mijn schuld blijven ontkennen. Maar toch.

Waarom heb ik haar uitgekozen?

Jaja, ik weet het wel, symbool voor mijn opgekropte haat en zo. Bekt allemaal best wel goed. Maar dan had ik ons hele dorp kunnen uitmoorden. Er zijn er hier zo veel die ik haat. Nee. Uit gemakzucht, denk ik. Ze woont vlakbij. En ook wel omdat een aantal randvoorwaarden waren vervuld. Ze woont alleen, ik fantaseer vaak over haar dikke tieten, ik haat haar omdat ze bestaat, ik verveel me te pletter, en zo kan ik er nog wel een paar verzinnen.

Onwaarschijnlijk tot wat voor een berg papier dit onooglijke akkefietje al heeft geleid. Toen de flikken op dreef kwamen en me met hun lullige vragen bestookten zoals muskieten een trossel stinkende Afrikanen teisteren, heb ik, zo voor het vuistje weg, het volgende fantastische verhaal uit mijn mouw geschud.

Ik was haar huis binnengegaan toen ik vanuit mijn kamer een man had zien wegvluchten. Nee, geen zwarte, die hadden we toen nog niet. Wel een forsgebouwde, in het zwart geklede kerel.

Het slot?

Opengebroken?

Ik?

Tuurlijk niet. Niet nodig. De deur was al opengebroken. Ze stond op een kier. Ik vond buurvrouw badend in het bloed en ik durfde niet meer te bewegen van de schrik. Althans, dat was mijn versie. Haar versie is dat ik haar heb neergestoken. Het is dus mijn woord tegen dat van haar. Dat wordt een vette kluif voor de jeugdrechter. Het leven en de toekomst van een potentieel onschuldige puber met een maagdelijk blank strafregister ligt tenslotte in de waagschaal. Al vrees ik dat het uiteindelijke verdict, tenzij ik gauw een beter verhaal kan verzinnen, 'schuldig' zal luiden. Want zo zijn rechters. Die laten zich leiden door feiten, materiële dingen, daden. Ze vertikken het om de waarde, uiterlijke én innerlijke, van de ene mens tegen de andere af te zetten en dan te kiezen voor het meest waardevolle specimen.

Ik had niet in die dikke uiers mogen steken natuurlijk. Dat was een stommiteit. Maar ik had er al in zitten wriemelen en dus kon ik niet anders meer. Stom. Ik had eerst in haar keel moeten steken. Ik zie nog hoe ze haar ogen openspert, gorgelt, uit bed springt en als een dronken eend molenwiekend door het huis waggelt, ondertussen het hele dorp bij elkaar krijsend. Best wel heftig. Ik ben aan de grond genageld blijven staan. Keek mijn ogen uit mijn kop. Weg was haar stille aanvaarding en gedeelde vreugde.

Hèhèhè.

Zo puur was ze plots. De perfecte weerspiegeling van hoe het mensdom echt is, ontdaan van alle leugens en maatschappelijke franjes. Krijsende zwijnen zijn we. Alleen nog begaan met onszelf. Niet meer of niet minder. Verwerpelijke, imbeciele stukken vlees, die tegen beter weten in proberen te overleven. Het mes heb ik, geloof ik, pas laten vallen toen de flikken binnenstormden. De rest is geschiedenis.

Wat? Of ze dood is?

De steekwonden waren oppervlakkig, vrij onschuldig zelfs. Buurvrouw komt morgen al weer naar huis.

Dat is goed.

Ik heb een plan.

Deze keer wel.

Een veel beter plan.

Eentje dat nooit kan falen.

Tenminste als ik het handig aanpak.

Hm.

4

Rob was in Leuven en Charlotte bij haar moeder. Dirk Deleu had Raicha, haar familienaam kende hij niet, een lift aangeboden, die ze beleefd had geweigerd.

Hij keek neer op het gekreukte laken in de sofa. Hier hadden ze gelegen, Raicha en Woelfie. Geslapen. Hopelijk alleen geslapen, dacht Deleu. Hij was als een blok in slaap gevallen.

Voorzichtig tilde hij de punt van het laken op. In de hoek zat een zwarte veeg mascara. Logisch. Het kind – haar leeftijd had hij al evenmin durven vragen – had, voor zover hij het zich kon herinneren, geen douche genomen. Rob evenmin. Dat zat dus wel goed.

Hij sloeg het witte laken open en kneep zijn ogen tot spleetjes. Er was dat ene vlekje. Maar was dat vers? Het laken, dat een al wat grijzige tint had, was niet nieuw. Hij focuste op de vlek, liet zijn vinger erover glijden. Het voelde ruw aan, alsof er een fout was in de textuur. Een oneffenheid. Deleu wilde er in een reflex aan snuffelen maar deed het niet. Met het laken in een bolletje gerold liep hij naar het washok.

Op de plaats delict was wél sperma gevonden. In de slaapkamer. Op de lakens. Tom Slootmaekers had ontkend dat het van hem was. In alle toonaarden. Ik heb zelfs geen vriendin, had hij met stelligheid beweerd. Toen Deleu hem had gevraagd of hij dan nooit masturbeerde, had Slootmaekers met een rode kop gemompeld dat hij de lakens had ververst voordat hij op zakenreis was vertrokken. Het deed er niet toe, dacht Deleu. De tijd zou het uitwijzen wiens sperma het was. Daarvoor bestond zoiets als DNA-onderzoek.

Op datzelfde laken waren ook haren gevonden. Zwart. Lang. Niet geverfd. Het leek er dus wel op dat Boen seks had gehad voor zijn dood. Waarschijnlijk met een vrouw met lange zwarte haren. De vraag was wie. Was het een hoertje – Deleu herinnerde zich het woord 'Dellen' op de vloer – en was er ruzie ontstaan? Over de prijs? Nee. Dat was té banaal. Wellicht was het andersom. Ze was hem ter wille geweest en had met een glimlach aan al zijn grillen voldaan. Ondertussen had ze hem met haar zelfgefabriceerde pralines in slaap gewiegd om hem daarna in zijn slaap te vermoorden en te beroven. Zou kunnen. Maar waarom hem vermoorden als hij toch al buiten strijd was? Bovendien was Boen niet gedood in zijn slaap. Hij had zich proberen te verweren. Getuige daarvan waren de steekwonden aan zijn handen. Hem drogeren om zijn weerstand te breken, dat kon. Al was iemand die zo geraffineerd en met voorbedachten rade te werk gaat waarschijnlijk niet aan haar proefstuk toe. Ook het woord 'Dellen' zelf had geen tastbare resultaten opgeleverd. Er waren weliswaar partiële vingerafdrukken gevonden maar ze waren niet geregistreerd in de databank van criminelen en zouden het onderzoek slechts vooruit kunnen helpen als er een verdachte werd opgepakt. Of de vingerafdrukken afkomstig waren van een man of een vrouw kon sowieso niet worden bepaald.

Deleu was in de archieven gedoken. Op zoek naar moorden met een vergelijkbaar patroon. Slachtoffers, in casu mannen, die gedrogeerd werden voordat ze werden vermoord. Hij had niks gevonden.

En dat hoertje? Dat moest dan een callgirl zijn. En die zijn toch niet dom. Die vrijen zelden zonder condoom, dat evenmin was aangetroffen op de plaats delict. Ze kon het gebruikte condoom natuurlijk hebben meegenomen. Of doorgespoeld in de wc. En een callgirl? Als je de vrouw van Boen mocht geloven, was de man een onverbeterlijke vrek, die zich hulde in tweedehandskledij, en Boens echtgenote mocht dan al bemiddeld zijn, hijzelf was dat niet. Ze hadden de bankuittreksels gecontroleerd. Het leek erop dat hij slechts werkte als hij daar zelf zin in had. En hoewel ze op de hoogte was – Deleu had het emotionele discours van Nadia nog vers in zijn achterhoofd –, was het onwaarschijnlijk dat zijn vrouw hem geld zou hebben gegeven om zijn 'buitenschoolse activiteiten' te financieren. Zoiets was meer dan een stap te ver.

En dan was er nog de kofferbak van Boens auto. Die was opengebroken. De vraag was waarom. Die kofferbak leek verdorie op een stortplaats. Alle rommel onderzoeken die erin was gevonden, zou maanden duren. Werkte hij in het zwart? En bewaarde hij daar zijn baar geld? Was het dat? En was hij daarover loslippig geweest tegenover die callgirl? Had ze meer geld gevraagd? Was ze hem gevolgd toen hij naar de garage was gelopen?

Deleu zuchtte. De realiteit was dat ze nog steeds geen centimeter waren opgeschoten. Het leven van Erik Boen was ondertussen binnenstebuiten gekeerd. Hij was een man van twaalf in een dozijn. Een eenzaat, een rustige man, die een natuurlijke afkeer had van de moderne communicatiemiddelen. Dat was in se een tegenvaller. Want zijn laatste dagen reconstrueren was vrijwel onmogelijk. Bovendien vertellen je gsm en je pc vaak een ander verhaal dan hoe de buitenwereld je ziet. Een strafblad had hij ook niet.

Zelfs naar een parkeerboete was het zoeken met een vergrootglas.

De andere betrokkene, Tom Slootmaekers, die bovendien een alibi kon voorleggen, had evenmin een strafblad. Slootmaekers werkte weliswaar vaak op zijn eentje, maar moest elke dag verslag uitbrengen van zijn vorderingen bij zijn buitenlandse opdrachtgevers. Die instructies had hij nauwgezet opgevolgd. Alle luchtvaartmaatschappijen die op Italië vlogen, waren benaderd. In die tijdsperiode was er geen dagtrip geboekt door ene Tom Slootmaekers. Deleu had ook een vluchtig gesprek gevoerd met de moeder van Tom Slootmaekers. Ook dat had geen nieuwe elementen aan het licht gebracht. Tom was een stille jongen. Altijd geweest. Hobby's had hij niet. Ja, hij was geïnteresseerd in fotografie. Maar dat was vroeger. Wat hij vandaag uitrichtte in zijn vrije tijd, dat wist de vrouw niet. Erik Boen kende ze niet. Nooit van gehoord, had ze beweerd. Hoewel ze bij dat antwoord niet al te zeker van haar stuk leek, was Deleu er niet op doorgegaan. Het ging nu immers om Tom Slootmaekers.

Haar zoon reisde veel. Voor zijn werk. Daar was hij ongeveer een jaar geleden mee begonnen. Omdat hij het een interessante carrièrezet vond. Sindsdien had ze nog weinig contact met Tom.

Een klassieker in deze moderne hectische tijden, dacht Deleu, en zijn gedachten gingen naar zijn eigen kinderen. Hij moest Rob maar eens opbellen. Zomaar. Zonder een echte aanleiding. Maar wat moest hij vertellen? Rob zou ja en nee zeggen. Zoals gewoonlijk.

En hier zat hij nu, de gelouterde ondervrager, die met gerichte open vragen zelfs de sluwste criminelen uit hun kot had weten te lokken.

Deleu zuchtte nog maar een keer en duwde zijn gsm in zijn zak. Het DNA-onderzoek was nog niet afgerond. Het buurtonderzoek had voorlopig evenmin een concreet spoor opgeleverd.

Eén lichtpuntje was er. Die ene tip. Van een oud vrouwtje. Ze woonde in de Merodestraat en beweerde dat ze twee keer dezelfde auto had gezien tijdens de nacht dat Erik Boen was vermoord.

***

'Dinsdag, zei u?' vroeg Mendonck en ze probeerde de zucht te onderdrukken, al lukte dat maar half. 'Dat is twee dagen voor de vermoedelijke moord.'

'Heb ik dinsdag gezegd?'

'Euhmm. Ja.'

'Voor mij zijn alle dagen hetzelfde', mompelde Melanie Dezutter. De vrouw was in de war. Haar kleine, oude ogen vluchtten weg en gingen op zoek naar haar handen, die krampachtig in haar schoot lagen. 'Maar wat ik gezegd heb over die auto daar twijfel ik niet aan. Die heb ik twee keer gezien. 's Nachts. Hier in onze straat.'

'Kunt u zich de uren nog herinneren?' vroeg Mendonck met haar pen in de aanslag.

'Goh. Laat. Twee keer. Op een uur dat normale mensen slapen.'

'Maar u sliep niet?'

'Nee. Ik raak moeilijk in slaap. Maar dat is een ander verhaal. Een lang verhaal. Dat wilt u zeker niet horen.'

Mendonck stond in tweestrijd. Luisteren naar een litanie over gemiste kansen en de onrechtvaardigheid van het leven, die hier niet ter zake deed, of doorduwen en wegwezen. Ze wilde nog een keer gaan snuffelen in de spullen van Erik

Boen. Een huiszoekingsbevel was daar niet voor nodig. Aimée Gysemans maakte geen enkel bezwaar. Maar eerst deze tip afhandelen.

'Ik heb tijd', zei Mendonck en ze zette haar woorden kracht bij door een gemakkelijke houding aan te nemen. Ze had medelijden met het oudje, dat weduwe was en kinderloos en wellicht blij dat ze haar verhaal eindelijk eens bij iemand kwijt kon. Of had de Nadia Mendonck van vandaag medelijden met de Nadia Mendonck van overmorgen? De gedachte overviel haar.

'Mijn man was politieagent', zei de vrouw. De onverwachte intro verraste Mendonck en maakte een eind aan haar zwartgallige zelfreflectie. Ze wist dat Melanie Dezutter al meer dan tien jaar weduwe was. Maar dieper dan dat had ze niet gegraven.

'Ah. Interessant. De mijne ook', glimlachte Mendonck.

'Een lieve en integere man. Oscar leefde voor zijn werk. Hij had het moeilijk toen hij met pensioen werd gestuurd', zuchtte het vrouwtje. 'Het is toen dat we ermee zijn begonnen.'

'Begonnen? Met wat begonnen?'

'Met speurdertje te spelen', zei het vrouwtje en haar benige duimen cirkelden genoeglijk om elkaar. Ze glimlachte. 'Je moet je daar niet te veel bij voorstellen, hoor. Het was meer bezigheidstherapie. We zaten uren samen voor het venster. Babbelden en hielden de straat in het oog. We analyseerden alles wat er gebeurde. Wat of wie er volgens ons thuishoorde in het straatbeeld en wat of wie niet. Vaak probeerden we op die manier de misdadige intenties te doorgronden van een handelsreiziger die rustig zijn gazetje zat te lezen of zo, maar een keer, het was vlak voordat Oscar naar het ziekenhuis moest, zijn we er toch in geslaagd om een diefstal te voorkomen. Die mannen, ze waren met zijn drieën, zigeunertypes, ze waren al een keer of twee poolshoogte komen nemen. Ze hadden het huis van onze overbuur in de gaten. De derde keer dat we ze zagen, hadden ze duidelijk slechte intenties. Een van hen bleef in de auto zitten. De twee anderen gingen achterom. Door het gat in de haag en zo in de tuin van Lizette, die niet is afgesloten. We hebben de politie verwittigd. Ze hebben die mannen toen op heterdaad betrapt.'

'Wow', zei Mendonck, verbaasd over het enthousiasme van de vrouw, helemaal niet het uitgebluste hoopje mens dat ze in gedachten had. 'Puik.'

Het vrouwtje bloosde warempel. Ze haalde de schouders op en had blijkbaar al lang geleden geleerd dat jezelf relativeren de enige juiste optie is. Het werd stil. Vervelend stil.

'Waarom moest Oscar naar het ziekenhuis?'

'Kanker.'

'Heeft hij geleden?'

'Ja. Ik denk het wel. Hij heeft dat nooit laten blijken. Maar ja. Hij heeft afgezien. Ik heb hem zien wegteren. Maar dat is ook een lang verhaal...' – Mendonck wilde wat zeggen maar het vrouwtje stak haar hand op – '...dat ik liever voor mezelf wil houden. Als u het niet erg vindt.'

'Nee', zei Mendonck en ze schraapte haar keel. 'Het spijt me dat ik u niet au sérieux heb genomen.'

'Tja. Het hoort er allemaal bij', zei de vrouw en ze glimlachte.

'Waarbij?'

'Bij het ouder worden.'

Nadia Mendonck ging verzitten. Onder de indruk van zoveel wijsheid. Ze probeerde de draad weer op te pakken.

'Weet je welke auto het was? Ik bedoel, de auto die u die bewuste nacht...'

'Ik weet welke auto u bedoelt', onderbrak het vrouwtje

haar. 'Maar nee. Het antwoord is negatief. Van auto's weet ik niet veel. Alleen dat ze lawaai maken en dat ze met veel te veel zijn en dat ze de lucht verpesten.'

'Hoe zag die auto eruit?'

'Goh. Het was donker. Niet te groot. Beetje zoals uw auto. Denk ik.'

Wat een opmerkzaamheid, dacht Mendonck. Ze had het niet zo met mensen die hun neus in andermans zaken steken, maar nu kwam de nieuwsgierigheid van de vrouw haar goed uit.

'Oké. Zou u die auto herkennen, mocht ik er een foto van laten zien? Merk en model, bedoel ik.'

'Nee. Dat denk ik niet. We zouden ook een hele tijd bezig zijn, vermoed ik. Enfin. Wie weet.'

'Goed. Kunt u zich de kleur herinneren?'

'Nee. Het was donker. De straatverlichting was uit.'

'Was het een eerder donkere kleur of een lichte?'

'Niet al te donker. Denk ik. Dan had ik hem vast niet opgemerkt.'

'Maar je hebt hem wel opgemerkt.'

'Dat was omdat de motor een tijdje is blijven draaien. De eerste keer bedoel ik. Anders was het me niet opgevallen. Ik had een minuutje eerder ook al een auto gehoord. Het is daarvan dat ik wakker ben geworden, denk ik. Ik ben een lichte slaper, altijd geweest. Oscar niet. Als die ronkte, mocht er een bulldozer door ons huis razen.'

'Een andere auto?' probeerde Mendonck voorzichtig.

'Dat weet ik niet. Ik heb die eerste auto niet gezien. Het zou dus kunnen dat de bestuurder van de tweede auto een blokje om is gereden. Al durf ik dat te betwijfelen. Het was een ander geluid. Enfin. Toen ik een tweede auto hoorde, ben ik opgestaan en ben ik naar het venster gelopen.'

'Waarom?'

'Omdat ik dat eigenaardig vond. Op dat late uur. Twee auto's in zo'n korte tijdsspanne.'

'Dat klopt', zei Mendonck en ze noteerde naarstig verder. Dit was in elk geval een interessante getuigenis. 'Goed. En u hebt die tweede auto aan de overkant gezien? Met draaiende motor?'

'Ja.'

'Hebt u die auto ook zien wegrijden?'

'Ja.'

'Hoeveel later?'

'Na een vijftal minuten. Denk ik. Ik heb niet op de klok gekeken, maar veel langer dan dat kan het niet geweest zijn.'

'Hebt u kunnen zien wie er in die auto zat?'

'Een vrouw. Denk ik.'

'Waarom denkt u dat?'

'Die persoon heeft een tijdje door het raampje zitten staren. Naar die moderne lofts hier wat verderop. Daarna streek ze langs haar hals. Alsof ze haar haren achter haar oren stak. Vandaar.'

'Vandaar dat u denkt dat het een vrouw was.'

'Ja.'

'Puik speurwerk', zei Mendonck en ze glimlachte.

De vrouw fleurde op. Net zo lang totdat ze de foto van haar man zaliger in het oog keek.

'En wanneer hebt u diezelfde auto voor de tweede keer gezien?' haastte Mendonck zich. Ze wilde de cadans niet verliezen. Het vrouwtje keek haar afwezig aan.

'Twee uur later.'

'Dat weet u zeker?'

'Ja. Ik zat nog bij het raam.'

'Oké. En hoe lang is hij toen blijven staan?'

'Niet. De tweede keer is die auto gewoon langsgereden. Traag, alsof de bestuurder naar iets of iemand op zoek was.'

Alsof hij zich niet meer herinnerde waar hij de eerste keer was gestopt.'

'Zij?' glimlachte Mendonck.

'Ja. U hebt gelijk', zei Melanie Dezutter. 'Waarschijnlijk was het een zij.'

'En ze is dus niet gestopt. De tweede keer, bedoel ik.'

'Nee. Althans niet hier. De auto vertraagde. Dat wel. Misschien heeft ze de auto een straat verderop geparkeerd. Op het Sint-Janskerkhof. Daar is een kleine parking waar meestal nog wel een plaatsje vrij is.'

'Hmm. Zou kunnen', zei Mendonck. 'En waarom vermoedt u dat?'

'Ik heb de motor horen stilvallen.'

'U hebt een prima gehoor', glimlachte Mendonck.

'Nee. Die auto maakte een hels lawaai. De eerste keer ook al. Ik vermoed dat er een probleem was met de uitlaat. Voor zover ik iets van auto's af weet, tenminste.'

'En hebt u de bestuurder, die vrouw, later nog gezien. Te voet?'

'Nee.'

'Dat weet u zeker?'

'Ja. Het was me te koud.'

'Te koud?'

'Ik ben in bed gekropen. Nadat ik het raam had dichtgedaan. Ik had het geopend om te kunnen volgen wat die auto deed.'

Mendonck fronste.

'Zo goed zijn mijn oren nu ook weer niet', zei Melanie Dezutter en haar hele wezen glimlachte.

Mendonck beantwoordde de warme glimlach en stond op. Ze zoende Melanie Dezutter op de wang. In een opwelling.

'Bedankt.'

'Waarvoor?'

'Voor uw tijd. En vooral voor uw opmerkzaamheid en uw oog voor detail, en uw burgerzin. Ik wou dat ik wat meer collega's had zoals u! We zien elkaar nog.'

Het vrouwtje stond op. Ze straalde. Het gaf Mendonck een goed gevoel.

'Geven is belangrijker dan nemen', zei Melanie Dezutter en ze begeleidde Mendonck naar de voordeur.

***

Een halfuur later stond Mendonck in het hobbykamertje van Erik Boen. Het was rommelig, zoals de man zelf. De reden waarom ze hier nog een keer wilde rondkijken was net vanwege die rommel. Aimée Gysemans poetste dit kamertje niet. Nooit. Dat was een stilzwijgende afspraak met haar man.

Wat had je te verbergen, vroeg Mendonck zich af en ze keek traag rond.

Er was het krakkemikkige bureautje dat vloekte met de tuinstoel van groen plastic. Op het bureaublad lag een verkreukelde lege fles van mineraalwater. Een paar oude balpennen, paperclips, een duplicaat van een elektriciteitsfactuur. Kruimels. Veel kruimels. Verder niks speciaals. Op dat bureaublad had ook het orderboekje van Erik Boen gelegen. Dat was meegenomen door de technische recherche voor verder onderzoek. Er stonden adressen in. Altijd een interessant gegeven. Deleu was ermee bezig.

Deleu, dacht Mendonck. Ze had spijt van het akkefietje met zijn kinderen in de hoofdrol. Beschaamd dat ze zo was uitgevlogen. Ze had zich nog niet verontschuldigd. En eigenlijk was ze dat ook niet van plan. Ze liet haar ogen ronddwalen in het kleine muffe kamertje. Het enige wat echt opviel, waren de oude kleren. Ze lagen overal. Naast de deur lag een rommelige stapel schoenen. Zo te zien ook tweedehands.

Er was nochtans een oude kleerkast. De deur protesteerde toen Mendonck ze opentrok. Hetzelfde beeld hier. Rommel en nog eens rommel. Groezelige truien, een oude verrekijker. Ja, tot zelfs een roestige hamer en een tang toe. Spijkers, kriskras verspreid over de bodemplaat, waar ook twee oude schoendozen stonden. Slordig gestapeld. Mendonck lichtte het deksel van de bovenste doos. Ze schrok. Niet van de foto's, maar van de manier waarop ze waren gerangschikt. Netjes. In stapeltjes. Met een elastiekje eromheen en het jaartal op een stukje papier dat met een paperclip was vastgehecht aan het desbetreffende stapeltje.

De foto's waren oud, zag Mendonck toen ze lukraak een stapeltje oppakte. Ze deed het elastiekje eraf. Op de foto's stonden geen mensen. Landschappen. Bos. Natuurbeelden. Sommige best wel aardig gelukt. Ze opende het deksel van de andere doos. Hetzelfde. Ze pakte een nieuw stapeltje. Dezelfde beelden. Natuur en nog eens natuur. Geen levende ziel te bekennen. Waarschijnlijk herinneringen aan zijn talloze wandelingen, dacht Mendonck. Dat strookte perfect met het beeld dat Aimée Gysemans van haar man had geschetst. Een rustige man die erg was gesteld op privacy en hield van lange wandelingen.

'Saaie piet', zuchtte Nadia en ze duwde de foto's in de doos. Ze vertikte het om het elastiekje eromheen te doen. Ze pakte een nieuw stapeltje. Stel dat er ergens een foto tussen zat van een van zijn minaressen. Dat kon. Aimée Gysemans kwam hier nooit en mocht ze hier toch binnenkomen, dan zou ze beslist niet in die foto's gaan rondscharrelen want het waren er honderden. Mendonck pakte nog een stapeltje, op zoek naar de minnares die haar op een nieuw en veelbelovend spoor zou zetten. Het verschil tussen een zege of een nederlaag zit hem vaak in details. Zeker tijdens een moordonderzoek. Natuurfoto's. Zucht. Ze pakte het laatste stapeltje uit de doos. Op de achterkant van een aantal foto's stond een merkteken. Gewoon een kruis. In potlood. Op zich niks wereldschokkends maar toch intrigeerde het haar. Stel. Nadia draaide de foto snel om en zuchtte nog maar een keer toen haar hooggespannen verwachtingen alweer niet werden ingelost. Ze staarde naar de boom op de foto. Een eik, gokte ze. Wie maakte er nu verdorie foto's van bomen en struiken en al dat gedoe.

'Saai. Zo saai! Maar wat deed jij dan godverdomme in het appartement van je vriend!' vloekte Mendonck.

Ze duwde de kast dicht en liep naar de deur. Wilde haar humeur niet laten verpesten door deze tegenvaller. Wat ze was te weten gekomen bij Melanie Dezutter, daar ging het om. Daar moest ze op focussen. Dát was een veelbelovend spoor.

V

Mijn eerste ingeving was benzine. Maar dat idee heb ik laten varen. Ik ben uiteindelijk nog een puber. Ik heb geen betaalkaart en kan moeilijk overdag met een jerrycan lopen rondzeulen. Trouwens, in ons dorp is geen tankstation. De aansteker heb ik van mijn vader gepikt. Hij is zich van geen kwaad bewust.

Nee nee, niet de aansteker, hèhèhè. Mijn vader. Hij gelooft nog steeds rotsvast in de onschuld van zijn aangenomen kind. Mijn moeder heeft haar twijfels, denk ik. Maar zij twijfelt aan alles en vormt dus ook geen echte bedreiging. Al haat ik haar wel. Had ze wat meer haar op haar onvruchtbare kut gehad, dan had ik hier nu niet gezeten! Maar dat is een ander verhaal.

Laat ik bij de aansteker blijven. Het is paps reserveaansteker, die in de commode ligt, onder de pijptabak. Attribuutje twee, de kranten, zijn van de buurvrouw zelf. Ik heb ze 's nachts uit haar afval gehaald en bewaard onder mijn matras.

Waarom?

Gewoon. Omdat ze een andere krant leest dan mijn vader.

Maar goed. Het elastiekje om het lipje van de aansteker vast te klemmen heb ik meegepikt op school. Ik heb er zelfs de vingerafdrukken afgeveegd. Belachelijk, dat weet ik wel, maar toch. Vanaf nu neem ik geen enkel risico meer.

Ik ben er helemaal klaar voor. Enige spelbreker is het weer. Nu lijkt er eindelijk beterschap in te zitten, maar het regent al dagen lang. Dat is redelijk klote natuurlijk. Ik kijk nog maar een keer door het raam. Het is eindelijk opgehouden met regenen. Dat is goed. Er staan geen plassen meer in onze straat, waar het muisstil is. Ook dat is voor een keer goed. Toch zou ik mijn plan beter nog wat uitstellen. Maar mijn vingers jeuken. Laat ik nu niet te ver afdwalen van het plan. Onze bijna surrealistisch perfecte buurvrouw met de gepiercete tieten heeft één slechte gewoonte. De asbak. Ik heb hem gezien, vanuit mijn ooghoek, terwijl ik trillend op mijn benen haar bloederige rondedans en bijna zwanenzang mocht aanschouwen. Hij stond op het nachtkastje en zat vol peuken. Yep. Ze, foei foei, rookt in bed en voor je het weet staat de hele buurt in lichterlaaie en springen er kleine kindjes in brandende pyjamaatjes uit het raam! Pardoes de beek in, waar ze genadeloos worden verkracht door de nazaten van Amedé. De kikker, weetjewel.

Maar genoeg geleuterd.

Actie.

Tijd om de huishoudhandschoenen aan te trekken. Ze zijn van roze rubber. De aansteker is geel. Niet dat de kleuren er iets toe doen, maar de combinatie past gewoon goed bij wat ik in gedachten heb. Het is een BIC. Nogal mainstream dus. Bovendien gok ik erop dat het ding door de vlammen zal worden verteerd.

Roze en geel.

Whoefff!

Ik wikkel het elastiekje rond de aansteker. En nog een keer. Het moet strak zitten, zonder te breken.

Zo.

Ik draai aan het wieltje, laat het lipje los, heel voorzichtig.

Het werkt. Simpel maar behoorlijk gaaf is dat.

De vlam blijft branden.

Hoe ik het ga doen?

Hèhèhè.

Geduld!

Spannend, niet?

Hèhèhè.

Haar slaapkamerraampje heb ik gisteren al te grazen genomen. Stukgeschoten met mijn katapult. Ze heeft het afgeplakt met - o ironie - krantenpapier.

Wat? Of het weer regent?

Nee. Nog altijd niet. De zak van God is leeg.

Grof?

Waarom?

God bestaat niet. Hij bestaat NIET! Geloof me maar.

Hoe ik dat zo zeker weet?

Hèhèhè.

Je bent te nieuwsgierig.

Relax. Herinner je onze afspraak! Ik ben er klaar voor. Het schouwspel kan beginnen. Vandaag geen zure regen maar een allesverterende zee van vlammen en ik, ik zit op de eerste rij vannacht. Ik hoop dat ons hele strontdorp in de fik vliegt.

Na de begrafenis ga ik haar verkoolde lijk opgraven. Niet te snel maar ik mag ook niet té lang wachten. Enfin, dat is het plan. Haar dikke tieten, die ik dan later ga invriezen, mogen nog niet in té ver gevorderde staat van ontbinding zijn. Geen ranzige brij, quoi. Als de meer profane versie van onze Heer in de Hemelen, kan ik dan al wel wat stank verdragen, maar toch, lachte hij.

Eigen stront eerst.

5

De begrafenis van Erik Boen was een afspiegeling van het weer, grauw en somber. Bovendien bleek ook de publieke belangstelling een tegenvaller voor Nadia Mendonck, die verkleumd tot op het bot stond toe te kijken. Ook het veelbelovende spoor, de auto met de beschadigde uitlaat, had voorlopig niks opgeleverd. Geen van de buren van Melanie Dezutter had iets gezien of gehoord. Het bleef dus hoe dan ook zoeken naar een speld in een hooiberg.

Nadia keek om zich heen. Er waren welgeteld zes aanwezigen, onder wie de pastoor, die een paar onverstaanbare woorden prevelde terwijl de begrafenisondernemer en zijn potige kale medewerker de kist in de rulle aarde lieten zakken. Van de overige drie leek Aimée Gysemans de enige die echt verdriet had. Het gezicht van Tom Slootmaekers was volkomen vlak. De derde persoon en de enige onbekende voor Mendonck was een bejaarde vrouw in een verschoten grijze regenjas. Ze stond een paar meter verderop, alsof ze er niet bij hoorde. Ze klemde haar handtas krampachtig onder haar arm, alsof ze vreesde elk ogenblik bestolen te zullen worden.

Wellicht ging het om een buurvrouw. Toch liep Mendonck naar de vrouw toe, vastbesloten om te weten te komen wie ze was, want de begrafenis, die trouwens stiekem werd gefilmd vanuit een anonieme auto, kon een onschatbare bron van informatie zijn voor het lopende onderzoek.

'Mevrouw?'

'Ja?' zei de bejaarde vrouw en ze kon de irritatie in haar stem niet verbergen.

'Wie bent u?' vroeg Mendonck op de vrouw af.

'Yolande Stuyck', zei de vrouw kortaf. 'Waarom?'

'En u bent...?' zei Mendonck. Er ging een belletje rinkelen, maar ze kon de naam niet thuisbrengen. Nog niet. Ze wees naar het graf waarin de kist was verdwenen.

'Ik was de moeder van Erik Boen', zei de vrouw.

'Was?' vroeg Mendonck, vriendelijk maar verrast door de stroeve uithaal. Ze beheerste zich. Wellicht had de vrouw het zo niet bedoeld en was het haar manier om met het verlies om te gaan.

'Ja. Hij is toch dood? Of ben ik verkeerd geïnformeerd en ligt mijn zoon niet in die kist daar?' zei de vrouw en ze wees naar de priester, die in stilte afdroop. Haar arm trilde. 'En als u me nu wilt excuseren. Ik moet mijn trein halen.'

Voordat Mendonck kon reageren liep de vrouw weg. Met grote, energieke passen en haar handtas stijf onder haar arm. Ook Tom Slootmaekers was al weg. Toen ze een hand op haar schouder voelde, keek Mendonck verbaasd om. Het was Aimée Gysemans.

'Ik zie dat u al kennis hebt gemaakt met Eriks moeder', zei ze, en om haar lippen speelde een flauwe glimlach. Mendonck probeerde zich te ontspannen. Ze kneep de weduwe van Erik Boen, met wie ze het eigenlijk wel kon vinden, in de schouder.

'Innige deelneming.'

'Bedankt', zei Aimée Gysemans. 'Kom je mee voor een kop koffie?'

Mendonck knikte. Ze kon een hartverwarmertje gebruiken. Ze keek nog een keer achterom. De moeder van de overledene zette er flink de pas in. Collega's van de technische recherche hadden geprobeerd om de ouders van Erik Boen op te sporen, herinnerde Mendonck zich. Tot nog toe zonder resultaat. Yolande Stuyck en Frits Boen leken van de aarbol verdwenen. Ze hadden in Heffen gewoond, een deelgemeente van Mechelen. Daar waren ze ongeveer twintig jaar geleden uitgeschreven uit de registers van de gemeente. Verder liep het spoor dood.

'Trek het je niet aan. Ze is zo. Ik heb ermee leren leven.'

'Wie?' mompelde Mendonck verstrooid.

'Eriks ma. Ze is een harde vrouw. Maar ze hield wel van hem. Denk ik. Op haar manier. Een beetje zoals ik.'

'Zag je haar vaak?'

'Nee. Een keer per jaar. Als we gingen winkelen in Maastricht.'

'Maastricht?'

'Ja. Ze woont in Nederland. Net over de grens. In de buurt van Maastricht.'

'Ah? En Erik...?'

'Heeft daar een groot deel van zijn jeugd doorgebracht. Ja. In Berg en Terblijt. Een paardenkop groot.'

'Een paardenkop?'

'Sorry. Ik bedoelde een speldenkop.'

'Ken je haar adres?' vroeg Mendonck, die eindelijk doorhad waarom het spoor tot nog toe was doodgelopen.

'Van wie?'

'Van de moeder van Erik Boen?'

'Laat maar. Ik moet haar adres thuis wel ergens hebben, ja, maar...'

'Je hebt het niet meer nodig?'

'Nee. Eigenlijk niet', mompelde Aimée Gysemans. 'Maar je kunt haar huis makkelijk vinden. Dat dorp is een... hm... vliegenscheet groot.'

***

Het handschrift in het orderboekje van Erik Boen was bijna onleesbaar. Moeilijk uit te maken of het om een drie of een acht ging. Huisnummer dertien, gokte Deleu en hij liep naar de overkant van de straat en belde aan.

Het derde adres dat hij bezocht was een piepklein huisje van twaalf in een dozijn. De gordijnen waren geen gordijnen maar het oogde allemaal wel fleurig. Er gebeurde een hele tijd niets. Toen Deleu rechtsomkeert wilde maken, werd er op de ruit getikt. Een meisje wenkte hem. Ze was knap. Koffie met melk. Dikke bos krullen. Haar lippen bewogen. Ze riep iets maar Deleu kon niet horen wat.

Het gezicht verdween. Een paar seconden later ging de deur open.

'Sorry. Was aan het werk.'

'Geen probleem', glimlachte Deleu. 'Ik had graag een inlichting van u.'

'Ja. Natuurlijk. Doe maar.'

'Ik ben van de politie. Mag ik even binnenkomen?'

'Goh. Die boete', zei de jonge vrouw en ze draaide een haarlok om haar vinger. 'Rats vergeten. Maar...'

'Juffrouw... hmm...' Deleu keek op zijn spiekbriefje. 'Khalifa?'

'Zeg maar Deborah. Debbie voor de vrienden.'

'Debbie. Het gaat niet over een boete.'

De lach van de jonge vrouw was gul, haar tanden parelwit. De deur ging verder open. De nauwe gang was volgestouwd met kartonnen dozen. Deleu slalomde tussen de dozen, een overvolle kapstok en een ouderwetse damesfiets.

De kleine woonkamer leek op een minischildersatelier. Overal verf. Penselen. Een schildersezel.

'Ik ga met de deur in huis vallen', zei Deleu.

73

'Val maar.'

'Kent u deze man?' vroeg Deleu en hij gaf de foto aan de jonge Senegalese – hij herkende de vlag aan de muur. Groen, geel en rood met een groene ster in het midden. Ze bekeek de foto aandachtig.

'Ja. Nu je het zegt. Is dat niet die man die onlangs is vermoord?'

'Ja. Erik Boen', zei Deleu. 'Kent u hem?'

'Kennen? Ja. Zijn gezicht komt me bekend voor. Dat dacht ik ook al toen ik zijn foto in de krant zag. Maar ik kon er de hand niet op leggen. Ik heb hem ontmoet in het centrum van Mechelen, denk ik. Hij bood me een drankje aan. Maar ik was gehaast. Moest op de academie zijn. Toen had ik ook al het gevoel dat ik hem kende.'

'Hij was klusjesman.'

'Damn! Ja. Nu weet ik het weer! Hij is hier geweest. Om een lek te dichten in de douche. De eigenaar vertikte het. De smerige huisjesmelker.'

'Hoe heb je hem gevonden? Erik Boen, bedoel ik.'

'Via een advertentie in de krant. Ik heb gebeld.'

'Gebeld? Op een gsm-nummer?'

'Goh. Dat weet ik niet. Het was een antwoordapparaat. Hij heeft zelf teruggebeld. Zei me dat hij eerst wilde komen kijken voordat hij de klus aannam.'

'Hmm. En heeft hij de klus aangenomen?'

'Ja. Hij was heel vriendelijk. Prima werk, faire prijs. Niks op aan te merken.'

'Is er u iets speciaals aan de man opgevallen?'

'Speciaal? Nee. Waarom?'

'En nadien hebt u hem dus nog een keer ontmoet?'

'Ja. Dat denk ik wel. Toevallig. Hier in Mechelen. Op de Vismarkt, denk ik. Ik was bijna te laat. Voor mijn eigen vernissage nota bene.'

'Klasse', zei Deleu waarderend en hij keek naar een schilderij aan de muur. Abstract. Met gele en zwarte strepen die in elkaar vloeiden.

'Zal wel zijn', zei het meisje en ze lachte. Deleu begreep haar reactie niet zo goed. 'Da's een replica van Clyfford Still. Een van de belangrijkste abstracte expressionisten van de twintigste eeuw. Het origineel hangt in het Denver Art Museum.'

Het enige wat Deleu kon produceren, was een droog kuchje. Hij had natuurlijk ook kunnen vragen of het meisje supporter was van SK Lierse.

'Hebben jullie al een spoor?' hielp de jonge Senegalese hem uit zijn lijden.

'Nee. Nog niet.'

'Tja. Het was een wat stille, ingetogen man. Maar wel vriendelijk. Hij heeft hier nog een kopje thee gedronken. Inheemse, die ik heb meegebracht uit...'

'Les Gazelles', zei Deleu en hij wees naar de vlag. 'De trots van Senegal.'

Het meisje bloosde. Ze had een hartverwarmende glimlach.

***

Zonder gps had Nadia Mendonck de gemeente Berg en Terblijt nooit gevonden. Erik Boen en Tom Slootmaekers hadden blijkbaar meer gemeen dan alleen de Spaanse les. Ze waren allebei in een klein gehucht opgegroeid. Plattelandsjongens die waren uitgezwermd naar de grote stad.

Na het obligate toertje rond de kerk had ze een kleine snackbar in het oog gekregen. De uitgelopen letters van de menukaart voorspelden weinig goeds. Vier verschillende soorten bitterballen, dat wel. En een broodje patat, wat dat dan ook mocht zijn. Binnen hing een ranzige geur van verbrande frituurolie maar Mendonck, die nog niets had gegeten, had honger.

Er waren vier tafeltjes. Twee waren bezet. Een dame met hondje dronk koffie en sabbelde aan een koekje. Het hondje krabbelde aan de poten van de stoel. Aan het andere tafeltje zaten drie mannen. Ze dronken bier, van die bleke Hollandse pils, en speelden kaart. Toen Mendonck naar de kassa liep, maakte de kogelronde uitbaatster haar met een hoekig gebaar duidelijk dat ze kon gaan zitten.

Nu is er geen weg terug, dacht Mendonck. Ze koos voor het tafeltje waar geen tijdschriften op lagen. Toen de blondine aangesloft kwam, keek ze haastig op de kaart. Ze besloot om op zeker te spelen en bestelde een broodje met ham en een kop koffie.

Na de koffie – en dat was letterlijk te nemen, want er was zelfs geen koekje bij – had Mendonck afscheid genomen van Aimée Gysemans en was ze hiernaartoe gereden. Ze wilde praten met de moeder van Erik Boen. Het waarom peilen van haar eigenaardige reactie. Terwijl ze terugdacht aan de rit – was ze toch maar in Maastricht gestopt voor een snelle hap –, voelde ze dat ze in het middelpunt van de belangstelling stond.

Ze hielden haar in het oog en deden moeite dat niet te laten opvallen. Alle zes, behalve het hondje. Dat wond er geen doekjes om en keek Mendonck onbevangen aan. Stil nu, en met gespitste oren, argwanend, door de aanwezigheid van een vreemde luis in de pels.

Mendonck vroeg zich terloops af of deze mensen zelfs maar af wisten van het bestaan van socialenetwerksites. Waarschijnlijk niet. Een beetje zoals Dirk. Ook aan hem waren de moderne media niet besteed. Tenzij hij ze nodig had voor zijn werk. Nee, voor Deleu stond de wereld stil, om dan plots te exploderen. Of op zijn hoofd te vallen. Wanneer het liefje van zijn zoon voor de deur stond. Raicha maakte nochtans deel uit van de vriendenlijst van Rob, wist Nadia. Al een hele tijd trouwens.

Gisteravond had ze nog een keertje gespiekt. Op Netlog. Daar had Rob Deleu een profiel. Ze deed het wel vaker, Nadia, die tenslotte een vrouw was en nieuwsgierig – je wist maar nooit of het onderwerp 'mijn vreselijke stiefmoeder' ooit een keertje ter sprake zou komen. IJdele hoop natuurlijk. Maar misschien was het wel beter zo. Ze wilde immers geen surrogaatmoeder zijn voor Deleus kinderen. Ze zou er zijn mocht dat nodig zijn. Dat had ze voor zichzelf uitgemaakt.

Rob maakte er geen geheim van dat hij en Raicha een relatie hadden. Ze was ook in het profiel van Raicha gedoken. Het kind was geen doetje. De foto's spraken voor zich. Een echt fuifbeest. Maar ach, wie wil er een doetje, had Mendonck gedacht. Hoewel. Arme Dirk, dacht ze, en ze staarde naar het broodje. Het zag er steenhard uit.

Mendonck gaf de vrouw het gepaste geld. De muntstukken werden zorgvuldig geteld en gleden in de borstzak van de schort.

'Mevrouw?'

'Nog iets?' klonk het verveeld.

'Ik zoek iemand die hier woont.'

'Ja, dat had ik al gedacht', zei de vrouw en er kwam een diepe frons in haar glimmende voorhoofd. Ze veegde haar handen droog aan haar schort. 'Waar woont ze?'

'Hier', zei Mendonck. 'In Berg en Terblijt.'

De vrouw zuchtte, onthutst door zoveel onwetendheid.

'Berg, Terblijt, Vilt of Geulhem?'

'Dat, hmm, weet ik niet', zei Mendonck. 'Haar naam is Yolande. Yolande Stuyck.'

'Nooit van gehoord.'

Mendonck zag de dikke kont weer naar de toonbank waggelen. De koffie was lauw. Ze dronk haar kopje leeg, pakte het broodje beton van het bordje en liep naar buiten, nagestaard door de zes. Alleen het hondje blafte.

Nadia keek op haar horloge. Het was bijna vier uur. Ze stak de straat over, liep de trappen van het gemeentehuis op en meldde zich bij de burgerlijke stand. Een jonge blonde vrouw, Hollandser kon niet, keek op van haar lectuur.

'Goedendag', zei Mendonck. 'Ik zoek een adres hier in de buurt.'

'Berg, Terblijt, Vilt...'

'...of Geulhem. Ik weet het niet', onderbrak Mendonck het grijsgedraaide deuntje.

'Kent u euh... de naam van de inwoner die u zoekt', stotterde het meisje. Ze had, o cliché, grote witte tanden.

'Zal wel zijn', bromde Mendonck.

De jonge vrouw herstelde zich snel.

'De officiële benaming van onze gemeente is trouwens Valkenburg aan de Geul', zei ze en ze trok aan de kraag van haar oubollige witte blouse. 'Dat is al zo sedert negentienhonderdtweeëntachtig. Maar niemand gebruikt die naam.'

'Yolande Stuyck.'

Het meisje duwde zich op. In haar babyblauwe ogen was opnieuw twijfel te lezen. Haar wederopstanding had niet lang geduurd. De arrogantie was weg.

'Mag ik haar adres alstublieft?' vroeg Mendonck poeslief. Het meisje keek naar de telefoon, alsof ze eerst aan iemand toestemming moest vragen. Heel vreemd allemaal, vond Mendonck. 'Of is dat staatsgeheim hier?'

Loesje Heitinga, haar naam stond op het naamplaatje, liep naar een fichebak in metaalgrijs. Ze haalde er een blad papier uit. Gaf het aan Mendonck. Een vragenlijst. Het zag er allemaal heel officieel uit. De spitse neus van het meisje wees naar de balie. Daar rustte een pen in een houdertje. 'Wat is de bedoeling?' vroeg Mendonck terwijl ze naar de A4 in haar hand staarde.

'U krijgt de gevraagde gegevens binnen vijf werkdagen', zei het meisje. 'Drieëntwintig komma dertig euro per opgevraagd adres.'

Mendonck zuchtte en wilde in een bevlieging haar legitimatiekaart pakken, maar dat was geen weldoordachte zet, besefte ze. Ze verfrommelde het stuk papier, mikte het naar een vuilnistonnetje, miste en liep nonchalant naar buiten.

Onderweg naar haar Clio klikte ze, puur uit gewoonte, het geheugen van haar gsm open, maar ze besefte ze dat ze daar niet zou vinden wat ze zocht. Ze had Aimée Gysemans geen enkele keer opgebeld. Toch niet met haar gsm.

Deleu dan maar. Die nam zoals gewoonlijk niet op. Toen ze zich het nummer van de vaste telefoon van Aimée Gysemans voor de geest probeerde te halen, werd er op haar schouder getikt. Het hondje blafte. Mendonck keek de bejaarde dame aan. Het was dezelfde die ze al had ontmoet in het vunzige eethuis.

'Ik weet waar Yolande woont.'

'En die informatie wilt u met me delen?' vroeg Mendonck, deze keer op haar hoede.

'Ja. Natuurlijk. U komt het toch te weten. Bent u van de polietsie?'

Staat dat dan op mijn gezicht te lezen, vroeg Mendonck zich af maar ze zweeg.

'Uit België. Dat had ik meteen door. U komt vast en zeker voor haar zoon. Vreselijk hoe die jongen aan zijn eind...'

'Nee. Voor haar stoofvlees', flapte Mendonck eruit. De nieuwsgierige kraaloogjes van het oudje werden groter. Op deze U-bocht in de plot had ze niet gerekend. 'Ik wist zelfs niet dat ze een zoon had. Mijn moeder kent Yolande van de kookklas', loog Mendonck.

'Oh. Zozo. Ze woont in mijn buurt. In Terblijt.'

'Kent u ook de straat? Het nummer?'

'Het nummer ken ik niet. Maar ze woont in de Muntweg. Moeilijk is dat niet. Er zijn maar vier straten in ons mooie gehucht. Vroeger honderdtachtig inwoners. Nu nog honderdzestig. De meesten blijven. Iedereen kent iedereen. Erik was de uitzondering op de regel. Logisch wellicht. Je kon het zo zien aankomen. Het was een stille jongen. Veel vrienden had hij niet. Toch niet toen ik nog de frituur uitbaatte. Lang geleden.' Het vrouwtje staarde mijmerend voor zich uit. 'Wij verhuizen zelden. We blijven. Totdat we doodgaan.'

'Yolande?' probeerde Mendonck de vrouw voorzichtig op het juiste spoor te zetten.

'Ah ja. Yolande. Ze woont aan het begin van de straat. Klein huisje met groene luiken.'

'Heel erg bedankt', zei Mendonck en ze trok het autoportier dicht en reed weg, de vrouw en het hondje verbouwereerd achterlatend.

***

Zita De Bruycker was een geslaagde cocktail. Vader Belg. Moeder Jamaïcaanse. Ze leek wel enigszins op Senegalese Debbie, vond Deleu, behalve het haar, dat lang en sluik was. Ze was ook veel minder spontaan dan de Senegalese en had tot nog toe alle vragen beantwoord met een stug ja of nee. Ook haar vriendin, Sarah Tempelier, dik en blond en Vlaamser dan witloof in hesp en kaassaus, was weinig spraakzaam.

Erik Boen, blijkbaar een begenadigd klusjesman en van vele markten thuis, had Zita's boiler hersteld en de klus naar behoren uitgevoerd. Meer was er niet over de man te vertellen. De signalementsfoto van Boen had het meisje slechts na lang twijfelen herkend.

Deleu, door zijn vragen heen, klapte zijn schriftje dicht. Hij stond op en drukte Zita De Bruycker de hand. Het was een stugge handdruk. De hand van Sarah Tempelier voelde lauw aan. Vochtig zelfs. Bijna alsof ze met klamme handjes haar beurt afwachtte voor een mondeling examen. En dat vond Deleu verdacht. Maar Dirk Deleu vond alles verdacht. Zeker nu deze lange dag alweer niks tastbaars had opgeleverd. Trouwens, de meeste mensen voelden zich niet op hun gemak als de politie kwam aanbellen. Logisch. Wie zonder zonde is, werpe de eerste steen. Toen geen van beiden aanstalten maakte om op te staan, liep Deleu naar de deur.

'Juffrouw De Bruycker? Nog één vraagje.'

'Ja.'

'Hebt u Erik Boen later nog een keer ontmoet?'

'Wat bedoelt u?'

'Nadat hij uw boiler had hersteld. Hebt u hem daarna nog een keer ontmoet?'

'Nee. Ik heb niet de gewoonte om afspraakjes te maken met elke man die toevallig mijn pad kruist.'

Deleu knikte. Liep naar de deur. Geïntrigeerd door de nauwelijks te verhullen nervositeit en kribbigheid waarmee zijn laatste vraag werd beantwoord. Het klonk als '...en laat me nu met rust'.

Deleu liep naar zijn Golf en kroop achter het stuur. Hij had zijn lijstje afgewerkt en had de vijf klanten uit Erik Boens werkschriftje bezocht.

Hij bleef zitten, besloot om een paar minuten te wachten

en hield de gordijnen, vaak een teken aan de wand, in het oog. Ze bewogen niet.

Waarom slechts vijf namen, vroeg Deleu zich af. Boen, hoewel geen toonbeeld van werklust, moest toch meer dan vijf klanten hebben gehad.

In gedachten doorliep hij zijn dag. Hij dacht na over de vijf vrouwen die hij had ontmoet. Als er al iets was dat het onthouden waard was, dan was het inderdaad dat ze alle vijf vrouw waren én betrekkelijk jong. En aantrekkelijk. En ze hadden een getinte huidkleur. Was dat een soort van fetisjisme voor Erik Boen? Viel hij op exotische types en had hij daarom die vijf namen opgeschreven en geen andere? Het kon. En was daar iets verdachts aan? Gezien vanuit het standpunt van Boen? Eigenlijk niet.

Een van de vijf vrouwen, de Senegalese Debbie, was Boen later nog een keer tegen het lijf gelopen. Over Zita De Bruycker twijfelde hij. Ze slalomde te snel en te luchtig, en net daarom verdacht, om de vraag heen. De andere drie waren stellig. Ze hadden Boen slechts één keer ontmoet. Toen hij de klus kwam klaren. Ze hadden een gezellige babbel gehad en een kop koffie gedronken. En allemaal vonden ze Boen een gewone en joviale kerel. Een beetje in zichzelf gekeerd, maar wel vriendelijk. Toch niet helemaal het beeld dat zijn echtgenote van hem had geschetst. En was dat dan verdacht?

'Nee', mompelde Deleu en hij schudde zijn hoofd. Hij zou ze niet te eten willen geven, de mannen die de plezantste waren op café en thuis een onverschillige brok frustratie of een borrelende vulkaan. Die gedachte triggerde zijn volgende actie.

Toen hij Nadia wilde opbellen, zag hij dat ze een bericht had gestuurd.

Wacht niet op me. Ben in Holland. Prbten mt ma Boen xx.

Typisch Nadia, dacht Deleu. Doe en denk niet na. Ze had de begrafenis van Boen bijgewoond. Daarna was ze waarschijnlijk haar neus achternagelopen. Deleus vingers roffelden over het piepkleine toetsenbord.

Doe geen stmmitietel luv u xxx

Deleu staarde naar zijn gsm. Toetste een nummer. Het signaal ging vier keer over.

'Deleu.'

'Rob. 't Is papa.'

'Ah, pa.'

'Hoe is 't?'

'Goed.'

'Lukt het een beetje met de studie?'

'Ja.'

'Oké. Heb je iets nodig?'

'Nee. Waarom?'

De stilte duurde een eeuwigheid.

'Pa? Ik moet naar de les. Is er iets?'

'Nee. Ik... hmm...'

'Oké, pa. Bedankt. Slukes.'

'Slukes', zei Deleu en hij verbrak de verbinding, grijnsde, startte de Golf en reed weg. Net op dat ogenblik bewoog het gordijn. Hij zag het uit zijn ooghoek maar minderde zijn snelheid niet. Dat zou opvallen. Wisten die twee dan toch meer dan ze wilden laten blijken?

Bij de rode verkeerslichten schoot hem een nieuwe gedachte te binnen. De Senegalese Debbie en Zita De Bruycker waren vrijgezel. De andere drie niet. Had dat er wellicht iets mee te maken? Was Erik Boen een stalker, en koos hij zijn prooien zorgvuldig uit? Je mocht niks uitsluiten tijdens een moordonderzoek. Eén probleem bleef. Een reuzegroot probleem. Erik Boen was degene die was vermoord. Hij was niet de moordenaar.

Of de moordenares?
En was die moordenares een exotisch type?
Dat kon.

***

Als het einde van de wereld bestaat, dan is het hier, dacht Nadia Mendonck na haar ultrakorte verkenningsrondje in Terblijt, begraven in het groen, en inderdaad slechts een schamele vier straten groot.

Haar geduld werd niet op de proef gesteld. Toen ze aanbelde, ging de voordeur dadelijk open. Yolande Stuyck, toch wel getekend door de gebeurtenissen van de dag, maakte een sloom gebaar en liep de gang in. Niet in het minst verbaasd door het overwachte bezoek. Waarschijnlijk heeft de lokale drum het nieuwtje al verspreid, dacht Mendonck en ze volgde de vrouw naar een kraaknette en sobere woonkamer, die uit een ander tijdperk leek te stammen.

Yolande Stuyck was gaan zitten en staarde naar een oude tv. Mendonck kon zich niet van de indruk ontdoen dat het omgekeerd was en dat de tv naar de vrouw staarde.

'Ik heb u niets te vertellen', zei de vrouw. 'En het hoe en waarom interesseert me evenmin. Wat geweest is, is geweest.'

Tijdens de loden stilte die de kamer smoorde, probeerde Nadia Mendonck haar gedachten te ordenen.

'Ik begrijp het. Het moet een vreselijke klap geweest zijn. Voor u en uw man. Is hij thuis?'

'Mijn man is op het kerhof', klonk het dor.

Mendonck zocht oogcontact, niet heel zeker hoe ze die intonatie moest interpreteren.

'Voorgoed', maakte Yolande Stuyck een einde aan haar

twijfel en aan het hoofdstuk Frits Boen.

'Goed. Maar u wilt toch weten wie de dader is, neem ik aan?'

De vrouw pakte de afstandsbediening en zette de tv uit. Ze knikte berustend. Sloot haar ogen.

'Ik wil Erik graag wat beter leren kennen.'

'Daarvoor is het nu te laat', zei Yolande Stuyck en ze liep naar de keuken. Kwam terug met twee glazen water. Ze ging zitten.

'Ik heb niemand meer', zei de vrouw en in haar woorden zat geen greintje zelfmedelijden. Het was gewoon een vaststelling. 'Charlotje, mijn keeshond, is vorige maand gegaan. Ik neem geen nieuwe meer. Dat is het beste. Voor iedereen.'

'En uw man? Hoe...?'

'Is gewoon gegaan. In stilte. Wij zijn stille mensen. Erik ook. Hij is mijn enige kind.'

'Hoe was hij als kind?'

Yolande haalde de schouders op. Ze duwde zich overeind en liep naar de trap. Mendonck ging haar achterna. De deur van Yolandes slaapkamer stond op een kier. Het bed was opgemaakt. De muur werd gedomineerd door een groot kruisbeeld. Op het sobere nachttafeltje stond een half gevuld glas water met een fles Spa Blauw ernaast. Wat Mendonck opviel, waren de sloten. Twee stevige yalesloten. Aan de binnenkant van de deur. Veel tijd om daarover na te denken werd haar niet gegund. Yolande Stuyck was een andere kamer in gelopen. Een kinderkamer. Er hingen vergeelde posters aan de muur. Van Freddy Mercury. Abba. In de hoek stond een klein bureautje. Aan het plafond hingen vliegtuigen uit de Tweede Wereldoorlog. Ze vochten een versteend luchtgevecht uit. Ook deze kamer was sober en netjes, zoals het hele huis. De valse noot was dat er her en der stukken bepleistering ontbraken, alsof de vliegtuigen de muur hadden gebombardeerd.

'Eriks kamer', zei Yoland Stuyck.

'Tijdje geleden.'

'Zeg dat wel. De opknapbeurt is er nooit meer van gekomen.'

'Hoe lang woonde uw zoon al in België?'

'Goh. Geen idee. Al heel lang. Ik ben gebleven. Hoewel ik nooit van het geboortedorp van mijn man heb gehouden. Maar een oude plant kun je beter niet verpotten.'

'Dus u bent Belgische?'

'Ja.'

'En u bent uw man gevolgd naar hier?'

'Dat zei ik u toch!' klonk het bits. 'En kunt u me nu eindelijk vertellen wat u van me wilt weten. Dan kan ik dit verhaal definitief afsluiten.' De deur van de kinderkamer sloeg met een klap dicht. De vrouw liep de trap af zonder om te kijken.

'Waarom hebt u die sloten op uw slaapkamerdeur?' vroeg Mendonck plompverloren. Yolande Stuyck bleef staan. Twee seconden. Daarna vervolgde ze met stijve tred haar weg naar beneden. Ze begaf zich linea recta naar de sofa en zette de tv weer aan.

'Een vrouw alleen kan nooit voorzichtig genoeg zijn.'

'Ook in een dorp als Terblijt?' vroeg Mendonck.

'Zeker in een dorp als Terblijt', zei de moeder van Erik Boen en ze begon doelloos te zappen.

'Dus u hebt hier vijanden?'

'Nee.'

'Erik dan?' probeerde Mendonck.

'Hoe kan ik dat weten. Erik is hier al een eeuwigheid weg.'

'Wanneer hebt u hem voor het laatst gezien of gehoord?'

'Verleden jaar. Toen is hij hier geweest. Zoals elk jaar. Met

die vrouw, die zijn moeder zou kunnen zijn.'
'U had dus niet echt contact met hem?'
'Nee. Het waren beleefdheidsbezoekjes.'
'U mocht haar niet.'
'Wie?'
'Aimée, de echtgenote van uw zoon.'
'Moet dat dan?'
'Nee. U hebt hem nooit opgezocht? In Mechelen, bedoel ik.'
'Moet dat dan?'
'Nee', mompelde Mendonck. Ze dacht aan haar ouders, die overleden waren. Omgekomen in een auto-ongeluk. Ze zou er veel geld voor willen geven om hen nog één keer te kunnen zien. Te kunnen vasthouden. Ze duwde de gedachte weg.
'Heeft hij nog vrienden hier?'
'Heb je ze gezien?' beantwoordde Yolande Stuyck de vraag met een tegenvraag. 'Op zijn begrafenis, bedoel ik. Ik niet.'
Nadia Mendonck was het spuugzat. Ze liep naar de deur.
'Goedendag. En bedankt.'
'Eén vriend. Dat ik weet. Djeke, was zijn naam.'
Nadia Mendonck bleef staan. Er kwam niets meer.
'Kent u zijn familienaam?'
'Nee.'
'Woont Djeke hier nog?'
'Geen idee.'
Nadia Mendonck zuchtte en liep naar buiten. Dit was zinloos. Die twee waren hopeloos vervreemd van elkaar. Het was Deleus sms die haar weer wat nieuwe moed gaf. Hopelijk was zijn dag vruchtbaarder geweest.
Toen ze de hoek omdraaide, het begon al te schemeren, zag ze de vrouw uit het eethuis. Het hondje blafte. De vrouw

wendde snel haar hoofd af, alsof ze betrapt was. Mendonck durfde er een eed op te doen dat de vrouw hier niet zomaar was. Wat een vreemd dorp, dacht ze. Wat een wereldvreemde mensen. Zo stug en asociaal. En toch razend nieuwsgierig. Ze duwde het gaspedaal in. Blij dat ze onderweg was naar Mechelen. Naar de bewoonde wereld. Naar Deleu.

Plots, in een bevlieging, trapte ze op de rem. Ze reed achteruit en stapte uit. Het versteende vrouwtje staarde haar aan.

'Mag ik nog één vraag stellen?' zei Mendonck.

'Doet u maar.'

'Erik had een vriend. Djeke. Weet u waar hij woont?'

Het vrouwtje staarde naar het huisje van Erik Boens moeder.

'Ja. U had gelijk. Ik ben van de politie', zei Mendonck.

De vrouw likte langs haar lippen. Het had iets obsceens hoewel ze dat zo niet bedoelde. Morgen zou een vruchtbare dag worden. Je zag het in haar oude ogen. Ze herstelde zich snel. Wees naar een huisje in het groen een paar meter verderop. Het lag achterin, met een overwoekerde voortuin, waar zelfs het onkruid moest vechten om te overleven.

'Daar. Achter die struiken.'

'Dank je wel', zei Mendonck en ze liep naar de overkant van de straat. Nu ze toch hier was, kon ze haar werk maar beter afmaken. Ze negeerde de stekende ogen van de vrouw en liep naar de afgebladderde voordeur. De rolluiken waren opgetrokken. De gordijnen dicht. Er was geen licht. Mendonck belde aan. Ze hoorde geen geluid. Gedurende een tweetal minuten gebeurde er niets.

Mendonck zuchtte en liep via een breukstenen pad naar de tuin. Toen ze de hoek omdraaide, zag ze een flauw lichtschijnsel. Het kwam uit een schuurtje. Achteraan, in de tuin. Ze klopte op de deur, die op een kier stond. Toen er geen reactie kwam, ging ze naar binnen.

Het schuurtje, een veredeld tuinhuis van amper vier bij vijf, was slecht verlicht en volgestouwd met tuingerei. Onder een kaal peertje stond een oude zitmaaier. Tot op de draad versleten. Ernaast, een emmer. Tegen het achterwiel rustten een spade en een pikhouweel. Onlangs gebruikt. Er hing nog modder aan het blad van de spade. Verse, gele klei.

'Je komt vanwege Erik.'

Nadia Mendonck draaide zich razendsnel om. Een man in een besmeurde overall leunde met zijn rug tegen de muur. Hij had pezige armen en een getaande huid. Zijn donkere, stekende ogen lichtten op.

'Jij was zijn vriend.'

'Het is lang geleden', zei de man – een Surinamer, gokte Mendonck – en hij kwam los van de wand. Hij pakte een bezem en sloeg met de steel tegen de zool van zijn laars, zoals skiërs doen met hun skistokken om de sneeuwklonters te verwijderen. Daarna schraapte hij met de hak van zijn laars over een plank. Probeerde zo de laatste restjes klei van zijn zool te vegen. Hij liep naar de emmer, knielde, begon het blad van de spade schoon te vegen en leek niet van zins een vervolg aan zijn verhaal te breien.

'Heb je hem onlangs nog gezien?'

'Onlangs? Wat is onlangs?'

'Dit jaar?'

'Nee. Ik heb hem in geen jaren meer gezien.'

'Woon je hier al lang?'

'Van mijn vijfde. Waarom?'

'En daarvoor?'

'Suriname.'

'Hmm', mompelde Mendonck, blij dat ze goed had gegokt, een tikkeltje verbaasd ook. Dat de mondialisering toch ook in dit kleine boerengat was doorgedrongen.

'Waarom? Is dit een kruisverhoor?'

'Is dat dan nodig?'

'Ik zou niet weten waarom', zei Djeke en voor de eerste keer glimlachte hij. Hij was een knappe man, vond Mendonck. Hij had in elk geval 'iets'. Op een bepaalde manier. 'Kijk, mevrouw. Erik is weggegaan. Dat was zijn eigen keuze. Zo zijn we elkaar uit het oog verloren. Meer heb ik daar eigenlijk niet over te vertellen.'

'We staan nog nergens', flapte Mendonck eruit. 'Alle hulp is dus welkom. Meer dan welkom.'

Djeke goot het modderwater in een afvoerputje, duwde de emmer in een primitieve gootsteen en draaide de kraan open.

'Weet je wat er met hem is gebeurd?'

Djeke knikte. Hij zuchtte en draaide de kraan dicht.

'Ik kijk soms tv. Ja. Als ik niet aan het werk ben.'

'Wat voor werk doe je?'

'Ik sta op de dop, zoals jullie dat in Vlaanderen zo plastisch kunnen verwoorden.'

'Ik ben niet van de belastinginspectie', antwoordde Mendonck met een glimlach.

'Ik onderhoud tuintjes. Af en toe. Vooral van oudere mensen. Daaraan is hier geen gebrek.'

'Je eigen tuintje kan ook wel een beurt gebruiken', probeerde Mendonck het luchtig te houden.

De Surinamer, niet in de stemming voor social talk, antwoordde niet.

'Hoe was Erik? Als vriend, bedoel ik?'

'Gewoon. Hij was mijn vriend. Meer heb ik daar niet aan toe te voegen. Hij is weggegaan en nu is hij dood. Einde verhaal.'

'Is Erik ooit met drugs in aanraking geweest?'

'Drugs? Hier?' vroeg Djeke en hij trok zijn ogen wijd

open. Zijn verbazing was niet gespeeld.

'Laat maar', zei Mendonck. Ze zuchtte. Wist niet meer wat ze nu nog moest vragen. 'Waarom ben je gebleven?'

'Dat zei ik toch al. Ik doe tuintjes. Ik ben hier opgegroeid. Ik heb het hier naar mijn zin. Nu wel.'

'Maar je had toch...'

'Kijk, mevrouw... hmm...'

'Mendonck. Zeg maar Nadia.'

'Nadia. Ik wil niet grof zijn of zo. Maar ik ben werkloos. Een flat huren in Amsterdam valt helaas niet binnen mijn budget. En heel veel tuinen zijn daar niet. Tenzij ik verkeerd geïnformeerd ben natuurlijk.'

Djeke liep naar de deur. Toen hij zijn hand op de kruk legde, wist Mendonck dat dit gesprek afgelopen was en dat ze alweer geen stap verder gekomen was.

Wat een vreemde mensen, dacht ze. Wat een eng dorp. Wat een verschrikking om hier te moeten opgroeien.

'Inspecteur?'

'Ja?'

'Niks. Laat maar', zei de Surinamer. Zijn vingers zweefden boven de lichtknop. Hij twijfelde. Nadia nam een afwachtende houding aan.

'Wat brengt je eigenlijk naar...'

'Terblijt?'

'Terblijt. Ja', mompelde Djeke en hij meed Mendoncks blik. Staarde naar de grond. Terneergeslagen. Met gebogen schouders, zoals iemand die zijn leven ziet als een verplichting waaraan niet te ontsnappen valt. Mendonck had het gevoel dat ze te snel had gereageerd.

'Heeft hij... heeft Erik afgezien?'

'Dat weet ik niet.'

Djeke snoof. Zijn ogen stonden verdrietig, maar met een soort hunkering erin, zoals een onvervuld verlangen, en

Nadia had het gevoel dat de man ook nu niet had gevraagd wat hij wilde vragen. Maar dat gevoel had ze bij iedereen die van ver of dichtbij bij deze zaak betrokken was. Tom Slootmaekers, zijn moeder, de moeder van Erik Boen, Aimée Gysemans. Allemaal. Tijd om er dieper op in te gaan kreeg ze niet.

Het licht ging uit.

VI

Boeh!

Hèhèhè.

Geef toe dat je geschrokken bent!

Yep. Hier ben ik weer. Alive and kicking.

Wat?

Hoe het afgelopen is?

Hèhèhè. Het windt je op, is het niet?! Geef het maar toe!

Buurvrouw?

Boh! Ben ik eigenlijk al vergeten. Ik heb een nieuw speeltje.

Nee. Ik zeg het lekker niet.

Hèhèhè.

Waar ik ben?

Gewoon. Op school.

Of ik in de problemen zit?

Hèhèhè.

Op school niet. Op school heb ik geen noemenswaardige problemen. Ik laat me meedrijven met de stroom. Volg braaf de kudde zoals al die andere schaapjes, die ik met verve om de tuin leid, en die schaapjes zijn mijn dierbare klasgenoten, stuk voor stuk hier geboren en al decennia lang ontsproten uit incestueuze relaties, maar tot nog toe – het is een raadsel waarom – ontsnapt aan de wetten van de evolutie en bespaard gebleven van de totale uitroeing.

Ze denken dat ik me geconformeerd heb, maar toch voelen ze dat ik anders ben, de hypocrieten, alsof zij niet stiekem dagdromen over bizarre seksorgieën en fetisjismes en bondage en verkrachting, allemaal met messen in de hoofdrol. Altijd. Messen hebben net dat tikkeltje meer.

Maar goed. Ik mag niet afdwalen.

Het is zo grappig, en zo gemakkelijk om hen voor de gek te houden. Ze vragen er echt om. Ik vegeteer en zeg gewoon wat ze willen horen. Moeilijk is dat niet. Ik trek me op aan de nutteloosheid van hun bestaan. In het begin was ik bang, toegegeven, omdat ik zo anders ben, maar stilaan is mijn angst veranderd in een ontembare haat, die mij zoveel sterker maakt dan die boerenpummels. Zoveel waardevoller. Ik heb de controle, maar dat beseffen ze niet. Ik en niemand anders.

Is het niet dankzij mij dat ze nu wat meer ademruimte hebben? Een klasgenootje minder?

Hèhèhè.

Ik ben zoveel groter, exclusiever, beter. Ik beslis over leven en dood, waar en wanneer ik dat wil. Ik heb macht. En dan bedoel ik echte macht, iets wat gewone stervelingen niet kennen. Ach, ze zijn nog leger dan ik me voel. Waardeloos. En machteloos. Ik heb hen al zo vaak vernietigd. Allemaal. Mocht ik de kracht vinden, ik zou de hele wereld vernietigen. Gewoon uit verveling.

Gelukkig heb ik de destructieve gedachten, de ratten die mijn hersenen opvreten en aan mijn schedeldak knagen, onlangs kunnen verschalken door voor de nodige afleiding te zorgen.

Wat?

Of ik vrienden heb? Op school?

Boh, een paar. Stelt niet zoveel voor.

Er is er wel eentje waarvoor ik me uitsloof. Dat wel.

Waarom?

Boh. 't Is ook zo'n beetje een zonderling. Weinig spraakzaam. We hebben veel gemeen. Tenminste, dat denkt hij, in al zijn naïviteit. In werkelijkheid kijkt hij stiekem naar me op. Zoiets voel ik. En als ik zoiets voel, dan maak ik daar gebruik van. Dat is mijn goed recht. Hij vertelt me al zijn geheimen. Lucht zijn hart bij mij maar heeft nog altijd niet door dat hij mij niet heeft uitgekozen, maar ik hem.

Hèhèhè. Want wat ik echt wil, is mijn nieuwe speeltje waar ik het daarstraks over had. Zijn lekkere hoer van een zus. Gisela.

Jaja. Je hoort het goed. Ik heb er de leeftijd voor. Ik ben klaar voor een echte seksuele relatie. En Here Jezus, wat een onwaarschijnlijk lekker stuk vlees is dat. Ik wist het gewoon. De eerste keer dat ik haar zag. Mijn ding werd hard en mijn speekselklieren sloegen op hol, waardoor ik moest slikken en blijven slikken, om niet te verdrinken. Ik ben er helemaal onder steboven van. Ik vermoed dat ik verliefd ben. Het virus geeft me alleszins een brandend gevoel, vooral tussen mijn benen. Het stopt nooit. Ik masturbeer vijf, zes keer per dag. Bijna het dubbele van vroeger, toen buurvrouw nog leefde en ik over haar dikke ballonnen fantaseerde.

Ik kan niet meer slapen. Echt niet. Ik gloei 's nachts, alsof ik radioactief ben. Ik heb overwogen om haar mijn spaargeld aan te bieden.

Waarom?

Om haar kut te kopen, natuurlijk!

Ik heb het niet gedaan. Ze zou de geste vast niet appreciëren. Ze mag dan al arm zijn, ze is trots. En dat is goed. Het maakt het spel alleen maar spannender. Maar ik zit al weken te broeden op een slimme openingszet. Er moet iets gebeuren. Anders ontplof ik. Ik zie haar, dag en nacht, maar zij ziet me niet staan. Daar komt verandering in.

Nu.

Vandaag.

Kijk.

Maar kijk dan toch!

Zie je. Daar is ze. Die wiegende heupen. Die strakke kont waar de duivel haar het eeuwige leven voor zou schenken mocht hij zijn geribbelde lul erin mogen begraven.

Soms denk ik dat ik de duivel ben, vooral als ik 's zondags naast ma en pa in de dorpskerk zit, rillend op mijn stoel. Van pure moordlust. Dan moet ik mijn ogen dichtdoen, omdat ik ze niet meer kan zien, hun leugenachtige smoelen.

Niet. Meer. Zien.

Onlangs heb ik gedroomd dat ik een van die dorpstrutten de strot heb afgebeten toen ze uit de biechtstoel kwam. Heftig. Haar ogen vergeet ik nooit meer. Er stond aanvaarding in. En dat terwijl ik met mijn tanden grote lappen vlees uit haar lijf rukte. Aanvaarding. En berusting!

Maar genoeg gedroomd.

'Hoi, Gisela.'

6

'Geen geleuter. Eerst het voorschot!'
Deleu haalde een biljet van vijftig uit zijn portefeuille en
stak het tussen de deurkier. Het ritselde tussen de ranke,
bruine vingers. De aantrekkelijke donkere snoet verdween
en de deur ging op een kier. Deleu glipte naar binnen. Het
spiegelbeeld van Jannie Goegebuer lachte hem toe. Ze zat
voor haar toilettafel. Op een metalen kruk. Benen wijd. Ze
knipperde met haar zijdezachte wimpers en maakte een
uitnodigend gebaar naar de pluchen tweezitsbank naast
het bed, dat kraakvers was opgemaakt. De kruk maakte een
kwartdraai. Haar diep uitgesneden decolleté leek op een
gulle lach.
Deleu keek ernaar als een kind naar een stuk chocola.
Haar lippen waren uitnodigend. De enige valse noot waren
haar onderzoekende, donkere ogen, dissonanten in een
perfecte symfonie.
'Is het waar dat creoolse vrouwen op blanke mannen
vallen?' vroeg Deleu en hoewel hij zomaar wat zei, klonken
de woorden, vond hij zelf, opportunistisch, wat hij niet zo
had bedoeld.
'Lame ni lache. Waarom dan wel? Pffft. Denk nu maar
niet dat je zo een korting ken versiere, jonkie', zei Jannie
Goegebuer en ze rekte zich uit en liep naar Deleu, met een
elegant naturel. Haar lichtblauwe negligé had een brede

split, die een stel stevige bronzen dijen onthulde. Ze had, kortom, een prachtlijf. Ze ging naast Deleu zitten, alsof ze elkaar al vele jaren kenden. Haar hand streelde langs zijn dij, speels, niet opdringerig. 'Zwarte mannen lopen altijd achter hun dick aan. Blanke mannen stinken. Niks is purfect. Daar heb ik me al lang geleden bij neergelegd. Letterlijk.' De ranke vingers betokkelden speels Deleus kruis. 'Dus what sal het zijn. Blowjob of fokyfoky?'

'Ik, hmm, wilde je eigenlijk gewoon een paar vragen stellen', zei Deleu.

'Vragen? Welke vragen? Geen anaal. Oké. Doe ik niet', zei Jannie en ze gaf Deleu een harde por. Voor hij kon reageren, lag hij op zijn rug. De rode lippen waren vlakbij. De witte tanden glinsterden.

'Neenee. Dat bedoel ik niet', zei Deleu en hij struikelde bijna over zijn tong. 'Werk je tegenwoordig alleen?'

De vurige zwarte ogen scanden Deleu van top tot teen. Bijna alsof hij een stuk vlees was. Zo voelde het. Hij werd er ongemakkelijk van.

Jannie liep naar de toilettafel en ging op de kruk zitten. De diepe rimpel in haar voorhoofd verraadde haar echte leeftijd.

'Ben je van de arbeidsinspectie! Of wat?' zei de mooie creoolse en ze ging nerveus verzitten. Trok haar split dicht. Ze zag er fantastisch uit, ondanks – of wellicht dankzij – haar vijfenveertig jaren.

Deleu krabbelde op en frutselde onbeholpen de contactadvertentie uit het borstzakje van zijn hemd. Hij vouwde het verfrommelde krantenknipsel, een van de weinige aanknopingspunten tot nog toe, voorzichtig open. De collega's van de technische recherche hadden het uit de auto van Erik Boen geplukt. Waarschijnlijk was het uit zijn broekzak gevallen en tussen de rugleuning en het zitvlak van de bestuurdersstoel gesukkeld. Deleu gaf het aan de creoolse.

Jannie en Keki, 2 slnk creoolse dmes. ontv. grg privé. & dt ken je lettrlk nemen. Ma-za 10-22hr. Afspr nt nodig. Bosdoorndreef 23. Aartselaar. Bel ja-ke. See u.

Jannie Goegebuer lachte haar tanden bloot. Ze gaf de omcirkelde advertentie aan Deleu. Er zat iets melancholisch in dat gebaar.

"t Is lang geleden.'

'Ja', beaamde Deleu.

'Je was een klant van Keki?'

'Yep', loog Deleu, blij om zijn ingeving. Hij zou zich niet legitimeren. Niet volgens het boekje, maar hij wilde niet het risico lopen dat de creoolse nu zou dichtklappen.

'Vaste klant?'

'Min of meer', grijnsde Deleu. 'Waar is ze nu?'

'En ik ben je type niet?' ontweek Jannie handig de vraag. Er werd opnieuw wat meer dij zichtbaar.

Deleu bleef Deleu. Hij ging verzitten. Slikte. Bijna hoorbaar en zeker zichtbaar.

'Ik heb heel veel moeite gedaan om jullie terug te vinden', mompelde Deleu. Dat was geen leugen. Op het omcirkelde adres had hij nul op het rekest gekregen. De blauwe druifjes, zoals een vetgemeste buurman beide vrouwen noemde, waren verhuisd. Toen Deleu de huisbaas had opgezocht, bleek de nukkige oude man nog een kopie van het huurcontract te hebben, zodat de familienamen van beide vrouwen hem op een presenteerblaadje werden aangereikt. De huisbaas had zelfs het nieuwe adres. Hij had de straatmadelieven al verschillende aanmaningen gestuurd om hun achterstallige huur te betalen. De man vond dat het de hoogste tijd werd dat de politie eindelijk in actie kwam. 'Je bent een prachtvrouw, maar...'

'Toch maar liever Keki', redde Jannie onbewust de situatie. Ze zuchtte. Staarde naar haar roodgelakte teennagels. Toen ze Deleu aankeek, stonden haar ogen triest. 'Ze is weggegaan.'

'Weggegaan?'

'Ja. Op een dag was ze weg. Gewoon foetsie. Haar kleren hingen er nog.'

'Zomaar?'

'Yep. Heb nooit begrepen waarom. Er waren wel wat financiële problemen en zo, maar toch.' De vrouw streelde haar boezem. Onbewust maar uitermate sensueel. Alsof zij en haar vriendin minnaars waren geweest. 'Keki is een vlinder. Maar toch. Ik heb me suf gepiekerd. Ze is met de noorderzon verdwenen. Heeft nooit meer iets van zich laten horen. Jammer maar helaas. Such is life. Zeker in dit beroep.'

'Heb je ooit aangifte gedaan van haar verdwijning?'

De creoolse staarde Deleu aan.

'Nee. Waarom zou ik? Keki is volwassen. Voor zover ik het kan inschatten is ze er met die blanke vandoor gegaan.'

'Blanke?'

'Ola. Niet jaloers worden. Weet je dat niet? Ze had een vriendje. Min of meer vaste prik. Geen armoedzaaier. De hufter onderhield haar. Min of meer. Die gozer was verliefd geworden. Denk ik. Veel wilde ze er niet over kwijt.'

'En toch waren er financiële problemen?'

'Tja. Keki had een gaatje meer dan ik', zei de creoolse en haar ogen twinkelden ondeugend.

'Gaatje meer?' mompelde Deleu.

'In haar hand, suffie!'

'Ah. Ah ja', mompelde Deleu. 'Ze zat nog aan de drugs. Was het dat? Paddo's en zo.'

'Hoe weet jij dat?' De mooie amandelvormige ogen werden kleiner. Er zat argwaan in.

'We hebben wel een keertje samen. Je weet wel...'

'Paddo's', mompelde de creoolse en ze staarde naar een punt in de verte. 'Ik denk het niet. Keki hield meer van het duurdere spul. Poedersneeuw en zo, weet je wel.'

'Ja', zei Deleu en hij haalde de foto van Erik Boen uit zijn zak en gaf ze aan de creoolse. Hield de adem in. 'Is dat hem?'

'Wat hem?'

'Haar vaste vriend?'

Jannie gaf de foto terug. Ze wierp een snelle blik op haar elegante dameshorloge.

'Ik denk dat het beter is dat je nu gaat.'

'Waarom?'

'Je halfuur is bijna om', klonk het kortaf.

'Sorry. Ik wil.'

'Wat? Wat wil je?'

'Ik wil...'

'Blowjob of fokyfoky?' zei de creoolse en haar ogen lichtten op.

'Blowjob', mompelde Deleu. Hij haalde een biljet van vijftig euro uit zijn portefeuille en gaf het aan Jannie. 'Kan ik me effe opfrissen?'

'De badkamer is daar.'

'Dus je kent die man niet', zei Deleu en hij schuifelde in de richting van de badkamer.

'Nooit gezien', zei Jannie met een zucht die zowel verveling als verwachting inhield. 'Je aars.'

'Wat mijn aars?'

'Niet vergeten te wassen. Blanke mannen...'

Deleu trok de deur achter zich dicht. Terwijl zijn ogen de kleine maar nette badkamer scanden, draaide hij de kraan open. Zijn oog viel op een gebloemde toilettas. Deleu rommelde er in. Voorzichtig, want het mocht niet opvallen. Typische vrouwenspulletjes. Onderin lag een kleine haarborstel, bron van DNA. Hij duwde hem achter zijn broekriem. Draaide het kraantje dicht. Liep de woonkamer in. Jannie staarde hem aan. Ze had haar zwarte haren opgestoken.

'Dat was snel.'

'Het spijt me. Ik kan dit niet.'

'Wat kun je niet?'

'Dit', zei Deleu en hij staarde naar zijn kruis.

'Je hoeft toch niks te doen?'

'Je mag het geld houden. Sorry', zei Deleu en hij schuifelde naar de deur.

'Een blanke man', zei Jannie. Deleu bleef staan. Met zijn hand op de deurkruk. 'Die gaat meestal niet vreemd, is dolgelukkig met zijn mooie exotische vrouw en behandelt haar goed. Bovendien is het lekker heet om met iemand van een andere huidkleur te seksen. Daarom zijn er zoveel zwart-witstelletjes.'

'Ik ben van de politie', zei Deleu plompweg. Hij keek Jannie aan. Wist niet meer wat te zeggen.

'Ik weet het. Maak je geen zorgen. Je bent niet de enige', zei Jannie en haar glimlach behoefde geen gebruiksaanwijzing. Haar stem zakte. 'Ik was jaloers. Op Keki. Misschien is ze daarom weggegaan. Die gozer stelde niet zoveel voor, maar hij was er wel voor haar. Ze droomde van een kind. Blanke mannen betalen de rekening en ze blijven bij hun vrouw. Bang voor de alimentatie. In mijn land is tachtig procent van de vrouwen alleenstaande moeder. De vaders zijn in geen velden of wegen te bespeuren. Te druk in de weer met andere vrouwen. Die man op de foto? Heeft hij haar wat aangedaan?'

'De man is dood', zei Deleu. 'Vermoord. We hebben jullie oude adres gevonden. Via een uitgeknipte advertentie. In zijn auto.'

'En heeft Keki daar iets mee te maken?'

'Dat weet ik niet. Keki's vriend, zou je hem herkennen als je hem zag?'

'Nee. Wollig huftertje. Mannen die hun kousen aanhouden tijdens de daad. Ik zie er te veel. Ze komen en ze gaan.'

'Bedankt', zei Deleu.

'Jou daarentegen zou ik wel herkennen.'

Deleu liep glimlachend naar de lift. Zijn hand gleed in zijn broekzak. Hij wilde Nadia opbellen. In een reflex. Waarom eigenlijk, vroeg hij zich af. Hij vond zijn gsm niet. Ook niet in de zakken van zijn jas. Het kon. Hij herinnerde zich dat hij hem had opgeladen op kantoor. Daar hing het ding waarschijnlijk nog steeds aan zijn infuus. Maakte niet uit. Hij hoefde Nadia ook niet op te bellen. Hij had zelfs geen erectie gehad. Zijn hand ging naar zijn achterzak. Zijn portefeuille zat waar hij hoorde te zitten. Dat was het belangrijkste. Want stel je voor.

Toen de lift met een schokje tot stilstand kwam, liep Deleu naar de voordeur. De vrouw, een stroeve vijftiger, die net was binnengekomen, duwde met een nijdige tik haar paraplu in de koperen bak. Een duidelijke hint dat Deleu, die haar verwijtende blik negeerde, niet welkom was. Hij liep de koude avondlucht in en probeerde zich te herinneren waar hij zijn auto had gelaten. Hij trok zijn kin in de kraag van zijn jas en probeerde de ijskoude punt van zijn neus te verwarmen met zijn adem.

Amper drie uur en een haaranalyse verder was het zoveelste dwaalspoor een feit. En hoewel microscopische analyse zelden definitief uitsluitsel verschaft of twee haren al dan niet van dezelfde persoon zijn, toch vertrouwde Deleu op de expertise van de technicus en kon zo goed als zeker worden gesteld dat de haren die waren gevonden op het beddengoed van Tom Slootmaekers niet toebehoorden aan Jannie Goegebuer.

De hoofdharen waren beide van Afrikaanse-Aziatische origine, dat wel, maar de haar die door de technicus uit Jannies haarborstel was geplukt, bevatte meer pigment en was dus waarschijnlijk van een jonger iemand. Bovendien vertoonde de haar ook sporen van barbituraten, wat betekende dat ook Jannie af en toe aan de drugs zat of toch had gezeten, want sporen van barbituraten blijven vele jaren zichtbaar in de haarwortels.

Deleu bedankte de technicus met een welgemeende schouderklop. Waren de haren die waren gevonden op het beddengoed van Tom Slootmaekers dan van Keki misschien? Hij staarde naar het in plastic verpakte haarstaal, dat hoe dan ook onbruikbaar was als bewijsmateriaal.

'Nee', mompelde hij. Waarom zou Keki Erik Boen naar het leven hebben gestaan? Geld had Boen niet. Bovendien had Keki een andere vriend, die haar af en toe geld toestopte. En haar partner, Jannie, had Erik Boen nog nooit ontmoet. Misschien loog Jannie. Maar waarom? En waar was Keki? Waarom was ze als een dief in de nacht vertrokken?

Deleu zuchtte nog maar eens een keer. Omdat dat soort vrouwen nu eenmaal niet honkvast is. Keki opsporen was onbegonnen werk. Hoewel. Hij had een naam. Keki Vrouwenvliet. Maar was dat haar echte naam? Volgens het huurcontract wel. En die vrekkige oude huisbaas zag er niet uit als iemand die zich in de luren liet leggen. Die had vast de identititeitskaarten van de twee vrouwen gevraagd.

Moest hij Keki Vrouwenvliet laten opsporen, vroeg Deleu zich af. Waarom? Om hetzelfde verhaal te horen als dat van Jannie? Om nog een keertje legitiem naar de hoeren te kunnen gaan? Nee. Dit was een dood spoor. Het zoveelste in de rij. Erik Boen was naar de hoeren gegaan. Was waarschijnlijk bij Keki terechtgekomen. Had betaald voor zijn beurt en dat was dat. Met de stilzwijgende toestemming van zijn vrouw, dacht Deleu er nog bij, en het was die laatste gedachte die een glimlach op zijn lippen toverde. En toch. Hoeren. Dellen. Waarom had de moordenaar dat woord op de vloer geschreven?

Deleu kreeg er zo stilaan hoofdpijn van. Hij focuste op de straat. Het was donker. En nat. Hetzelfde rotweer als in de nacht dat Erik Boen was vermoord. Het was dus heel aannemelijk dat ook Boen zich in dat rotweer met de auto had verplaatst. Hoewel ook daar geen bewijs voor was. Zijn laatste dag reconstrueren was tot nog toe onmogelijk geweest. De man had geen gsm, die onuitputbare bron van informatie. Hij was ook op geen enkele camera te zien geweest die bewuste nacht. Zijn auto evenmin. En aan camera's was geen gebrek in Mechelen. Je kon de stad niet in of uit zonder geregistreerd te worden. En ondanks het signalement op tv was er ook via dat kanaal nog steeds geen bruikbare tip binnengekomen. Tenzij dan die ene melding dat er een gsm was gevonden in de Merodestraat, in de buurt van de plaats delict. Dat ging Nadia uitzoeken. Morgen. Ze was ook van plan om een keer met de moeder van Tom Slootmaekers te gaan praten, ook iets wat ze tot nu toe hadden verzuimd.

Deleu, die de focus op Boen wilde houden, probeerde zich in te beelden dat hij Erik Boen was. 's Nachts. Alleen. Je bent op jacht naar een vrouw. Ga je dan zomaar lukraak met je auto door de verlaten en uitgeregende stad rijden? Nee. Hoewel. Boen was vermoedelijk vermoord tegen het ochtendgloren. Dat had de autopsie uitgewezen. Het kon dus. Had hij met iemand afgesproken? Kon. Maar hoe? Geen gsm. Geen internet. Tenzij hij zijn zaakjes via een telecomwinkel regelde. Die zijn open tot ver na middernacht. Maar Boen had een aversie van moderne communicatiemiddelen als je zijn vrouw mocht geloven. Maar mocht je Aimée Gysemans geloven?

Deleus gedachten spatten uiteen als een zeepbel toen hij vol in de remmen moest voor een kat, die onder een geparkeerde auto vandaan kwam gesuisd. Hij miste het beest op een haartje.

Hij startte de Golf die was stilgevallen en wilde nog maar één ding. Zijn knieën in de knieholtes van Nadia duwen. Nadia had ook stevige dijen. Maar niet zoals Jannie. Elke vrouw is uniek. Het ontdekken waard. Zucht.

Zijn ranzige grijns was er nog altijd toen hij traag de trap beklom. Hij sloop stilletjes naar de badkamer. Bijna drie uur. Nadia sliep waarschijnlijk. Deleu poetste in stilte zijn tanden. Toen hij blootsvoets en in slip naar de slaapkamer liep, schrok hij. De voordeur zwaaide open. Nadia keek hem aan. Met een ondoorgrondelijke blik. Ze was nat. Doornat. Alsof ze uren buiten in de regen had staan wachten.

'Blowjob of fokyfoky?'

Haar blik bleef ondoorgrondelijk. Dat was het ergste.

'Ik...'

'...kan het uitleggen. Ik luister', zei Nadia. De deur sloeg met een klap dicht.

'Hoe...?'

Plots was hij daar. Uit het niets. Deleus gsm. In Nadia's handpalm.

'Hoe...?'

'Hij lag op de grond. Naast haar bed.'

'Maar...'

'Ze heeft lukraak een nummer gebeld. Gelukkig niet dat van Bosmans.'

'Luister. Nadia. Ik kan het allemaal...'

'Uitleggen? Zal wel zijn. Ik moet het niet weten. Ik vraag maar één ding.'

'Wa... wat?'

'Blowjob of fokyfoky.'

Deleu slikte. Nadia grijnsde en liep naar hem toe. Ze omhelsde hem. Ze was doodmoe. Ze had met de moeder van Tom Slootmaekers gepraat. Een vermoeiend en saai gesprek dat haar niet wijzer had gemaakt. Slootmaekers was een stille en gesloten jongen geweest. Al van jongs af aan. Op school waren er nooit noemenswaardige problemen geweest. Behalve die ene keer. Toen een meisje Tom er valselijk van had beschuldigd dat hij haar had proberen te bepotelen. Die informatie had Nadia pas na lang aandringen en met een behoorlijke dosis diplomatie weten te ontfutselen. Het 'probleem' was met een sisser afgelopen. Het meisje, van buitenlandse origine, was van school gestuurd. Einde verhaal, dat Nadia hoe dan ook wilde checken, in het vroegere dorpsschooltje waar Tommetje Slootmaekers naar school was geweest. Tom had ook een oudere zus, maar die was lang geleden naar het buitenland vertrokken, in het zog van de man, een gescheiden Nederlander, op wie ze halsoverkop verliefd was geworden. Beetje zoals Tom, die ook het ouderlijk huis had verlaten zo gauw hij meerderjarig was en een baantje had gevonden in de grote stad waar hij avondles volgde in informatica. De zus van Tom Slootmaekers had nooit meer iets van zich laten horen, wat de moeder betreurde maar waar ze evenzeer begrip voor kon opbrengen. Zij was het immers die haar dochter voor de keuze had gesteld: doorgaan met die oude man óf thuis blijven wonen. De twee samen, dat kon niet. Met het bekende gevolg. Voor zover ze wist, had ook Tom geen contact meer met zijn zus en al had hij dan partij gekozen voor zijn moeder, veel zag of hoorde ze hem niet. Dat gebrek aan familiale betrokkenheid zat deels in de genen volgens de moeder, maar was vooral te wijten aan het feit dat de vader, geveld door een hartaanval, veel te vroeg uit hun leven was weggerukt. Ze hadden het dus met zijn drietjes moeten rooien en dat was best hard geweest. Verder wilde ze nog kwijt dat ze best wel trots was op wat ze had verwezenlijkt en dat ze vond dat haar Tom, die goed zijn brood verdiende, gezien mocht worden en een prima partij zou zijn voor een meisje die dat waard was. Nadia zuchtte de gedachten weg. Haar ogen twinkelden verraderlijk toen ze oogcontact zocht met Deleu en 'bedankt' zei.

'Bedankt?' mompelde Deleu.

'Knappe vrouw. Toch?'

'Ja. Knap.'

'En? Is er nog wat uit gekomen?'

Toen Deleu vluchtig naar zijn kruis keek, kreeg Nadia Mendonck de slappe lach.

VII

Gisela is verbaasd maar negeert mijn vriendelijke groet en loopt heup-wiegend naar de deur. Niks nieuws onder de zon. Haar kutlippetjes strelen de voering van haar broekrok. Ik beeld me dan in dat ze geen slipje draagt. Ik ben benieuwd. Ik ga haar helemaal suf neuken. En niet in gedachten deze keer. Haar broer, mijn nieuwe schoolvriend, en zijn moeder komen pas vanavond thuis.

'Dorst?'

Ze draait op haar hakken en kijkt me aan, vanonder haar dikke zwarte wimpers. De pose is zorgvuldig ingeoefend. Weergaloos. Denkt ze. Hèhèhè. Weerloos is ze, en kwetsbaar, want ik kan haar zo verscheuren als ik dat wil, maar zo gedraagt ze zich niet. Ze acteert. Ze speelt de geile hoer. Dat doet ze om me op te hitsen. Ze zijn zo! Maar ik kan haar lezen, zonder probleem zelfs, en ik voel hoe ze diep binnenin onzeker is, en bang. Gevoelens die ik niet ken. En gelukkig maar.

'Wat doe jíj hier?'

Ze legt de klemtoon op 'jij', alsof ik een schaamluis ben die nattigheid voelt en verbaasd uit de reet van een kadaver komt gekropen. Me kleine-ren. Ze doet het opzettelijk.

Hoe Gisela eruitziet?

Goed. Enfin, nu toch nog. Hèhèhè.

Nee. Prachtige lippen heeft ze. Vol en glanzend. Ik kan er mijn ogen niet van afhouden. Ik wil erin bijten. Tot ik bloed proef. Opensnijden wil ik haar. Van haar reet tot haar mond. Ik hang haar ondersteboven. Slash. Mijn kop in haar buik wroeten en haar ingewanden opvreten. En onder-

tussen haar lekkere loesjes tot moes knijpen en me afrukken. Haar tepels laat ik drogen. Ik maak er een amulet van. Ik kan mijn voeten niet stilhouden van de opwinding. De plankenvloer van de veranda trilt. Zonder dat ik iets doe. Ik doe toch niks!

Ik mag niet hijgen!

Niet nu!

Alles is zo zorgvuldig gepland. Ik moet me aan mijn plan houden. De zaak is onder controle. Perfect onder controle. In gedachten heb ik dit al een keer of honderd gedaan. Met succes. Meestal met succes.

'Ik wacht, gewoon. Op je broer.'

'Gewoon? Die komt pas vanavond thuis.'

'Ah', veins ik. 'Kom op. Fruitsap. Lekker vers. Met echte pulp van sinaasappels. Mijn moeder heeft het gemaakt.'

Dat ik het heb doorgeroerd met mijn lul vertel ik er niet bij. Waarom zou ik. Het is mijn privilege. Wat ik met mijn lul doe, bedoel ik.

Mijn handen gaan een eigen leven leiden. Heb je dat al ooit meegemaakt? Ongelooflijk fascinerend is dat. Hèhèhè. Ze wachten niet op een antwoord, pakken de kan en schenken een bekertje sinaasappelsap in, stirred, not shaken. Ik hou van mijn handen. De wereld is aan de durvers.

Ze twijfelt.

Pakt het.

Yesss!

Deel één is gelukt.

Ze drinkt niet. Ze ruikt. Damn! Ze likt langs haar lippen. Trekt een vies gezicht. Onmogelijk! Die pillen zijn geur- en smaakloos. Ik heb het uitgeprobeerd.

Ze kijkt me aan alsof ze het weet. Ik heb een prop in mijn keel. Hij knelt harder dan mijn lul. Als dit trucje aan het licht komt, ben ik finaal de pineut. Deze keer wel.

Yesss!

Ze zet het bekertje aan haar lippen. Ze drinkt het uit. In één teug. Ze duwt het lege bekertje onder mijn neus. Ze wil meer. Mijn borstbeen staat in brand. Alsof we een stel zijn, zo voelt het. Van die kleffe burgermensen die af en toe met elkaar neuken zonder dat er iets moet worden gepland. Ze gaat zitten en kijkt me uitdagend aan. Benen lichtjes uit elkaar. Mijn handen. Ik kan ze niet stilhouden. Ze willen de voering uit die broekrok scheuren.

Ze kijkt alsof ze het weet.

Alles. Weet.

Nee! Niet alsof.

Ze weet het.

Wil het!

Ik schenk nog een halve beker in. Niet morsen. Handen stil! Ze jent me, drinkt er niet van. Ze kijkt dwars door me heen. Haar vonkende edelstenen van ogen doorboren mijn hersenen.

'Ik ken jouw soort.'

Ze heeft tanden, onnatuurlijk wit. Ik wil ze likken. En blijven likken. In haar tandvlees bijten. Tot bloedens toe.

'Mijn soort?'

'Ja. Gluurders. Rukkertjes. Je komt niet voor mijn broer. Je komt voor mij.'

Ik mag niet freaken. Niet nu. Ik moet haar aan de praat houden nu. Die slaappillen werken pas na twintig minuten. Ook als je er meer dan een in vermaalt.

Hoe ik dat weet?

Hèhèhè.

Ik heb geëxperimenteerd. Met mijn mammie als proefkonijn. Ze heeft langer geslapen, dat wel, en ze had barstende hoofdpijn. Maar ze viel niet sneller in slaap.

'Waarom denk je dat?'

'De manier waarop je naar me kijkt.'

'En hoe kijk ik dan?'

'Alsof ik een stuk vlees ben', zegt ze en ze lacht. Uitdagend. En ondeugend. Het maakt me onzeker, een gevoel dat ik verafschuw. Ik heb behoefte aan controle. Totale controle. Zij heeft de touwtjes in handen. Ze speelt met mij en er is niks dat ik kan doen.

Nog niet.

Als ze nu naar binnen gaat en de deur achter zich dichtslaat, dan ben ik verloren. Dan gaat zij lekker slapen en mijn leven is verwoest. Zinloos. Dat zal niet gebeuren. Ik zal, ik moet haar hebben. Nu!

'Maar je hebt gelijk. Het hele dorp heeft gelijk. Ik ben een hoer. En laat me je dit vertellen: ik ben er nog trots op ook.'

Ze geeuwt. Loopt naar de deur. Ik word gek. Helemaal kierewiet. Ze verwart me met de dorpsjongetjes. Voelt ze dan niet hoe speciaal ik ben! Verdomde verwaande feeks!

'Wacht!'

'Waarom?'

'Ik wil met je praten.'

'Ah ja. Waarover zoal? Mijn broer?'

'Over ons', mompel ik. 'Ik ook. Ik ben ook anders.'

Ze kijkt me geamuseerd aan.

'Je houdt van jongetjes. Is het dat?'

Ze is ouder dan ik. Achttien al, denk ik. Ze gaat toch niet meer naar school. Haar broer vertelt nooit iets over haar en ik durf er hem uiteraard niks over te vragen.

'Hoe oud ben jij?'

'Zeventien.'

'Snotneus', zegt ze en ze gaapt. Ze wrijft in haar ogen. Loopt naar de deur. Gaat naar binnen.

Ik sta op ontploffen. Zo dicht. Zo fucking dicht bij mijn ultieme doel. Ik ben een absolute loser. Een kans zoals deze krijg ik nooit meer.

Ik moet hier weg of ik explodeer.

Ik loop de trappen af. Kruip op mijn fiets. Te laat. Mijn kop ontploft. Ik gooi mijn fiets tegen de grond en klop in paniek op de deur.

De deur gaat dadelijk open. Ze stond te wachten. Op mij.

'Mag ik binnen wachten?'

Ze blijft in de deuropening staan en gaapt nog een keer. Ze knijpt haar ogen tot spleten.

'Mijn broer komt pas vanavond thuis. Of versta jij geen Nederlands?'

'Waarom ben je zo boos?'

Die is raak. Ze gaat naar binnen. De deur blijft op een kier. Is dat een uitnodiging? God, lieve God, lang geleden dat ik me nog zo nerveus heb gevoeld. Ik steek mijn hoofd tussen de deurkier.

'Doe wat je wilt. Ik ben moe. Ik ga slapen denk ik.'

Ze loopt de trap op. Zich van geen kwaad bewust. Ik wacht.

Ze draait zich om. Sierlijk. Lacht me uit met haar ogen. Ze weet dat ik met een broek vol goesting zit. Rotte teef.

'Alleen', zegt ze fijntjes. 'Maak je maar geen illusies.'

Ze duwt haar kont achteruit en haar neus in de lucht. Ze beklimt de trap. Draait met een elegante zwaai de hoek om.

Ik wacht.

En ik wacht.

7

'Kristooofff!'

De kreet weergalmde door de hal. De wangen van de vrouw bolden op. Door emotie en opwinding. Haar rode gezicht draaide opzij. 'Pakt hem maar mee!' hijgde ze. 'Dan ben ik ervan af. Ik... ik kan dat echt niet meer aan.' Ze keek nerveus achterom, de gang in, waar de deur op een kier stond en Mendonck een glimp kon opvangen van de kraaknette woonkamer. 'Danniee! Kristoofff! Strontjoenk. Komt goedverdoemme naar beneden!'

'Euhmm. Mevrouw Dutrou?' probeerde Mendonck de vrouw te kalmeren. 'Het is gewoon...'

'Verstreken! De naam is Verstreken. Lena Verstreken. Met die Dutroux-familie wil ik niks meer te maken hebben.'

Mendonck keek de vrouw stomverbaasd aan, verrast door de uithaal. Lena Verstreken trilde op haar benen. Haar zware boezem deinde op en neer. In haar mondhoek hingen fijne druppeltjes spuug. Ze keek voortdurend achterom.

Toen er niemand kwam opdagen, liep ze weg. Naar de woonkamer, wild zwaaiend met haar mollige armen. Volkomen over haar toeren. De deur sloeg dicht.

Mendonck wist niet goed wat te denken. Ze had zich de ontvangst heel anders voorgesteld. Nadat er een tip was binnengekomen, was ze hiernaartoe gereden. Een vrouw uit de buurt had opgebeld met de melding dat er een gsm-toestel was gevonden in het Sint-Janskerkhof, een zijstraat van de Merodestraat en dicht bij de loft van Slootmaekers. De vrouw die had opgebeld, had die informatie gekregen van haar zoon, een vriend van Kristof Dutrou, de vermoedelijke vinder van de gsm.

Toen Mendonck had aangebeld en nietsvermoedend aan Lena Verstreken had gevraagd of haar zoon een gsm had gevonden, was de vrouw beginnen te roepen en te tieren. De deur van de woonkamer ging open. De man, die naar Mendonck toeslofte en zich gemoedelijk voorstelde als Danny Dutrou, zonder x, vader van, was de tegenpool van zijn echtgenote. Een gezapige, gezellige bourgondiër, zo te zien, met rooddooraderde wangen, getekend door een leven van bier en plezier.

'Kan ik u ergens mee...' zei vader Dutrou, zonder x. De laatste woorden gingen verloren in het getier van zijn echtgenote, die als een razende furie door de gang denderde en met heftig trillende wijsvinger naar de overloop wees, waar gedurende een fractie van een seconde een guitig jongensgezicht in beeld kwam.

'Kom. Kom maar binnen', gebood Lena Verstreken en ze pakte Mendonck bij de arm. 'Doe maar. Ge hebt geen huiszoekingsbevel nodig. Ga maar naar zijn kamer. Pakt alles maar mee. Ge moet u niet generen. 't Is allemaal begonnen met het pikken van bakken bier in de kantine van de voetbal en...'

'Zeg hé, zottin!' riep vader Dutrou, die zijn zelfbeheersing dreigde te verliezen. 'Wat moet dat meiske van ons denken. En de geburen! Kalmeert u, ja! En daarbij, dat was geen bier. Dat waren gewoon chips!'

Onwezenlijk maar waar. Toen Lena Verstreken wilde reageren, legde Danny Dutrou zijn hand op de mond van zijn tetterende vrouw.

'Kristof! Kom eens naar beneje, joeng!' bromde vader Dutrou. Daarna wendde hij zich tot Mendonck. Zijn stemvolume zakte. 'Wat heeft 'm gedaan? Is 't voor die gepikte autoradio's dat ge komt? Commissaris Vanderkuylen heeft gezegd dat...'

'Meneer Dutrou', zei Mendonck. 'Momentje. Ik...'

'Ziedet! Ziedet nu wel!' maakte Lena Verstreken de kakofonie compleet. Ze liep fluks de trap op. En het werd nog erger.

'Wat heb ik nu weer gedaan?!' schreeuwde een schrille jongensstem. Boven sloeg een deur met een harde klap dicht.

'Moet na ons leven die deur godverdomme ook nog kapot!' schreeuwde Lena Verstreken. Ze bleef staan. Hijgend. Met haar handen in haar zij. Ten einde raad. Midden op de pas geboende trap.

'Pakt hem astemblieft mee', hijgde ze met veel misbaar. Bijna smekend. 'Ik kan er toch gene weg meer mee. Ikke niet!'

'Lena! Ga naar binnen. Nu', gromde Danny Dutrou. De kin van de vrouw beefde, alsof ze dadelijk in tranen zou uitbarsten. Danny Dutrou sloeg zijn ogen op. Lena Verstreken droop af, mompelend. 'Godver, godverdoemme... En dan te weten dat dat zaad in mijn lijf heeft gezeten.' De deur naar de woonkamer, ongetwijfeld van duurzame makelij, sloeg knalhard dicht.

'Niks van aantrekken, poezeke', grijnsde vader Dutrou. 'Zeg het nu ne keer. Wat ligt er op uwe lever?'

'Ik... euhmm... wilde eigenlijk gewoon vragen of uw zoon hier in de straat een gsm heeft gevonden.'

'Ne gepikte?'

'Dat weet ik niet.'

'Kom. We gaan het hem vragen', zei Danny Dutrou en hij

116

zuchtte en maakte een uitnodigend gebaar naar de trap. Hij duwde de voordeur in het slot.

Toen Mendonck de smalle trap beklom, voelde ze de ogen van Dutrou in haar kont prikken. Op de enge overloop wurmde de man zijn lijf langs haar borsten. Hij wees naar een deur met bordje: 'No trespassing'.

'Voilà! Het hol van het beest.'

Mendonck duwde de deurkruk naar beneden. De deur was op slot.

'Kristof! Opendoen!' riep Danny Dutrou en hij zocht oogcontact met Mendonck, haalde de schouders op en zei met enige gêne: 'Kinderen'. Daarna bonkte hij vol op de deur. De sleutel werd omgedraaid in het slot. Dutrou maakte opnieuw een uitnodigend gebaar. Om naar mijn kont te kunnen loeren, wist Mendonck, maar ze trok er zich niks van aan, razend benieuwd welk specimen van het menselijke ras zich achter die deur schuilhield.

'Ik heb niks gedaan', riep de blonde spriet. Hij stond met zijn rug tegen de muur. Handen in de lucht. Mendonck onderdrukte een grijns.

'En niet liegen, hé', schreeuwde Lena Verstreken, die in de deuropening was komen staan. Danny Dutrou duwde met een pijnlijke grimas zijn handen op zijn oren. Kristof Dutrou negeerde de verwijtende ogen van zijn moeder en keek naar de grond.

Mendonck ging dichterbij. Bleef staan. Pal voor de jongen, die ze een jaar of vijftien schatte.

'Kristof? Heb je een gsm gevonden? Hier in de straat?'

'O! Is het dat maar', zei de jongen en hij slalomde langs Mendonck heen en ging achter zijn pc zitten. Begon verwoed op het toetsenbord te tokkelen. 'Zeg dat dan.'

'Fraank joenk!' schreeuwde Lena Verstreken. Haar zoon negeerde haar. Hij trok een lade open. Haalde er een gsm uit. Gaf hem aan Mendonck.

'Hier. Je mag hem hebben. Ik kan er toch niks mee doen.'

'Waarom niet?' vroeg Mendonck.

'Rotzakse heeft zijn YUNU geactiveerd.'

'Joenoe geactiveerd?' herhaalde Mendonck. Verbaasd. Ze had er geen idee van waarover de jongen het had. Kristof Dutrou staarde Mendonck aan. Hij kneep zijn grijsblauwe ogen tot spleetjes.

'Ha! En gij zijt van de po...'

'Frankerik! Zwijg!' schreeuwde moeder Verstreken. Vader Dutrou aanschouwde het tafereel hoofdschuddend. Met zijn handen nog steeds op zijn oren. 'En antwoordt! Als die madam u iets vraagt.'

KristofDutrou zuchtte, verbouwereerd van zoveel onwetendheid.

'Your Unique Number', zuchtte hij. 'Da's gewoon een beveiligingscode. Als je ze activeert werkt je gsm alleen nog met je eigen simkaart. Simpel. Wacht, madam. Kom hier. Ik laat het u zien.' De slanke vingers van Kristof Dutrou vlogen al over het toetsenbord van zijn pc.

'Joeng, joeng. Met wat dat toch allemaal bezig is', mompelde vader Dutrou.

Mendonck ging niet op de uitnodiging in.

'Laat maar', zei ze. 'En de simkaart...'

'Heb ik weggesmeten. Sorry.'

'Godver... Godver...' sakkerde Lena Verstreken.

'Lena! Klep dicht!'

'Maar die heb je niet nodig. Je kunt het IMEI-nummer gebruiken. Stond op die klever onder de batterij. Maar...'

'Stond', mompelde Mendonck. 'Die sticker heb je dus ook weggegooid!'

'Ja, maar dat geeft niet. Gewoon...'

'Gewoon! Gewoon, zegt da joenk!'

'Lena. Klep dicht!'

'Waar heb je die gsm gevonden?' probeerde Mendonck de draad weer op te pakken.

'In de goot.'

'Ja! Daar gaade gij eindigen als ge...'

'Lena! Klep dicht!'

'Waar?' vroeg Mendonck.

'Bij de parking.'

'En wat heb je dan gedaan?'

'Opgeraapt natuurlijk.'

'En waarom heb je geen aangifte gedaan van die vondst?'

Kristof Dutrou haalde de schouders op.

'Kristof?'

'Het is goedkope bazaar. Met zo'n stomme Pay & Go-kaart', mompelde de knaap. 'De eigenaar vind je toch niet terug. Jullie ook niet.'

'Maar je kon toch bellen naar...'

'Het adressenboek was leeg', viel Kristof Dutrou Mendonck in de rede. 'Anders had ik vindersloon kunnen vragen.'

Lena Verstreken legde haar hand op haar boezem. Ze hapte naar adem en staarde haar man aan.

'Lena!'

'En waarom heb je de simkaart weggegooid?' vroeg Mendonck.

'Ja. Ik ben niet gek, hé. En dan aan één stuk door opgebeld worden door de eigenaar, zeker! Of een sms-bombardement op mijne nek krijgen!'

'Dat laatste kan ook zonder de simkaart', zei Mendonck fijntjes. De ogen van de jonge knaap lichtten op. Het was duidelijk dat ze in zijn achting was gestegen.

'Waar? Waar heb je die simkaart en die sticker met het IMEI-nummer...'

'Doorgesjast.'

'Doorgesjast?'

'Ja. In de wc.'

'Godver...godver...'

'Lena!'

'Maar dat geeft niet. Zoals ik al zei. Of wilde zeggen', zei Kristof Dutrou en hij grinnikte naar zijn amechtig naar adem happende moeder. 'Het IMEI vind je door #6# te drukken. Daarna kunnen jullie alle gsm-verkeer in kaart brengen. No prob.'

'Hmm', mompelde Mendonck. 'Mocht je ooit in vervroegde vrijheid worden gesteld, je mag altijd bij ons komen solliciteren.'

'Ik ben geen overloper', grijnsde Kristof Dutrou.

'Maar... maar!'

'Lena!'

***

'Ofwel stuur ik een sms naar Erik', mompelde Mendonck in gedachten verzonken. Deleu keek haar aan alsof ze een taal sprak die hij niet begreep. 'Dat zei hij. Tom Slootmaekers. Toen ik hem de eerste keer ondervraagd heb.'

'En dan?' vroeg Deleu, nog steeds niet meesurfend op Nadia's gedachtekronkels. Hij was verdiept in de retrolijst die telecomoperator Proximus op bevel van Jos Bosmans had bezorgd aan de collega's van de technische recherche. Die lijst was gelinkt aan de gsm die door Kristof Dutrou was gevonden. Hij bevatte alle communicatiegegevens met derden van het afgelopen jaar, meer bepaald datum en tijdstip van alle in- en uitgaande verbindingen, weliswaar zonder de inhoud van de gesprekken en de sms-berichten. Toch kon je je dankzij de mastbepalingen een vrij goed beeld vormen van waar de bellers zich op dat ogenblik bevonden.

Hoewel ze er niet in geslaagd waren de identiteit van de eigenaar van dit toestel te achterhalen, dat was gevonden dicht bij de plaats delict, had de reconstructie van de gevoerde gesprekken toch interessante zaken opgeleverd. Hoogst interessante zelfs.

Eén nummer sprong eruit. Het werd vaak gebruikt. Ook tijdens de nacht van de moord. Vanaf de gsm was gebeld met Zita De Bruycker, niemand minder dan het meisje dat door Deleu was ondervraagd.

Zita De Bruycker had als eerste opgebeld. Vanaf of dicht bij de plaats delict. De oproep was beantwoord, het signaal was geregistreerd door een zendmast in het centrum van Mechelen. Daarna had diezelfde persoon nog twee keer teruggebeld naar Zita's nummer. Het tweede en laatste signaal was opgevangen door een mast in de buurt van de loft van Slootmaekers. Deleu staarde Mendonck aan.

'En dan?'

'Dan had Erik Boen wel een mobiel toestel.'

'Waarom?' vroeg Deleu nog steeds in gedachten verzonken.

'Omdat je niet kunt sms'en naar een vaste telefoonlijn, tenzij je daar een speciaal abonnement voor hebt.'

Nu was Deleu bij de zaak. Hij knikte goedkeurend.

'Dus jij denkt dat Boen wel een gsm had', zei Deleu en hij keek op de retrolijst, liet het papier knisperen. Mendonck knikte bevestigend. 'En dat hij in het centrum van Mechelen was en werd opgebeld door Zita De Bruycker, de vermoedelijke moordenares? Die hem heeft opgewacht op of in elk geval dicht bij de plaats delict?'

Mendonck knikte opnieuw. Maar zonder veel overtuiging. Het was een aannemelijke theorie, het kon natuurlijk dat Boen een gsm had en dat zijn vrouw dat niet wist. Maar toch.

'We moeten Zita De Bruycker aan de tand voelen', zei Deleu.

'En Tom Slootmaekers', vulde Mendonck aan.

'Waarom?'

'Omdat hij Erik Boen blijkbaar beter kende dan dat zijn vrouw hem kende.'

'Tja. Maten, makkers...'

'...masturberen', zei Mendonck en ze graaide haar handtas mee en liep naar buiten.

'Hey?' riep Deleu.

'Ik pak Slootmaekers. Jij Zita.'

Deleus grijns was even voorspelbaar als de kleur van gras.

***

Toen Mendonck voor de derde keer aanbelde, kraakte de deurtelefoon.

'Ja?'

'Meneer Slootmaekers, Nadia Mendonck, lokale recherche Mechelen. Zou ik u nog een paar vragen mogen stellen?'

'Nu?'

'Kom ik ongelegen dan?'

'Ik... euhm... ben eigenlijk aan het inpakken. Ik vertrek op zakenreis naar...'

'Prima. Dan doen we het nu gauw. Zo hoeft u uw vlucht niet uit te stellen', zei Mendonck en ze knipoogde naar haar spiegelbeeld.

Het bleef stil. Een paar seconden later zoemde de deuropener.

Op de derde verdieping stond Slootmaekers haar op te wachten in de deuropening, dusdanig nonchalant dat het opviel. Mendonck gaf de dikke man een hand en liep ongevraagd naar binnen. Op de grond stond een reiskoffer met wat kleren erin en een toilettas. Haar blik viel op het bureau, waar alles was gerangschikt met een, naar Mendoncks normen, misselijkmakende geometrie. Daardoor sprongen de papieren des te meer in het oog. Slordig en kriskras door elkaar, alsof Slootmaekers in zeven haasten naar iets op zoek was geweest. Het intrigeerde Mendonck, maar dat liet ze niet blijken.

Tussen de papieren stond een laptop. Net voordat de screensaver aansprong, palmbomen op een tropisch eiland, zag Mendonck dat de prullenbak opengeklapt was. Het bestand was leeg. Had Slootmaekers gauw iets gewist, vroeg ze zich af.

Tom Slootmaekers, die haar argwanend in het oog hield, was duidelijk nerveus. Hij stond nog steeds bij de deur. Er parelde een zweetdruppel op zijn voorhoofd. Het was nochtans niet overdreven warm in de woonkamer.

'Komt u toch binnen', zei Mendonck, neutraal, zonder een spoortje arrogantie en net daardoor intimiderend.

Slootmaekers liep met stijve passen naar zijn bureau. Hij begon de papieren te verzamelen. Zijn gebaren waren onbeholpen, alsof het niet de zijne waren. Hij was stiknerveus.

'Wat wilde u nog weten?' zei hij zonder Mendonck aan te kijken. Hij werd verraden door zijn rechterhand. Wist zich geen houding te geven en duwde ze dan maar in zijn broekzak.

'Waarom bent u eigenlijk zo nerveus?' vroeg Mendonck op de man af.

'Omdat ik een vlucht moet halen.'

'Neem al uw notities mee. U kunt ze in het vliegtuig sorteren', probeerde Mendonck luchtig te doen. Slootmaekers reageerde niet. 'Maak u geen zorgen. Ik ga u niet onnodig ophouden. Het enige dat ik wil, is het gsm-nummer van Erik Boen.'

'Het gsm-nummer van Erik?' Slootmaekers herhaalde de vraag. Niet omdat hij ze niet had begrepen maar om tijd te winnen.

Nadia Mendonck betreurde dat ze de kerel niet in de ogen kon kijken. Ze ging dichterbij. Wierp een snelle blik op de papieren. Stukken doorlopende tekst en schema's met pijltjes en blokjes en heel vreemde toverformules. ICT-gedoe.

'Erik had geen gsm.'

'Hmm.'

Slootmaekers, die de spanning niet langer kon verdragen, pufte en hapte naar adem, bijna alsof hij hyperventileerde. Er was iets loos. Maar wat, vroeg Mendonck zich af. Ze vertrouwde Slootmaekers voor geen haar. Liefst van al had ze de kerel willen oppakken en zijn laptop meenemen om uit te zoeken wat hij zopas had gewist. Maar dat kon uiteraard niet. Ze zou op het keiharde veto van Jos Bosmans botsen. De man was uiteindelijk veeleer slachtoffer dan potentiële verdachte. In gedachten verving ze het woord 'uiteindelijk' door 'voorlopig', want Nadia Mendonck was een bijtertje en zo gemakkelijk zou die dikzak er niet van afkomen.

'Toch niet dat ik weet', zei Slootmaekers en zijn ogen vluchtten weg.

'Hmm.'

'Wat wil dat zeggen: hmm?'

'Waar had u die sms dan naartoe gestuurd? Als u het nummer van Erik Boen niet kende, bedoel ik.'

'Ik weet niet waarover u het hebt', zei Slootmaekers en hij duwde zijn handen in zijn zakken. Haalde ze er dadelijk weer uit. Begon aan de knopen van zijn jasje te frutselen.

'En ik moet nu echt voortmaken.' Hij liep stijf naar de reiskoffer.

'Meneer Slootmaekers', zei Mendonck. 'Tijdens ons eerste gesprek hebt u gezegd dat u een sms zou sturen. Naar Erik Boen. Dat herinnert u zich ongetwijfeld nog.' Slootmaekers begon in de koffer te rommelen. 'U hoeft het zich zelfs niet te herinneren. Dat gesprek is opgenomen', deed Mendonck er nog een schepje bovenop.

Eigenlijk had ze geen poot om op te staan. Harde bewijzen waren er niet. Ook het gsm-verkeer van Slootmaekers was in kaart gebracht. Een tijdje geleden al. Als het gevonden toestel van Boen was, dan had hij niet naar Tom Slootmaekers gebeld. Nooit. Behoudens de gebruikelijke telefoontjes naar nutsbedrijven en dergelijke, belde Slootmaekers haast uitsluitend met zijn moeder. Meestal vanuit het buitenland. Er was wel een nummer waar hij regelmatig naar belde en ook door werd opgebeld. De eigenaar van dat toestel was niet geregistreerd. Maar dat kon uiteraard om het even wie zijn. Een collega. Een oude liefde. Een betaalde liefde.

'Dat weet ik.'

'Wat weet u?' vroeg Mendonck.

'Dat dát gesprek is opgenomen', klonk het bars. Slootmaekers begon alsmaar sneller te praten, alsof hij achterna werd gezeten. 'Ik heb dat zomaar gezegd. Oké. Om jullie bang te maken. Omdat jullie me probeerden te intimideren.'

'Ah! Zo zit dat.'

'Ja. Zo zit dat!' zei Slootmaekers en hij klapte de koffer dicht. Liep als een gekooid beest heen en weer. 'En als u me nu wilt excuseren.'

'Goede reis', zei Mendonck. Ze had besloten om op veilig te spelen en het hierbij te laten. Slootmaekers wist meer, veel meer dan hij wilde laten blijken. De kunst was nu om ook Jos Bosmans in haar geloof te laten delen. 'We zien elkaar ongetwijfeld nog terug.'

***

Toen Mendonck het verhoorlokaal binnenliep, zat Zita De Bruycker doodstil op haar stoel. Ze staarde naar haar handen, die in haar schoot lagen, en het leek erop dat Deleu, ondanks al zijn vakmanschap, nog geen millimeter dichter bij de waarheid was gekomen. Mendonck trok een stoel dichterbij en observeerde de jonge kleurlinge, een frisse verschijning, al zag ze er nu uit als een dood vogeltje.

'Dus je belt naar iemand die je niet kent', zei Deleu. Er zat empathie in zijn woorden. Nadia herkende de toon, en de stijl. Een verdachte, schuldig of niet, die hoe dan ook al tonnen stress over zich heen krijgt, mag je als ondervrager niet bruuskeren, integendeel, je moet de verdachte begeleiden. Coachen. Uitnodigen om zijn hart te luchten. Open vragen stellen.

Zita's handen waren verkrampt. Deleu had dus duidelijk een gevoelige snaar geraakt. Haar reactie was navenant.

'Dat zal dan wel, zeker. Ik herinner het me niet. Kunnen jullie dat trouwens zomaar!' zei Zita De Bruycker en haar ogen lichtten op, alsof de komst van Mendonck, ook een vrouw, haar de kracht gaf die ze ontbeerde.

'Kunnen wij zomaar wat?' vroeg Deleu.

'Inbreken in de privacy van mensen!'

'Ja', zei Mendonck. Het klonk hard. 'Als er een moord is gebeurd, kunnen en mogen wij dat en nog veel meer trouwens.'

Zita De Bruycker antwoordde niet. Ze zat maar wat voor zich uit te staren.

'Waarom wil je eigenlijk niet meewerken?' vroeg Deleu.
'Ik wil wel meewerken. Ik weet echt niet van wie dat nummer is. Ik bel zoveel nummers. Om dingen te regelen met mensen die ik niet ken.'

'En al die nummers sla je op in het geheugen van je gsm', zei Deleu en het was een droge vaststelling, geen vraag. Hij strooide voorzichtig nog wat zout in de open wonde. 'En je noemt dat soort toevallige contacten ST?'

Zita De Bruycker, die zich had vastgereden, reageerde niet. Plots knipte ze met haar vingers.

'ST?' zei ze. 'Is het dat nummer dat jullie bedoelen?'

'Ja', zei Deleu, benieuwd welke onverwachte wending dit gesprek zou nemen.

'Super Taxi', zei Zita De Bruycker. Opgelucht. 'Ik heb geen auto. Als ik wegga, dan bel ik soms een taxi. Dat moet het zijn.'

'Een taxi? Super Taxi? Een taxibedrijf. En die bel jij op een nummer dat niet is geregistreerd?' probeerde Deleu een voet tussen de deur te steken. Geen slimme zet, besefte hij. Maar het was te laat. Hij voelde de ingehouden nervositeit van Nadia Mendonck. Ze had natuurlijk gelijk. Dit was niet het moment om duidelijkheid te verschaffen over de oorsprong van de gevonden gsm.

'Ja maar, het is geen officiële taxi. Dat kan ik niet betalen', zei Zita De Bruycker met een zuinig lachje. 'Dat is iemand die me in het zwart vervoert. Ik noem hem "super" omdat hij zijn werk goed doet.'

'In het zwart', zei Mendonck. 'En hoe heet die zwarte persoon?'

'Dat weet ik niet.'

'Hoe ziet hij eruit?' viel Deleu in. De tandem kwam op dreef.

'Gewoon.'

'Wat is dat, gewoon?' vroeg Mendonck.

'Een blanke man van om en bij de veertig. Forsgebouwd. Kaal. Hij werkt in ploegen. Verdient op die manier een centje bij.'

'In ploegen? Bij welk bedrijf?'

'Dat weet ik niet. Zo goed ken ik hem niet.'

'Maar je weet waar hij woont?'

'Nee.'

'Met welke auto rijdt hij?'

Zita twijfelde. Een seconde, maar het was genoeg. Ze loog. Daar twijfelde Mendonck niet aan. Ze logen allemaal. Iedereen die van ver of dichtbij bij deze zaak betrokken was, leek er op de een of andere manier baat bij te hebben om te liegen.

'Ik ken niks van auto's.'

'Groot? Klein?'

'Grijs. Oud. Opel, denk ik. Opel Astra. Zoiets.'

'Ben je niet bang om zomaar met de eerste de beste man die je niet kent...'

'De eerste keer wel. Daarna niet meer.'

'Waar heb je hem de eerste keer ontmoet?' vroeg Deleu op een toon die duidelijk maakte dat hij het gesprek in handen wilde nemen.

'Dat weet ik niet meer. 't Is lang geleden. Waarom vragen jullie dat niet aan hem? En wat bedoel je ermee dat zijn nummer niet is geregistreerd?'

Nu was het Deleu die de stilte iets te lang liet duren. Zita De Bruycker sprong in het gat.

'Ik wil mijn advocaat.'

'Dat kan', zei Mendonck. 'Maar niet nu.'

'Waarom niet?'

'Omdat we nog altijd in België leven en omdat je niet in beschuldiging bent gesteld', zei Mendonck fijntjes. Ze raakte Zita's hand aan. Hield ze vast. 'Zita. Luister. Iemand heeft dat gsm-toestel verloren. We willen hem terugbezorgen aan de rechtmatige eigenaar. Jouw chauffeur.'

'En daarvoor doen jullie zoveel moeite?'

'Hij is teruggevonden op een plaats waar een misdrijf is gebeurd. Het zou dus kunnen dat jouw chauffeur bij dat misdrijf betrokken is. Of dat hij iets heeft gezien. Daarom hebben we je hulp nodig. Begrijp je? Je bent voorlopig de enige die ons een stap verder kan helpen. Wil je dat doen?'

'Maar ik ken die man niet', zei Zita De Bruycker en ze knikte gelaten. 'Niet echt.'

'Laten we herbeginnen', zei Mendonck. 'Van het begin. Akkoord?'

'Akkoord.'

'Oké. Ik ga je niks in de mond proberen te leggen. We blijven gewoon bij de feiten. Akkoord?'

'Akkoord.'

'Oké', zei Mendonck. 'Het telefoonnummer dat je met de letters ST hebt opgeslagen in het geheugen van jouw gsm, behoort toe aan een man die jou af en toe een lift geeft. Een roodharige, forsgebouwde man. Daar zijn we het over eens?'

'Nee. Hij is kaal!'

'Sorry. Die kale, forsgebouwde man, jouw chauffeur, heeft zijn gsm verloren. Dat gebeurde in de nacht van vijfentwintig op zesentwintig november. Heb je toen van hem een lift gekregen?'

'Dat weet ik niet meer.'

'Het was de nacht van dinsdag op woensdag. Waar was je toen?'

'Ik ben iets gaan drinken, denk ik. In de stad.'

'Waar in de stad?'

'De Vismarkt.'

'Alleen?'

'Ja.'

'En toen je naar huis wilde, heb je hem opgebeld?'

'Ja.'

'En hij heeft teruggebeld?'

'Dat denk ik wel.'

'Je denkt het?' kaatste Mendonck de bal terug.

'Ja. Hij heeft teruggebeld.'

'Waarom?'

'Dat herinner ik me niet meer. Om te vragen waar ik was, zeker.'

'Dat heb je hem dus niet verteld toen je hem de eerste keer opbelde?'

'Nee. Waarom zou ik', klonk het kribbig. 'Ik blijf niet de hele avond in hetzelfde café.'

'In welk café heeft hij je opgepikt?'

'Hij pikt me niet op in een café. Hij belt om te zeggen dat hij er is. We spreken af op de hoek. Van de Vismarkt en de IJzerenleen. Daar wacht hij op mij.'

'Goed. En dan?'

'Gewoon. Dan ben ik ingestapt en hij heeft me thuis afgezet.'

'En dan?'

'Dan ben ik gaan slapen.'

'Thuis?'

'Ja, natuurlijk. Waar anders?'

'Die man, jouw chauffeur, heeft later nog twee keer gebeld. Je hebt niet opgenomen. Waarom niet?'

'Omdat ik sliep, zeker.'

'Je slaapt vast.'

'Ik had wat gedronken.'

'Jouw chauffeur heeft diezelfde nacht zijn gsm verloren. Dat moet dus zijn gebeurd nadat hij jou had opgebeld. De gsm werd gevonden in het Sint-Janskerkhof, een zijstraat van de Merodestraat. Enig idee wat de man daar ging doen?'

'Nee. Weet ik veel. Hij zal waarschijnlijk in die buurt wonen.'

'Diezelfde nacht is Erik Boen vermoord', zei Mendonck en ze observeerde de verdachte. Want dat was Zita De Bruycker vanaf nu. Ze had gelogen over de hele lijn. Het tijdsgebruik. Het afgelegde traject. Volgens het in kaart gebrachte gsm-verkeer was die 'chauffeur' zowat de hele avond bij haar geweest. Daarna waren ze samen naar de loft van Tom Slootmaekers gereden. Zonder een omweg te maken langs de Jozef Verbertstraat. Daar was Zita gebleven. In of dicht bij de loft van Slootmaekers.

'Erik Boen?'

'De klusjesman die jouw boiler heeft hersteld', zei Deleu en hij liet de signalementsfoto van Erik Boen zien. 'Is dit jouw chauffeur?

'Ik wil mijn advocaat!'

VIII

Tien minuten later, langer wachten lukt me niet, beklim ik de trap.

Wat?

Ah. Dat! Je hebt scherpe ogen.

Ik heb het gevonden in de keukenlade. Het is gekarteld maar wel scherp.

Boven, op de overloop, staat een deur op een kier.

Damn. Die trede! Hij kraakt!

Dat is onmogelijk!

Ik blijf doodstil staan.

Er is geen geluid.

Absolute stilte.

Ik tel tot zestig en sluip dan voetje voor voetje naar boven.

Ik duw de deur voorzichtig open, met de punt van mijn schoen. Het is de slaapkamer van haar broer. De twee andere deuren zijn dicht. De adrenaline giert door mijn lijf. Stel, in het slechtste geval, stel dat ze haar deur op slot heeft gedaan.

Nee. Ik mag niet fatalistisch worden.

Ik loop naar de dichtstbijzijnde deur. Die met het bordje.

DO NOT DISTURB. GENIUS AT WORK.

Ze heeft zin voor humor. Ze moest eens weten hoe toepasselijk die spreuk is. Ik krijg bijna de slappe lach als mijn vingers zich om de klink sluiten. De deurklink is koud. De scharnieren zijn goed geolied. Ze houden hun smoel. En zo hoort het ook.

Wat ik van plan ben?

Goh. Ik weet het eigenlijk niet. Waar bén ik in godsnaam mee bezig?
Ik ben zo opgewonden nu.
Jij ook? Voel je 't?
Mijn ogen zijn dicht.
Floeps.
Open.
Surprise, surprise.
Ze ligt lang uitgestrekt op bed. Als een gevallen engel.
Zie je het niet? Hoor je 't niet? Ruik je 't niet? Sluit je ogen. Sper je
neusvleugels open. Lik langs je lippen. Probeer het je voor te stellen. Zoals
in die sprookjes is ze, met eenhoorns en draken en hete prinsessen met
dierenvellen om hun wulpse lijven en nog veel meer van dat ophitsend
gedoe. Ze heeft achteloos één schoen uitgeschopt.
Ik kniel en maak voorzichtig de andere schoen los. Ik pel haar dunne
sokken af. Ruik aan haar tenen. Ik lik aan haar nagel. Er zit een pluisje
onder haar nagelriem.
Lekkerrr.
Ik trek mijn lippen achteruit, tot ver over mijn tandvlees, zoals een
haai doet als hij gaat bijten.
Ik oefen dat soms, ja. Voor de spiegel. En ik zweer je. Wees blij dat je
naar haar aan het loeren bent. Want mocht je me zo zien!
Hèhèhè.
Ik pluk het pluisje vantussen haar nagel. Met mijn tanden. Ik slik
het door. Hmm. Lekker. Het topje van mijn wijsvinger beroert het
knopje.
Nee, vetzak!
Niet dát knopje.
Het knoopje bedoel ik. Mijn vingers friemelen haar hemdje los. Het is
luchtig, eerlijk. Van katoen, denk ik. Je voelt het vlees ademen.
Voel je 't?
Ze beweegt!
Ik wacht. Bevries. Haar bh is roze, afgeboord met rode kant. Best wel
hoerig, hoor. Doedoem.

Hoor je 't?

Doedoemdoem. Da's mijn hart. Het moet mijlenver te horen zijn. Doedoem.

Ik wacht.

Adem niet meer.

Het mes. Dat zat toch achter mijn broeksband? Nu heb ik het in mijn hand. Hèhèhè. Mijn linkerhand. De andere, mijn rukhand, glijdt onder haar rokje.

Hmm. Lekker.

Er is geen hete damp. Nog niet. Mijn vingers willen over haar kruis dartelen, maar ik beheers me. Eén vinger ontsnapt me. Hij kruipt tussen de boord van haar slipje, ook van eerlijk katoen.

Ik kan nog amper ademen. Alsof ik word gegijzeld door mijn eigen adem.

Haar spleet is wél vochtig. Ik heb een stijve, zo hard als de snaar van een gitaar. Als ik er nu op durf te tokkelen komt er gegarandeerd muziek uit.

Dzinnggg. Hhmm. Lekker. Ik heb niet de intentie om iets te doen. Hoe kan het dan dat mijn slip op mijn enkels hangt? Mijn kloppende lul heeft zich waarschijnlijk een weg naar buiten gewroet. Ik zuig het straaltje kwijl van mijn onderlip. Duw mijn ding tegen haar spleet, zie kleuren, alle kleuren van de regenboog, schok, elektriciteit, in mijn ruggengraat, kom klaar, aahhhh, op haar dij. Ik kan er niks aan doen.

'Smerige klootzak!'

Ze staart me verdwaasd aan. Schopt me overal waar ze me raken kan. Het mes vliegt uit mijn hand. Ze staart er naar, alsof ze het nu pas heeft gezien.

We staren.

Allebei.

Doods.

Dood stil.

Doder dan stil.

Stiller.

Het lijkt er niet op dat we onze intellectuele tegenstellingen hier en nu gaan kunnen uitpraten.

8

Nadat ze Zita De Bruycker noodgedwongen hadden laten gaan, was Deleu hier komen posten, bij dit immense appartementencomplex aan Racing Club Mechelen, voorlopig het enig overblijvende aanknopingspunt.

In deze buurt was het gevonden toestel vaak aan- en uitgezet, en dus was de kans groot dat de eigenaar ervan in een van deze appartementen woonde.

Een clandestien liefdesnestje had Erik Boen hier niet gehuurd. Dat was uitgezocht. Grondig. Ook niet onder een valse naam, want het verloop was groot in deze sociale appartementen en de eigenaar, een makelaarsgroep, stond erop dat alles strikt volgens het boekje ging, inclusief kopie van de identiteitskaart, geregistreerd huurcontract en bijbehorende bankwaarborg.

Nee, de gevonden gsm was hoogstwaarschijnlijk niet van Erik Boen. Jammer maar helaas. Het was nochtans een aanlokkelijke denkpiste geweest.

Hoewel? Deleu had zijn twijfels.

Zita De Bruycker en Erik Boen drinken wat in het stadscentrum en daarna rijden ze naar de flat van Tom Slootmaekers. Dat was aannemelijk. Maar dan blijft Zita in de flat en Boen rijdt weg. Zita is meer dan twee uur alleen in de flat. Daarna belt ze Erik Boen op. Die neemt op. Dat signaal wordt opgevangen hier in de buurt van dit appartementencomplex. Er volgt een kort gesprek. Daarna belt Boen Zita nog twee keer op. Ze neemt niet op. Vervolgens rijdt Boen terug naar de loft.

Deleu schudde vermoeid zijn hoofd, alsof hij het probeerde leeg te schudden. Er zat geen logica in die redenering. Waarom zou Boen zijn scharrel twee uur moederziel alleen laten, om dan terug te keren? Misschien om de chocolade te gaan kopen? Misschien wilden de twee hun privéfeestje opsmukken met een portie drugs? Het kon natuurlijk. Maar toch. Als Boen wist dat er drugs in die chocolade zaten, dan had hij toch niet de hele doos leeggegeten?

En dan was er nog de gsm. Stel dat die van hem was. Van Erik Boen. Die gsm verliest hij. Buiten. Op straat. Daarna wordt hij vermoord? Tenzij Zita de gsm na de moord meeneemt om hem te laten verdwijnen. Maar ze laat hem achter in een zijstraat van de plaats delict, waar hij de volgende ochtend wordt gevonden door Kristof Dutrou. De signalen uitgezonden door haar eigen gsm wijzen erop dat ze na de moord, waarschijnlijk na de moord, naar huis is gereden.

Blijft de vraag: met wie?

Deleu staarde naar de garagedeur, die traag openging. Hij stak een nieuwe sigaret op, de zoveelste, om de verveling te doden. Een VW Passat reed naar buiten. De deur gleed langzaam weer dicht. Ging weer open. Een beige Ford Fiesta kwam in beeld, met een blondine achter het stuur. Auto's kwamen en gingen. Er zat niks anders op dan alle huurders te ondervragen, besefte hij, en hun gsm's te controleren.

Deleu startte zijn Golf en draaide het raampje open. Een noodzakelijk manoeuvre om niet te stikken in de rook die te snijden was. Midden in zijn droge hoestbui hoorde hij een ander geluid. Een luid gebrul. Het kwam van de Fiesta die accelereerde. Hij herinnerde zich het relaas van Nadia, over het gesprek dat ze had gevoerd met het oudje dat in dezelfde straat woonde als Tom Slootmaekers. Hij pakte zijn fototoestel en fotografeerde de nummerplaat. Terwijl hij de beige Ford nakeek, gaf hij het kenteken door aan de centrale. Hij overwoog om de auto te schaduwen en wilde wegrijden. Het antwoord liet niet lang op zich wachten. Toen Deleu vernam dat de Fiesta eigendom was van Sarah Tempelier, de vriendin van Zita De Bruycker, reed hij van opwinding bijna door het rode verkeerslicht.

***

'Dat is mijn gsm niet! Hoe komen jullie erbij!' Het klonk agressief. Die agressieve houding was er al van het ogenblik dat ze Deleu, die haar had staan opwachten, had binnengelaten. Sarah Tempelier schaamde zich hoegenaamd niet voor de buren en had zich ondertussen zowat schor geschreeuwd.

Dirk Deleu liet een stilte vallen. Hij begreep haar reactie niet zo goed. Gelukkig, dacht hij, had Nadia zich de woorden van Melanie Dezutter herinnerd. Het kranige oudje dat in Merodestraat woonde en 's nachts een auto had gezien én vooral gehoord. Ook Melanie Dezutter was na de confrontatie met de reeks foto's die Deleu had genomen, vrij zeker geweest. Het was wel degelijk de Fiesta van Sarah Tempelier geweest.

Sarah Tempelier. ST in het geheugen van Zita De Bruyckers gsm en blijkbaar haar hartsvriendin. Dat kon de jonge vrouw nog moeilijk loochenen. In haar schamele maar volgestouwde flat van vijf bij vier stonden en hingen overal foto's van de twee. Van in hun kindertijd tot op heden. Slanke Zita en dikke Sarah. Ze leken wel een komisch duo. De Schone en het Beest. Tegenpolen die elkaar aantrekken.

Voor Deleu pasten de puzzelstukjes Sarah, Zita en Erik stilaan in elkaar.

'Juffrouw Tempelier', zei Deleu. 'Wat deed u in de nacht van vijfentwintig op zesentwintig november laatstleden in de Merodestraat in Mechelen? Dat was de nacht van dinsdag op woensdag.'

'Merodestraat?' zei Sarah Tempelier en ze draaide een blonde haarlok om haar vinger. Ze had grote handen. Sterke vingers. Haar korte nagels waren afgeknabbeld, tot diep in het vlees. Zou ze een man als Erik Boen aankunnen, vroeg Deleu zich af. Waarschijnlijk wel. Als ze echt kwaad was. Hadden die twee nog een appeltje te schillen gehad met Boen? Had Zita Erik Boen verdoofd en had ze daarna Sarah opgebeld om hem de genadeklap te geven? Maar waarom?

De vragen bleven door Deleus hoofd spoken. Hij zou ze niet stellen. Niet nu. De dreiging van een gerechtelijke dwaling, zeker in deze fase van het onderzoek, was reëel en zou fataal zijn.

'Ik ben iets gaan drinken. In het centrum. Zoals gewoonlijk.'

'Alleen?'

'Ja. Wat kom jij hier eigenlijk doen?'

'Ik zoek getuigen. Van de moord op Erik Boen. De man is in de nacht van vijfentwintig op zesentwintig november van het leven beroofd. Die nacht was u in de buurt van de loft waar hij is vermoord. In de Merodestraat. Daar zijn getuigen van.'

'Getuigen?' herhaalde Sarah Tempelier. Onzeker nu. 'Welke getuigen?'

'Dat kan ik u in het belang van het onderzoek niet mee-delen.'

'Word ik dan beschuldigd van iets?'

'Nee. Ik wil gewoon weten wat u deed in de Merode-straat.'

'Parkeerplaats zoeken, zeker. Zoals iedereen.'

'En hebt u er een gevonden?'

'Jazeker.'

'Waar? Aan het Sint-Janskerkhof?'

'Dat weet ik niet meer. Een kerkhof was er in elk geval niet.'

'Was Zita bij u? Zita De Bruycker?'

'Nee.'

'Maar u hebt haar wel ontmoet? Op de Vismarkt.'

'Ja. En dan?'

'Dat wil ik graag van u horen.'

'Zeg, hé. We hebben iets gedronken. Daarna ben ik naar huis gereden. Normale avond.'

'U hebt haar niet naar huis gebracht?'

'Nee. Waarom zou ik? We hebben afscheid genomen en ik ben de andere kant uit gelopen. Alleen. Naar mijn auto. Ik ben ingestapt en ben naar huis gereden. En in die straat waar ik geparkeerd stond, heb ik niks verdachts gezien. Voldoende zo?' zei Sara Tempelier en ze liep naar de deur en trok ze open. 'De rest zoeken jullie zelf maar uit.'

Deleu voelde aan dat verder aandringen geen zin had. Hij liep naar de deur. Drukte Sarah Tempelier de hand. Haar handpalm was vochtig. Ze zat gevangen in haar web van leugens en ze wist het. Alles, maar dan ook alles wat ze had gezegd, was gelogen.

Deleu, uiterlijk kalm, tintelde vanbinnen, maar dit was niet het moment om door te duwen. Daar waren harde bewijzen voor nodig.

'Bedankt', zei hij en hij liep nonchalant naar de lift. Hij vertelde Sarah Tempelier niet dat ze het land niet mocht verlaten. Onnodig om het wild nu op te schrikken. Beter om haar in het ongewisse te laten en, mocht Bosmans nog twijfelen om een arrestatiebevel uit te vaardigen, haar discreet te laten schaduwen. Zoals ook Tom Slootmaekers discreet werd geschaduwd. Op verzoek van Mendonck, die – zij het puur op gevoel – ervan overtuigd was dat ook hij, ondanks zijn alibi, een rol van betekenis speelde in dit shakespeareaanse drama.

Terwijl Deleu goedgemutst naar zijn Golf liep, zette hij zijn gsm aan, die onmiddelijk begon te rinkelen. Het was een ingesproken boodschap. Deleu luisterde aandachtig en na een paar seconden kwam een brede lach op zijn gezicht. Dit was werkelijk een van die zeldzame dagen. Hij duwde de gsm in zijn zak.

De zwarte haren, gevonden op het beddengoed van Tom Slootmaekers, waren van Zita De Bruycker. De cirkel was eindelijk rond.

Zijn gsm rinkelde opnieuw. Deleu was er als de kippen bij.

'Hallo?'

'Pa. Rob hier.'

'Ja. Jongen. Wat scheelt er?' vroeg Deleu stomverbaasd. Eindelijk, dacht hij.

'Niks. 't Is gewoon om te zeggen dat ik volgend weekend niet kom logeren. Is dat oké?'

'Waarom? Niet?'

'Ik blijf in Leuven. Moet blokken.'

'Ah. Ja. Natuurlijk', mompelde Deleu, in gedachten verzonken. 'En Raicha?'

'Ook niet.'

'Wat, ook niet?' vroeg Deleu.

'Die komt ook niet slapen. Ouwe snoeper!'

Deleu ademde een paar keer diep in en uit. Rolde met zijn ogen.

'Dus ze slaapt bij jou? In Leuven, bedoel ik?'

'Is dat een probleem?'

Deleu zweeg en probeerde zijn gedachten te ordenen. Zijn zoon, die de vraag beantwoordde met een tegenvraag, speelde het handig. Geen 'goed' en 'ja' en 'nee' deze keer. Hij werd vast een steengoede rechercheur.

'Rob. Jongen. Luister. Ik wil niet vervelend doen of zo. En ik wil je niet betuttelen en een boompje opzetten over de bloemetjes en de bijtjes en zo. Maar dat meisje is wel minderjarig. Begrijp je?'

'Dat weet ik.'

'Dus...' zei Deleu en hij draaide zijn tong een paar keer om in zijn mond, op zoek naar de juiste woorden.

'Dus wat?'

'Dus mogen jullie nog niet samen...'

'Heb ik gezegd dat ze hier kwam slapen dan?'

'Nee. Dat heb je niet. Maar het probleem blijft.'

Er viel een vervelende stilte.

'Pa. Je moet je huiswerk beter maken.'

'Mijn huiswerk?'

'Raicha is moslima.'

'En dan. Ik heb het over ander vlees dan varkensvlees', flapte Deleu eruit. Hij beet op zijn lip. Besefte zijn flater.

Robs klaterende lach deed pijn aan zijn oor. Twee seconden later proestte ook Deleu het uit.

Toen hij naar de lucht staarde en de tranen uit zijn ogen veegde, zag hij het verschrikte gezicht van Sarah Tempelier. Ze veegde een haarlok uit haar gezicht, sloot haastig het raam en trok het gordijn dicht.

'Pa?'

'Ja, jongen?'

'Wees voorzichtig. Oké?'

'Ja jongen', mompelde Deleu en hij vond geen verklaring waarom hij huiverde.

IX

Hij staart me aan.
Wie?
Onze wijkagent, tiens.
Waarom?
Weet ik veel. Iedereen staart me tegenwoordig zó aan, alsof ik een of ander gevaarlijk exotisch insect ben dat is meegereisd in een doos bananen.
Hij heeft een holle blik, ziet er vermoeid uit. Je zou voor minder, als lokale misantroop annex dorpsfilosoof én bovendien als enige wetsdienaar verantwoordelijk voor dit uitgestrekte landelijke gehucht vol crapuul en moordenaars, en dat heb ik het nog niet eens over mezelf.
Bang? Ik?
Hèhèhè.
'Jongen', zucht de wijkagent. Hij kijkt langs me heen. 'Ik ben ook zeventien geweest. Maar als je met een meisje... je weet wel, vraag dat dan toch gewoon.'
Ik fixeer mijn vingertoppen. Mijn lach kan ik gelukkig binnensmonds houden. Híj denkt dat ik bang ben. Kent mijn brokkelige levensparcours maar al te goed. Maar dat is goed. Een vleug empathie komt een mens altijd ten goede. Al helpt het natuurlijk ook wel dat hij mijn vader kent. Want zo gaat dat hier. Eigen volk eerst. Die twee hebben nog in dezelfde klas gezeten naar het schijnt. Grappige anekdote is dat. Hoewel, anekdote! Het heeft zijn belang. Geloof me maar. In een dorp als dit heeft alles zijn belang.

Waarom ik? De vraag straalt uit zijn oude, vermoeide hondenogen. Hij lijkt wat op een pedofiele pater nu. Hij snuift, in een soort van rusteloze berusting, en blijft zijn ogen gericht houden op de attributen die voor hem op tafel liggen.

Herken je ze?

Hèhèhè.

Haar grijze broekrokje en dat flinterdunne slipje. Met mijn ingedroogd zaad erop.

Zou ze het aangeraakt hebben? Mijn zaad, bedoel ik. En wat voelde ze dan? Misschien heeft ze er wel aan geroken. De gedachte doet me huiveren.

'Ik luister?' zegt de champetter op een toontje dat zalft noch slaat en geloof het of niet – hoe cliché kan een mens zijn – maar hij leunt achterover en haakt zijn vette vierkante duimen achter zijn broekriem.

Ik kijk hem aan. Verongelijkt. Zijn naam schiet me niet te binnen. Dat hoeft ook niet. Ik denk niet dat ik echt gevaar loop. Ik durf nog steeds te hopen van niet. Het zou me verbazen mocht er een technisch onderzoek, inclusief DNA-analyse, aan te pas komen.

'Ze liegt.'

Hij knikt vermoeid. Zijn logge lijf buigt naar voren. Hij gelooft me. Natuurlijk gelooft hij me. Maar al te graag zelfs. Deze belichaming van de lokale droom is hier geboren, en ik – althans in zijn bekrompen perceptie – ook, enfin, min of meer dan toch. Minder dan hijzelf maar hoe dan ook meer dan zij, de bron van alle kwaad.

Hij is welgesteld, onze champetter. Zijn vader was herenboer, goed bevriend met de burgemeester. Heeft voor zijn drie zoons gigantische lappen landbouwgrond geritseld, weet mijn vader. 't Is gewoon, zoals dat gaat, alleen nog even wachten tot het gedoe met de verkavelingen rond is.

'Ze heeft wél een klacht neergelegd.'

Ik kan het nog altijd niet geloven. Er is niks gebeurd. Ze leeft verdomme nog! En toch heeft die hoer het gedaan. Gisela heeft het echt gedaan. Klacht neergelegd.

Dat gaat ze zich beklagen. Vraag dat maar aan de buurvrouw! Je moet

145

haar wel zelf opgraven. Dat ideetje om mijn lul tussen die post-mortem-tieten te parkeren heb ik uiteindelijk naar de catacomben van mijn fantasie verwezen. Niet weggegooid, dat niet. Een prima idee gooi je niet zomaar weg. Dat ideetje van dat invriezen trouwens ook niet.

'Wat moet ik daar nu mee?' vraagt Sus – zijn naam schiet me plots te binnen.

'In de wasmachine steken?'

Sus heeft nog etensresten tussen zijn twee voorste snijtanden. Ik gok op bloedworst. Hij moet zich echt waar inhouden om het niet uit te proesten en me tussen de schouderbladen te beuken. Het duurt een hele tijd voor de pretlichtjes in zijn ogen doven. Nu moet ik uit mijn doppen kijken. Attent blijven. Je kunt jezelf er niet eeuwig met een kwinkslag vantussen lullen.

'Geloof je haar?' vraag ik, zo strak dat het de tremolo in mijn stem extra schwung geeft en mijn huigje trilt en kriebelt, waardoor ik bijna een hoestbui krijg en op mijn tong moet bijten om het niet uit te gieren. God, wat hou ik toch van dit dorp. Misschien moest ik maar eens bij de lokale toneelkring gaan solliciteren. Sus zit daar trouwens ook bij. Zijn persiflage van een dronken politicus, toen hij met zijn handen tot aan zijn ellebogen in zijn zakken en zijn ogen en pet op halfzeven de parochiezaal instrompelde, blijft legendarisch. Deze multigetalenteerde man is waarlijk een culturele duizendpoot. Zijn regelmatige bijdragen aan het parochieblad, waarin hij in een tweelettergrepige en ongekuiste volkse taal niet alleen de moderne multiculturele maatschappij maar ook de vleselijke noden en verzuchtingen van de clerus durft te hekelen, zullen waarschijnlijk nooit op een stoffige academische boekenplank belanden, maar worden hier in onze kleine gemeenschap desalniettemin zeer gewaardeerd. Ja, ook door de dorpspastoor.

Maar vandaag staat Sus in dubio. Sus snuift. De lach is van zijn gezicht geveegd. Hij haalt vermoeid de schouders op. Nog maar een keer.

'Een klacht is een klacht.'

'Oké. Dat begrijp ik. En wat moet er nu gebeuren?'

'Ik moet die klacht onderzoeken. Wat anders? Eventuele getuigen vinden. En dan beslissen of ik ze doorspeel aan het parket of niet.'

'Wat kan ik doen?'

'Niks. Hou je gewoon gedeisd. En jongen, blijf voortaan bij die mensen uit de buurt. Stank voor dank, weet je wel.'

De vette knipoog, die is er te veel aan. Ik wil zijn rabiate boerenhart met mijn blote handen uit zijn dikke vette pens rukken, maar ik vertrek geen spier. Ik sta op, druk hem de hand en zeg: 'Bedankt'.

Feit is. Niemand gelooft haar. Zelfs haar eigen broer niet mocht ze het hem vertellen. Hij zou haar haten. Want dan berooft ze hem van zijn enige vriend. Ze heeft geen schijn van kans, de harteloze slet.

Voorlopig zit het dus allemaal nog snor.

Voorlopig wel.

9

Sarah Tempelier, officieel in verdenking gesteld van medeplichtigheid aan de moord op Erik Boen, leek kleiner dan
ze was. Ze zat in elkaar gedoken op haar stoel, een roerloze,
vormeloze homp vlees waarin, afgezien van haar ogen, geen
leven meer leek te zitten. Ze probeerde heel hard om de
verkeerde kant uit te kijken en het uitgestalde bewijsmateriaal, de koevoet waarmee de kofferbak van Erik Boens
auto was opengebroken en haar gsm, die ze op de parking
aan het Sint-Janskerkhof had verloren, niet te zien.

'Wanneer ben je de eerste keer in contact gekomen met
Erik Boen?' vroeg Mendonck.

'Ik ken die man niet. En ik heb hem nooit ontmoet.'

'Erik Boen was een goed mens', zei Mendonck en ze
gooide de foto's, genomen op de plaats delict, op het formi-
ca tafelblad. Sarah Tempelier kneep haar ogen dicht. Probeerde heel hard om geen emotie te tonen maar werd verraden door haar ademhaling. 'Kijk maar. Beetje stuurs van
nature maar verder volkomen ongevaarlijk. Nam het niet al
te nauw met de huwelijkse trouw, dat klopt, maar zo zijn er
wel meer mannen. Hij was tenminste eerlijk. Zijn vrouw
was op de hoogte van zijn escapades. Hij hield van exotische
types. Zoals jouw vriendin, Zita. Dat is hem waarschijnlijk
fataal geworden. We denken dat hij op de verkeerde plaats
was op het verkeerde moment. Wat denk jij?'

'Ik... ken die man niet', mompelde Sarah Tempelier. Ze had zichzelf nog amper onder controle. Was wit weggetrokken. Zweette. Leek te verschrompelen onder de stekende blik van Mendonck.

'Goed. Ander onderwerp. Laten we het over Zita hebben. Die ken je wel.'

Sarah Tempelier dronk met een stroeve polsslag van haar glas water.

'Ze was Eriks type. We denken dat ze hem kende. Jij?'

'Dat weet ik niet. Ik heb die man nooit ontmoet.'

'Ze is je beste vriendin.'

'En dan? Moet ik dan al haar vriendjes kennen?'

'Wat had je dan te zoeken in de buurt van de flat waar Erik Boen is vermoord?' gooide Mendonck het over een andere boeg.

'Niks. Ik heb er blijkbaar toevallig mijn auto geparkeerd. Pech gehad.'

'Hm. Dat kun je wel zeggen, ja', mompelde Mendonck. Ze gooide nog een foto van de vreselijk toegetakelde Erik Boen op tafel. 'Zita was bij hem de avond dat hij werd vermoord.'

'Hoe weten jullie dat!'

'En jij was er ook.'

'Jullie zijn gek!'

'Deze koevoet', zei Mendonck en ze wees naar het in plastic verpakte stuk ijzer en liet de benauwende stilte haar werk doen. 'We hebben hem gevonden op de plaats delict. Jouw vingerafdrukken staan erop. Heb je daar een zinnige verklaring voor?'

Sarah Tempelier begroef haar gezicht in haar handen en je kon haar laatste weerstand als het ware horen knakken.

'Ik heb hem niet vermoord', mompelde ze met een grafstem.

'Oké. Ik wil je graag geloven maar dan moet je me wel het hele verhaal vertellen', zei Mendonck. Sarah Tempelier knikte. Ze haalde een zakdoek uit haar mouw. Snoot haar neus. 'Het zal opluchten. Geloof me maar.'

'Ik en Zita. We hadden ruzie die avond.'

'Welke avond?'

'De nacht van dinsdag op woensdag.'

'Oké. Waarover hadden jullie ruzie?'

'Dat weet ik niet meer.'

'Probeer het je dan te herinneren. Ging het over Erik Boen? Hadden jullie allebei een oogje op hem? Of wilde je je vriendin niet met hem delen? Die avond bedoel ik.'

'Ik ken die man niet', mompelde Sarah. Ze trapte niet in de val. Mendonck geloofde haar. Nu wel. Waarschijnlijk had ze de val niet eens gezien.

'Goed. Waarover ging de ruzie dan?'

'Stom. Zita wilde blijven. Ik wilde naar huis. Ik moest de volgende dag werken. Ik was het beu om altijd naar haar pijpen te moeten dansen. Ik was tenslotte degene die haar gratis vervoerde.'

'Oké. Daar kan ik in komen. Jullie hadden ruzie. En toen?'

'Toen ben ik weggegaan. Alleen.'

'En vervolgens?'

'Ik ben in de auto blijven zitten.'

'Waar stond die auto?'

'Op de IJzerenleen. Vlak bij de Vismarkt', mompelde Sarah Tempelier. Ze drukte haar handen tegen haar slapen, alsof ze zo haar demonen probeerde te sussen. 'Ik voelde me rot. Wilde op mijn stappen terugkeren.'

'Waarom?'

'Zita had wat te veel gedronken.'

'Je houdt wel heel veel van haar', zei Mendonck en ze focuste op de bleke roze lijnen, op de nog blekere polsen van Sarah Tempelier, die de ongezonde belangstelling voelde en nerveus haar mouw afstroopte. Ze kneep haar handen open en dicht. Legde haar gehavende handpalmen – ook dat was Nadia Mendonck niet ontgaan – plat op de tafel.

'Ja.'

'Waarom?'

'Omdat ze me neemt zoals ik ben.'

Mendonck knikte begripvol. Hier kon ze zich wel iets bij voorstellen.

'En je ouders niet?'

Sarah Tempelier haalde haar schouders op.

'Waarom doe je dat?'

'Doe ik wat?'

'Jezelf verminken', zei Mendonck, met een zekere nonchalance, alsof het de enige logische conclusie was. Sarahs ogen lichtten op.

'Om te weten dat ik besta. Voldoende zo?'

'Wil je erover praten', zei Mendonck en het klonk niet als een vraag. Ze kruiste haar armen. Keek Sarah recht in de ogen, de beste tactiek, zo wist ze, om iemand aan het praten te krijgen.

'Over wat?'

'Je ouders?'

'Doet dat er dan toe?'

'Alles doet ertoe', zei Mendonck. 'Altijd.'

'Wat heb je met mijn ouders? Wat hebben die hiermee te maken?'

'Ze zijn hier niet. Om maar iets te zeggen.'

De wangen van Sarah Tempelier bolden op. Het meisje wilde uitvaren, maar ze bedacht zich. Ze kneep haar ogen dicht.

'Mijn vader is een tiran en mijn moeder is zijn slavin. Hij

heeft me willen scheppen naar zijn evenbeeld. Wilde van mij "iets" maken dat ik niet ben.'

'En dat heeft je zelfvertrouwen kapotgemaakt?'

'Weet ik veel.'

'En daarom reageer je telkens zo fel', zei Mendonck op een zachte, begripvolle toon. Sarah Tempelier keek op met een stilzwijgende instemming in haar ogen. 'Om jezelf te beschermen. Iets wat je bij Zita niet hoefde te doen.'

'Ja.'

'Ze had te veel gedronken', probeerde Mendonck de draad weer op te pakken. 'Je was bezorgd.'

'Ja.'

'En toen?'

'Toen ik wilde uitstappen en terugkeren, heb ik haar voorbij zien rijden. In een auto met een man achter het stuur.'

'Erik Boen?'

'Dat weet ik niet. Ik heb zijn gezicht niet gezien. Maar het was zo'n auto, denk ik', zei Sarah Tempelier en ze wees de auto van Erik Boen aan.

'Je bent hen gevolgd', zei Mendonck en ze probeerde Sarah Tempelier een zetje in de goede richting te geven.

'Ja. Tot in de Merodestraat. Zita moet normaal gezien de andere richting uit.'

'Waarom? Was je jaloers?'

'Nee. Waarom zou ik! Ik was nieuwsgierig.'

'Nieuwsgierig? En werd je nieuwsgierigheid bevredigd?'

'Ja. Ze zijn gestopt bij die lofts. De auto werd in de garage gereden. Ik heb een kwartiertje gewacht.'

'En dan ben je naar huis gereden', vulde Mendonck aan. Haar vingers tintelden. Wat Sarah Tempelier vertelde, klopte met de geregistreerde gsm-signalen. Ze was op het goede spoor deze keer. 'En wat is er daarna gebeurd?'

De deur zwaaide open en Mendonck werd geconfronteerd met de verhitte ogen van meester Ceulemans. De ervaren strafpleiter keurde haar geen blik waardig. Hij zocht oogcontact met Sarah Tempelier. Om zijn mondhoeken krulde een zelfvoldaan glimlachje. Hij legde zijn wijsvinger tegen zijn lippen en kwam zelfverzekerd dichterbij. 'Nee! Ga weg!' schreeuwde Sarah Tempelier. Haar adem wervelde door haar keel. Ze sprong op. De stoel kletterde tegen de grond. Ceulemans, een statige man met présence – hij zou de zoon kunnen zijn geweest van Raymond, de Mechelse biljartgod –, stond voor één keer met de mond vol tanden. 'Het moet uit mijn lijf. Ga weg!'

Georges Ceulemans keek met een schokje achterom toen hij de hand van Jos Bosmans op zijn schouder voelde. Een blik van verstandhouding volstond. Ceulemans liet zich gedwee wegleiden. De deur ging dicht. Nadia Mendonck zette de stoel rechtop. Sarah Tempelier aanvaardde de uitnodiging en ging zitten.

'Je bent best wel dapper', zei Mendonck.

Sarah Tempelier glunderde. Ze was het duidelijk niet gewend om complimentjes te krijgen.

'Toen ik in mijn bed lag, kreeg ik telefoon van Zita. Ze was in paniek. Schreeuwde. Bonsde en beukte overal tegenaan. In doodsangst', ratelde Sarah. 'Haar woorden waren overal, tuimelden over elkaar, onstuitbaar, zoals water na een dijkbreuk. Zoiets verschrikkelijks had ik nog nooit gehoord. Ik stond te beven op mijn benen. Kreeg het er koud van. En dan weer gloeiend heet. Ze was aangevallen, schreeuwde ze. Door die man, die haar een lift had aangeboden. Dat heb ik nog begrepen. Daarna was de lijn plots dood.'

'Aangevallen? Door Erik Boen dus?'

'Ja. Ik ben in zeven haasten naar de Merodestraat gereden.

Naar die flat. De garagedeur was niet op slot.'
'En toen?'
'Toen heb ik die koevoet gepakt en ik heb de kofferbak van die auto opengebroken.'
'De kofferbak opengebroken?' vroeg Mendonck, stomverbaasd door deze plotselinge wending. 'Waarom?'
'Om Zita te bevrijden.'
'Dus ze...'
'Ja. Ze lag in de kofferbak. Gekneveld aan handen en voeten en met een zak over haar hoofd.'

***

'En hoe ben je in die kofferbak terechtgekomen?' vroeg Deleu.
'Dat weet ik niet meer', zuchtte Zita De Bruycker. 'Ik was ziek. Misselijk. Alles draaide. Dat zei ik toch al. Ik heb me proberen te verweren maar hij was te sterk. Veel te sterk!'
'En toen?'
'Ik heb gebeld.'
'Naar wie?'
'Sarah.'
'En toen?'
'Dat weet ik niet meer. Alles werd zwart. Hij moet me geslagen hebben. Ik heb waarschijnlijk het bewustzijn verloren.'
'En wanneer ben je weer bij je positieven gekomen?'
'Toen Sarah de kofferbak heeft opengebroken. Denk ik. Ik weet het niet meer. Ik had een zak over mijn hoofd. Ik kreeg geen lucht meer.'
Deleu schraapte langs zijn stoppelbaard. Hij was grondig gebrieft door Nadia. Het gedeelte van de kofferbak klopte waarschijnlijk wel. Tenzij de twee meisjes hun versies op

elkaar hadden afgestemd. Ze hadden er een zee van tijd voor gehad.

'Oké', zei Deleu. 'Nog een laatste keer. Vanaf het begin graag. Laten we beginnen in dat café op de Vismarkt. Toen Sarah was weggegaan, heeft Erik Boen je benaderd en je een lift aangeboden. Is het zo gegaan?'

'Ja.'

'En was hij daar al lang? In dat café, bedoel ik.'

'Dat weet ik niet. Plots was hij daar.'

'En je herkende hem?'

'Vaag. Ik had een beetje te veel op.'

'En je hebt hem om een lift gevraagd?'

'Ja.'

'En Boen wilde je die geven?'

'Ja.'

'En toen?' vroeg Deleu.

'Hij zou me naar huis brengen', mompelde Zita en hoewel ze het probeerde te verbergen, kon ze de huivering niet onderdrukken.

'Maar dat heeft hij niet gedaan?' vroeg Deleu op zachte toon. Zita leek in elkaar te krimpen en de reactie van het meisje was niet gespeeld.

'Nee.'

'Waarom niet?'

'Dat weet ik niet meer. Ik voelde me ziek. Ik had amper door welke richting hij uit reed.'

'Ziek? Omdat je te veel gedronken had?' speelde Deleu bedachtzaam in op Zita's woorden.

'Nee. Ik denk dat het door die chocolade kwam.'

'Chocolade?' vroeg Deleu. Op zijn hoede. Het stuk over de paddo's was niet gelekt in de pers.

'Ja. In de auto bood hij me een stuk chocolade aan.'

'Een stuk? Zoals van een reep?'

'Nee. Het was een bolletje. Bolletjes. Ik heb er twee gegeten, denk ik. Een paar minuten later begon alles te draaien.'

'En hij?'

'Wat, hij?'

'Heeft hij ook chocolade gegeten?'

'Dat weet ik niet.'

'Goed. En dan? Wat gebeurde er daarna?'

'Ik weet het niet. Hij was heel vriendelijk en behulpzaam. Totdat we in de garage waren.'

'Vriendelijk en behulpzaam. Dus hij heeft je de trap op geholpen en je in de flat een glas water aangeboden? Is het zo gegaan?'

'Nee!'

'Hoezo, nee?'

'Ik ben niet in die flat geweest. Nooit! Dat heb ik je toch al gezegd. Ik heb met die moord niks te maken. Ik...'

Deleu legde zijn hand op de schouder van het sputterende meisje. Probeerde haar te kalmeren. Hoewel hij pertinent zeker wist dat ze loog. De roodbetraande ogen staarden Deleu aan.

'Hij heeft je dus niet naar boven gelokt?'

'Nee.'

'Je niet proberen te bepotelen?'

'Nee!'

'Oké. En toen? Wat is er gebeurd in de garage?'

'Ik weet het niet meer. Echt niet. Ik werd vastgegrepen. Opgetild. Zomaar. Ik was doodsbang na die harde klap.'

'Klap? Welke klap?'

'Toen hij me in de kofferbak gooide en het deksel dichtsloeg. Ik ben beginnen te roepen en te tieren. Heb om hulp geschreeuwd. Er kwam niemand. Ik was alleen. Ik was zo bang. Ik heb Sarah gebeld. Plots ging de kofferbak open. Hij heeft me geslagen met iets. Hier', zei Zita De Bruycker en ze pakte Deleus hand en streek met zijn vingers langs haar achterhoofd. 'Voel maar.'

Er was inderdaad een zwelling. Zita was dus onzacht met 'iets' in aanraking gekomen. Maar dat kon uiteraard eender waar of wanneer zijn gebeurd.

'En wat gebeurde er toen?'

'Sarah heeft me bevrijd.'

'Sarah?'

'Ja. Ik heb haar gelukkig kunnen opbellen. Vlak voordat... voordat hij me sloeg, en die zak...' mompelde Zita De Bruycker. Ze viel stil. Alsof haar brandstof op was. '...en die zak over mijn hoofd heeft getrokken.'

'En hoe wist Sarah waar je was?'

'Omdat ik haar dat gezegd heb.'

'Aan de telefoon?'

'Ja.'

'Ik dacht dat je je niet goed voelde', zei Deleu. 'Dat je zelfs niet wist dat jullie de verkeerde kant uit reden. Erik Boen heeft zijn auto in de garage gezet. Hoe kon Sarah dan weten waar ze naartoe moest komen?'

'Dat... dat herinner ik me niet meer.'

Deleu liet de woorden bezinken. Strikt gezien kon dat laatste wel, tenminste als de versie van Sarah Tempelier klopte dat ze haar vriendin eerder op de avond was gevolgd.

'En toen heeft Sarah je bevrijd?'

'Ja.'

'En daarna is ze naar boven gelopen. Met de koevoet in haar hand.'

'Ja.'

'Waarom?'

'Omdat ze me niet geloofde.'

'Je niet geloofde? Wat niet geloofde?'

'Dat ik die man echt niet kende. Ze dacht dat ik haar wat

op de mouw had gespeld. Sarah is zo. Eerst doen en dan denken. Ze dacht dat ik met opzet ruzie met haar had gemaakt omdat ik een afspraak had en van haar af wilde.'

Deleu reageerde niet maar dacht er het zijne van. 'Je gelooft me niet. Sarah is een fantastische vriendin. Maar soms kan ze jaloers zijn. Op het bezitterige af. Dat is gewoon zo.'

'Oké. Laten we bij de feiten blijven, wil je. Sarah Tempelier is de trap opgegaan?'

'Ja. Sarah is naar boven gegaan. Met de koevoet in haar handen. Ik was in paniek. Heb haar proberen tegen te houden. Maar dat lukte niet. Ik was ziek. Duizelig. Ik ben de garage in gelopen. Een paar minuten later kwam ze weer naar beneden. Lijkbleek. Zonder de koevoet. We zijn weggevlucht. Ze heeft me naar huis gebracht.'

'En wat heeft ze verteld?'

'Verteld?'

'Ja. In de auto, bedoel ik?'

'Niks.'

'Niks?' vroeg Deleu en hij kon de verbazing niet uit dat ene woord filteren.

'Ja. Niks. We hebben er niet meer over gesproken. Nooit meer', mompelde Zita De Bruycker. Toen Deleu zijn hand op haar schouder legde, kromp ze in elkaar. Alsof ze de vreselijke gebeurtenissen opnieuw beleefde. Posttraumatische stress. Deleu herkende de symptomen. Waarschijnlijk was er veel meer gebeurd dan wat ze tot nog toe had verteld. Maar daar kon of wilde ze niet meer aan denken. Hij haalde voorzichtig zijn hand weg. Vond dat het beter was om de ondervraging hier te staken.

'Zita?'

'Wat?' zei Zita met een benepen stemmetje.

'Waarom hebben jullie geen aangifte gedaan?'

Zita De Bruycker staarde Deleu aan. De chaos in haar hoofd was zichtbaar in haar bange ogen.

'Omdat we bang waren. Bang van die man. En bang dat jullie ons niet zouden geloven. En, en, omdat we daar niks mee te maken wilden hebben.'

Hoewel hij verdomd goed wist dat dat antwoord een pertinente leugen was, knikte Deleu goedmoedig, en de stilte die hij liet vallen was ongetwijfeld ingegeven door vakmanschap, maar ook door nederigheid, want zo was Deleu, hij had te doen met het onfortuinlijke meisje en voelde zich rot, alsof hij Zita's trauma absorbeerde en zo mee probeerde te verwerken.

Het was, voorlopig althans, genoeg geweest. Voor allebei.

X

Hij zit daar al bijna twee uur.

Te konkelfoezen. Met mijn vader. In de woonkamer. Ze drinken oude port en als je 't mij vraagt is er stront aan de knikker. Een hele hoop zelfs. Toen hij voor de deur stond, zag hij lijkwit. Dat heb ik gezien, vanuit mijn kamer.

Over wie ik het heb?

Sus, onze wijkagent weetjewel.

Waarover ze praten?

Hmm. Ik heb maar flarden van hun gesprek kunnen opvangen, onbeduidend gepalaver doorspekt met jammerklachten, zoals pensioen en proces-verbaal en zo, maar de context is duidelijk.

De bitch heeft een advocaat in de arm genomen en Sus, bang voor zijn pensioen, die het 'bewijsmateriaal' heeft laten verdwijnen en nooit een officieel pv heeft opgesteld, overlegt nu met mijn vader wat hun te doen staat. Aan zijn gejammer te horen is de brave arm der wet op zoek naar een zondebok.

Mijn vader?

Wat wil je weten van mijn vader?

Dat van zijn onderbroeken heb ik je toch al verteld.

Hoe hij zich voelt bij alles wat er nu gebeurt?

Niet zo best, vermoed ik. Hij weet dat ik het gedaan heb, denk ik. Maar hij heeft me er nooit op aangesproken. Ik weet dat hij wat heeft proberen te ritselen. Met Sus. Maar nu mag mijn vader, een schim van wie hij ooit is geweest, het ergste verwachten. Hij lijkt ten einde raad. Hij ook al. Dat is nochtans niet nodig, want de oplossing ligt binnen handbereik. Die heb ik al lang geleden uitgedokterd. Het enige wat ze moeten doen is wachten en hun smoel houden. Vraag is, hoe maak ik dat de twee huilebalken duidelijk?

Voetstappen. Hoor je 't?

Fuck. Ze komen!

Ik duik mijn kamer in en ga op de rand van mijn bed zitten. Speel de vermoorde onschuld.

'Kom.'

'Hè?'

'Kom mee.'

Ik volg mijn vader naar de woonkamer. Hij gebaart dat ik moet gaan zitten. De kop van Sus ziet eruit als een tomaat die per ongeluk in de microgolfoven is gesukkeld.

'Dat meisje, je weet wel wie, heeft een advocaat genomen', zegt mijn vader. 'Daardoor zit mijn vriend Sus, die ons heeft willen helpen, in de problemen.'

'En wat wil je dat ik...'

'Zwijg!'

Ik zwijg. Buig deemoedig mijn hoofd. De stilte is drukkend, op het enige geluid van betekenis na dat wordt geproduceerd door Sus, die puft als een stoomboot op kernenergie.

Mijn vader begraaft zijn geblutste aardappelkop in zijn handen. Ze zijn pathetisch. Allebei. Echt waar. Patatje en tomatje. Zou een geweldige titel zijn voor een toneelstuk.

Niet lachen. Niet nu. Ik mag niet lachen.

'Papa?'

'Wat?'

'Ik zal bekennen.'

De woorden blijven hangen, tussen ons in, ongrijpbaar.

'Wat!'

'Bekennen. Ik zal bekennen. Ik wil niet dat jullie door mijn schuld in de problemen...'

'Hou op! Doe niet zo naïef!' schreeuwt mijn vader en zijn ruwe facteurspoot schiet de lucht in. Sus pakt hem bij de arm. Dankuwel, Suskewiet. Suskewiet probeert zijn vriend de postbode te sussen. Blij met mijn suggestie. Daar ziet het alleszins naar uit. Ik lees het in het puddinggezicht van de lafhartige boerenlul.

'Oké. Dan ga ik met dat meisje praten', probeer ik. Lieve hemel, dit is kicken. 'Ik wil...'

'Je blijft bij dat crapuul uit de buurt!'

'Oké, paps.'

'Ik wist het', mengt mijn moeder zich in het debat. Waar zij plots vandaan komt, Joost mag het weten. Ik heb het je toch al gezegd. Een spin. Ligt altijd op de loer.

'Wat?' briest mijn vader. 'Wat wist je!'

'Dat het vroeg of laat fout zou gaan met...'

'Zwijg! Zw...gijgghhh', stottert mijn vader en hij stort in elkaar. Zomaar. Hij valt met zijn gezicht pardoes op de vloer. Languit. Roerloos. Zijn voeten trillen nog na. Een pantoffel valt op de grond. Daarna is het voorbij.

Fascinerend is dit.

Niemand beweegt.

Waarom zouden we ook.

Sus ziet lijkwit, alsof de geest van mijn vader al in zijn reet is gekropen en door zijn lijf spookt. Die man is een kameleon. Mijn moeder staart met grote, lege ogen voor zich uit. Op haar knieën nu. Vlak bij mijn vader. Ze raakt hem niet aan. Dat doet ze nooit. Ook deze laatste keer niet. Ze konden geen kinderen krijgen. Echte kinderen, bedoel ik, geen ersatzwezens zoals ikzelf. Dat heeft hun relatie uiteindelijk geen goed gedaan. Tenminste, als je mijn cameraatje mag geloven, dat ik stiekem in hun slaapkamer heb verstopt. Het ding heeft nooit enige vorm van menselijke seksualiteit geregistreerd. Mijn mama rilt, wil zijn hand pakken maar durft niet. Haar onderlip trilt. Maar die trilt altijd als er een golf van zelfmedelijden door haar lijf rolt.

Ik krijg een visioen binnen. Zomaar. Pats! Ze stort zich op mijn vader en begint op zijn lul te knabbelen.

Wow.

Heftig.

Hij reageert niet. Ze bijt de lul af.

Whowww...

Rustig blijven.

Ik snuif. Ik lijk de enige die zijn zaakjes nog min of meer onder controle heeft. Extern dan toch, want vanbinnen is het een kolkend zooitje. Ik pak de pols van Sus, laat hem voelen dat ik zijn gebaar apprecieer en dat hij zich geen zorgen hoeft te maken. Ik hijs hem overeind en begeleid hem naar de deur.

'Bedankt.'

'Be...be...dankt', stottert Sus en hij zoekt steun tegen de muur. Ik trek de deur open. De wind is ijskoud. The winds of change. Ga ik nu erven? De vraag vlindert heel even door mijn hoofd. Ongepast, ik weet het. In elk geval geen grote lap grond.

'Ja. Bedankt. Voor het vertrouwen.'

'Vertrouwen?'

'Zeg tegen die advocaat dat je haar een duplicaat hebt gegeven van het proces-verbaal. Maar dat het origineel verdwenen is. Kun je dat onthouden? Sus? Suskewiet?'

Sus knikt. Hij blijft maar knikken. Zoals zo'n plaasteren offerbloknegertje dat vroeger, toen racisme nog geen modewoord was, in de kerken stond dankbaar te wezen als je een muntje in zijn spleet duwde.

Sus waggelt weg, zoals de dronken eend buurvrouw, maar dan zonder al dat bloed.

Weet je 't nog? Buurvrouw. Hoe ze tekeerging. Het ultieme bewijs dat mogen proeven van de dood het leven intenser maakt. Toch?

Laat maar.

'O, en Sus? Wil je?' vraag ik en ik duw mijn gekromde vingers tegen mijn oor.

Sus knikt en pakt zijn portofoon. Hij heeft het begrepen. De buren ook trouwens. Een van hen, een manwijf dat ik met plezier te grazen zou nemen, schudt al meewarig met haar hoofd. Ze weet het al. Ik begrijp het niet.

Hoe dat kan, bedoel ik. Ze weten het. Ze weten het nu al. Helderziend, zijn ze, die griezels. Dat fucking incestgespuis, die mutanten, ze hebben in de loop der eeuwen speciale zintuigen ontwikkeld. Mentale tentakels. Bang word ik daarvan. Bang en hoorndol. En kwaad. Razend kwaad. Van al dat gespeelde medeleven. Angst en razernij, een waanzinnige cocktail.

Ik moet hier weg. Weg uit dit fucking boerengat. Weg. Weg. Weg. Zo snel mogelijk. Nog slechts één ding staat me te doen. Het laatste. De climax van mijn plattelandscarrière.

En dan zijn we weg.

Ja, 'we', ja.

Of ben je me beu?

Kan ik je niet meer boeien?

Wil je dat ik je boei?

Hoe? Met touwen, handboeien of spijkers?

Hèhèhè.

Waarom had Zita De Bruycker Erik Boen gedwongen om de hele doos chocolade leeg te eten? En hoe had ze dat voor elkaar gekregen? Wie had wie tot wat gedwongen en wanneer? Dat waren in een notendop de vragen waar Mendonck nog steeds mee worstelde.

Ze zocht oogcontact met Zita, die na de keiharde confrontatie met de foto's van de plaats delict, met rode betraande ogen maar wat voor zich uit zat te staren, niet als een moordenares maar als een slachtoffer. Ze frutselde aan haar vingertoppen, ging kapot onder het gewicht van de loden stilte.

'Wat heeft ze gezegd?' vroeg Zita nerveus. Ze likte langs haar lippen. 'Sarah. Heeft ze verteld wat er gebeurd is?'

'Ze heeft haar versie van de feiten gegeven', zei Mendonck en ze probeerde de woorden op een neutrale toon uit te spreken en niet de emotionele toer op te gaan. 'Ze weet, naar eigen zeggen, nergens van. Toen ze boven kwam, was Erik Boen dood. Ze is naar beneden gelopen en is weggevlucht. Samen met jou. Dat is in het kort wat Sarah heeft gezegd. En nu wil ik graag jouw versie horen.'

'Ik heb alles al aan je collega verteld. Alles wat ik weet', mompelde Zita De Bruycker. 'Die man heeft me aangevallen. In de auto. In de garage. Daarna heeft hij me opgesloten in de kofferbak.'

'We hebben een haar gevonden', gooide Mendonck haar belangrijkste troef op tafel. 'Van jou. Op het beddengoed. Boven. Kun je verklaren hoe die haar daar is gekomen?'

'Iemand moet die daar gelegd hebben!'

'Wie?'

'Ik weet het niet. Iemand.'

'Sarah?'

'Nee. Natuurlijk niet. Waarom zou ze...'

'Om jou de zwarte piet toe te schuiven', zei Mendonck bot. Zita staarde haar aan alsof ze een spook zag. Mendonck duwde door. 'Voor het geval het fout zou gaan.'

Zita De Bruycker kreeg een gepijnigde uitdrukking op haar gezicht. Ze ademde zwaar, alsof de lucht te dik was om in te ademen.

'Je had aangifte moeten doen', zei Mendonck. 'De wetsdokter had je kunnen helpen. Dan had het er nu wellicht heel anders uitgezien.'

'Wat bedoel je?' vroeg Zita De Bruycker.

'De bloedproef, bijvoorbeeld. We hadden zwart op wit kunnen aantonen dat je onder invloed van drugs was. Dat zou een verzachtende omstandigheid zijn geweest.'

'Verzachtende omstandigheid', stamelde Zita De Bruycker tegen haar lege glas, en voor het eerst leek het echt tot haar door te dringen dat ze beschuldigd werd van moord.

De beelden overrompelden haar. De angst. Dat was het ergste. Veel erger dan de pijn toen die man haar ruw bij de hals pakte en haar de trappen op duwde. Weg was zijn bezorgdheid. Weg zijn charme. Hij had haar bij de haren gegrepen en haar de woonkamer in geduwd. Had de deur dichtgeschopt en haar op het bed gegooid, dat voor haar ogen was beginnen te tollen, waardoor ze geen adem meer kreeg, alsof ze in een draaikolk zat. Hij was boven op haar gekropen. Had haar armen geïmmobiliseerd met zijn

knieën. Zijn hitsige vingers hadden haar blouse losge-
knoopt. Zijn zwoegende ademhaling. Zijn handen op
haar...

'Een simpel uitstrijkje had kunnen volstaan', hoorde
Zita De Bruycker iemand zeggen. De woorden bleven
ongrijpbaar in de kamer zweven. De paniek kneep als een
vuist in haar hart. Ze begon te hijgen. Mendonck wist dat
ze de gevoeligste snaar had aangeroerd. Zita had gedaan wat
heel veel vrouwen onder de gegeven omstandigheden
verkozen te doen. Wachten. En zwijgen. En vertrouwen op
de tijd, die minuut na minuut, uur na uur, dag na dag, een
flinterdun laagje van de allesverterende schaamte weg zou
schrapen. 'Hij heeft je verkracht. Is het niet?'

Zita De Bruycker reageerde niet. De kamer leek te exploderen voor haar ogen en Mendoncks woorden bleven in
haar vel zitten, als granaatscherven. Ze kneep haar ogen
dicht. Beet haar tanden op elkaar. Uit haar ooghoek sijpelde een traan. Ze wilde opstaan maar was vastgeklonken aan
haar stoel, alsof ze in een moeras zat, zo voelde het aan. Ze
snoof een paar keer. Gaf het op. Knikte berustend. Ze kon
niet meer liegen. Het had geen zin. Ze was op.

'Ja.'

'Wil je het met me delen?'

'Nee.'

'Je probeerde te vluchten.'

'Ja. Maar ik kon niet. Ik was verstijfd van schrik. Leeg.'

'Heeft hij een condoom gebruikt?'

'Dat weet ik niet.'

'Zita', zei Mendonck, en ze keek het meisje in de ogen.
Legde haar hand op Zita's hand. 'Ik ben blij dat ik niet heb
moeten meemaken wat jij hebt meegemaakt. Daar wil ik
heel eerlijk in zijn. Maar je moet me proberen te vertellen
wat er echt is gebeurd. Anders kan ik niets voor je doen. We

hadden wellicht kunnen vaststellen dat Erik Boen jou heeft verkracht. Maar daar is het nu te laat voor. Je bent niet bij de dokter geweest. En dus is het jouw woord tegen het woord van een man die dood is. Vermoord. Afgeslacht. Dat klinkt misschien hard maar het is niet anders. Ik heb je hulp nodig.'

De schaamte, de schok en het intense verdriet, die haar hadden geraakt tot in het diepste van haar ziel, stonden te lezen in Zita's hulpeloze ogen.

'Je móét het me niet vertellen. Als je dat niet wilt. Maar ik heb wel je hulp nodig.'

Zita De Bruycker knikte stroef. Ze opende haar mond. Sloot hem weer.

'Zeg het maar', probeerde Mendonck het meisje aan te moedigen haar hart te luchten.

'Ik... ik heb de morning-afterpil genomen.'

'Dat is goed. Meer hoef je voorlopig ook niet te doen. Erik Boen had geen geslachtsziekte. Dat had de autopsie wel uitgewezen. Ik weet dat het misschien niet zo veel voorstelt in het licht van alles wat er gebeurd is, maar daar hoef je in elk geval niet meer bang voor te zijn.'

'Vraag maar', zei Zita en er kwam een flauwe glimlach op haar lippen, maar de rest van haar gezicht, gedomineerd door een intens verdriet, deed niet mee. Mendonck liet haar hand los. Zita leek erdoor te ontwaken. 'Ik wil alles kwijt.'

'Goed. Waar heb je het mes gevonden?'

'Mes?'

'Ja. Had Erik Boen het bij zich? Of lag het in de slaapkamer? Heeft hij je ermee bedreigd? Toen jullie in de garage...'

'Nee!' schreeuwde Zita De Bruycker en ze hield haar armen beschermend voor zich uit. 'Nee! Nee! Dat heb ik niet gedaan.'

'Wat heb je niet gedaan?'

'Ik weet van geen mes. Er was geen mes.'

'Goed', zei Mendonck en ze maakte een aantekening in haar schriftje. Ze deed het om tijd te winnen en ook wel omdat ze gedegouteerd was van zichzelf. Kon het? vroeg ze zich af. Kon het dat Zita De Bruycker ook nu nog bleef liegen? Klote was het. Nee. Ze had het niet gedaan. Zita De Bruycker had Erik Boen niet vermoord. Dat was het werk van een man. Dat had ze al vanaf het begin geweten. Bovendien was het handschrift op de vloer – het woord 'Dellen' geschreven in bloed – niet het handschrift van Zita De Bruycker, en ook niet dat van haar vriendin Sarah. Dat had een grafoloog met stelligheid bevestigd. Ook de partiële vingerafdruk in de vegen bloed was niet van een van de meisjes. Ze wilde dus wel geloven dat het meisje voor haar onschuldig was. En of ze dat wilde! Toch moest ze deze harde lijn van ondervragen aanhouden, besefte ze, al was het maar om definitief uitsluitsel te krijgen. Pas als Zita De Bruycker helemaal aan scherven lag, kon je er met enige zekerheid van uitgaan dat ze de waarheid sprak. Dat moment leek angstwekkend dichtbij.

'Zal ik je vertellen hoe het gegaan is?' zei Mendonck en haar woorden klonken geruststellend maar met een scherp kantje er aan.

Zita reageerde niet. Ze staarde naar haar handen, alsof daar bloed aanhing.

'Je hebt Erik Boen toevallig ontmoet op de Vismarkt. Hij heeft je een lift aangeboden. Dat heb je dankbaar aanvaard. Maar toen je in de auto zat, heeft hij jouw dankbaarheid anders geïnterpreteerd. Wie het initiatief heeft genomen, weet ik niet. Feit is dat hij je waarschijnlijk drugs heeft toegediend, vermengd met chocolade. Jullie zijn in het appartement van Boens vriend beland. Daar heeft Boen je proberen te verkrachten.'

'Verkracht! Hij hééft me verkracht.'

'Hij heeft je verkracht. In de slaapkamer. Je hebt terug-gevochten. Je bent erin geslaagd om hem te overmeesteren. Je hebt hem gedwongen om die hele doos chocolade leeg te eten. Oog om oog, tand om tand. Hij probeerde je aan te vallen. Jullie hebben gevochten. Je hebt je proberen te verdedigen. Je hebt hem gestoken. Daarna ben je in paniek naar beneden gelopen. Je bent doodsbang in de kofferbak van de auto gekropen en hebt Sarah opgebeld. Daarna...'

'Nee!'

'Oké. Dan heeft Sarah hem vermoord', zei Mendonck op een toon die geen tegenspraak duldde. 'Ze heeft hem be-dreigd met die koevoet en hem gedwongen om de hele doos chocola leeg te eten.'

'Ik heb hem horen schreeuwen', hijgde Zita De Bruycker, met uitpuilende ogen.

'Schreeuwen?'

'Ja. Lang voordat Sarah er was.'

Mendonck sloot haar ogen en probeerde alles op een rijtje te zetten. Als Zita de waarheid sprak, dan moest er nog een persoon in het spel zijn geweest. Een denkpiste die al een hele tijd in haar hoofd lag te gisten. De vraag was: wie? Wie had van de gelegenheid gebruikgemaakt om Erik Boen te vermoorden? En waarom?

'Was hij alleen?'

'Wie?' vroeg Zita met een stem die trilde van emotie.

'Erik Boen. Was hij alleen toen hij je in Mechelen op de Vismarkt heeft aangesproken?'

'Ja.'

'Ben je daar zeker van?'

'Ik weet het niet. Het was laat. Plots was hij daar.'

'Is iemand jullie gevolgd toen je onderweg was naar de flat van Tom Slootmaekers?

'Dat weet ik niet. Ik voelde me niet goed.'

'Sarah is jullie gevolgd.'

'Sarah?'

'Ja. Heeft ze je dat niet verteld?'

'We hebben er niet meer over gesproken. Nooit meer. Sarah heeft zich over mij ontfermd. Ze is bij me blijven slapen. Ik kon niet... Ik kon niks meer.'

'Dus ze heeft je ook niet verteld dat Erik Boen was vermoord?'

'Nee', mompelde Zita De Bruycker en ze zette haar woorden kracht bij door met haar hoofd te schudden. Mendonck had het gevoel dat ze de waarheid sprak. Dat maakte het allemaal des te complexer. Ze vroeg zich af wat een volgende stap kon zijn. Ze wilde Zita, die zich tot nog toe, ondanks de emotionele druk, niet had versproken, heel graag geloven.

'Was er iemand in de garage?'

'Nee. Dat denk ik niet. Het was donker.'

'Heb je Sarah niet eerder opgebeld? Toen je je niet goed voelde, bedoel ik? In de auto? Toen je merkte dat Boen de verkeerde richting uitreed?'

'Nee.'

'Welke kleren droeg Sarah die avond?'

'Dat weet ik niet meer.'

'Probeer het je te herinneren.'

'Een regenjas. Een groene met pels erin. Die draagt ze altijd als het koud is.'

'Zat er bloed op die regenjas?'

'Nee. Dat weet ik niet meer.'

'Heeft ze die regenjas nog?'

'Ja. Dat denk ik wel.'

'Je denkt het?'

'Ik ben er zeker van.'

'Goed. Bedankt', zei Mendonck en ze stond op. 'Je blijft in voorlopige hechtenis. Heb je bijstand nodig?'

'Bijstand?' klonk het hulpeloos.

'Ja. Psychologische bijstand.'

'Nee. Ik red het wel.'

'Ja. Dat doen we allemaal', zei Mendonck en ze liep met stroeve passen naar de deur. 'Ik kan je niet dwingen, Zita. Dat wil ik ook niet. Maar geloof me. Dit kun je niet alleen. We kunnen het niet alleen. Niemand.'

Zita De Bruycker wilde iets zeggen, maar de woorden wilden niet naar buiten komen. Ze bleven aan haar gehemelte plakken, smaakten naar gal. Ze probeerde na te denken maar kreeg stekende hoofdpijn, alsof haar hersenen om genade smeekten.

Mendonck, die de wanhoop van het meisje als het ware kon proeven, kon het niet over haar hart krijgen om weg te gaan. Ze pakte Zita's hand.

'Doe het nu maar. Alsjeblieft?'

'Wat?' stamelde Zita.

'De aangeboden hulp aanvaarden', zei Mendonck en uit haar toon was duidelijk op te maken dat ze het meende.

'Waarom?'

'Jij hebt geen vat meer op zijn leven. Maar hij wel op dat van jou. Begrijp je? Een psycholoog kan je daarbij helpen. Geloof me maar.'

'Hoe?'

'Hij kan de herinnering niet wissen, of wegtoveren', zei Mendonck. Ze sprak traag maar met overtuiging, doseerde haar woorden en liet een stilte vallen. 'Dat gaat niet, maar hij kan je wel helpen om de herinnering een plaats te geven, om ze weg te bergen, in een eigen lade als het ware, waar jij en jij alleen de sleutel van bezit.'

'Het schuldgevoel', mompelde Zita. 'Ik raak dat niet

kwijt. Nooit. Het wacht op mij, achter elke deur, op elke hoek van de straat. Ik ben zo bang. Ik had die man moeten negeren. Het is allemaal mijn schuld. '

Nadia Mendonck wist niet meer wat te zeggen. Ze omklemde het hoofd van het meisje en streelde door haar haren.

***

Nadia Mendonck luisterde naar het avondnieuws op Radio 1 en keek ondertussen met gemengde gevoelens naar de loft van Tom Slootmaekers. Er brandde licht. Hij was dus thuis. De arrestatie van Zita en Sarah was het centrale thema. De omroepster sprak in de voorwaardelijke wijs en was voorzichtig in haar woordkeuze, maar kon toch niet verhullen dat Zita De Bruycker de belangrijkste verdachte was.

Mendonck twijfelde daaraan. Zita's verhaal was geloofwaardig. Als ze iemand zou moeten aanwijzen, puur op buikgevoel, dan gokte ze op Sarah Tempelier. Dat meisje was gefrustreerd tot in de toppen van haar tenen. Deed aan zelfverminking. Leefde in onmin met haar ouders en met de hele wereld. Ze had niemand anders dan Zita. Zita was haar God.

Toen haar werd gevraagd naar de reden waarom ze geen aangifte had gedaan, had ze gezegd dat ze dat had gedaan om Zita in bescherming te nemen, maar in werkelijkheid leek het erop dat ze blij was. Blij dat zij en Zita vanaf nu een groot geheim deelden. Althans, zo had Mendonck het aangevoeld.

Misschien had ze het gedaan om haar vriendin voorgoed aan zich te binden.

Bij Zita lag dat enigszins anders. Gesteld dat ze echt niet wist dat Boen was vermoord, dan nog was het weinig waarschijnlijk dat ze aangifte zou doen. Verkracht worden is een traumatische ervaring. Als je aangifte doet, ga je opnieuw door die hel.

Erik Boen had Zita willen versieren. Toen ze niet op zijn avances inging, had hij haar gedrogeerd en verkracht. Dat was voor Mendonck een vaststaand feit. Daarna, toen Zita het bewustzijn had verloren, had Boen haar opgesloten in de kofferbak van zijn auto.

Waarom heb je dat in godsnaam gedaan, vroeg Mendonck zich af. Dat is toch je kop in het zand steken. Boen moest toch hebben geweten dat Zita De Bruycker ooit zou praten en hem in de problemen zou brengen. Deed hij het om tijd te winnen? Was hij in paniek? Wellicht wel, dacht Mendonck, en ze probeerde de gebeurtenissen te bekijken vanuit het perspectief van Erik Boen.

Hij probeert aan te pappen met een meisje op wie hij al lang een oogje heeft. Hij ontmoet haar, per toeval of niet, in een café op de Mechelse Vismarkt. Hij ziet dat ze ruzie heeft met haar vriendin en maakt van de gelegenheid gebruik om haar te benaderen en haar een lift aan te bieden. Hij rijdt met een smoes naar het appartement van zijn vriend, Tom Slootmaekers, en probeert zijn scharrel ondertussen wat inschikkelijker te maken door haar te drogeren. Smerig en laf, maar tot nog toe aannemelijk. Zita is zich van geen kwaad bewust en zal het voorval later, mochten er ooit problemen opduiken, wellicht wijten aan haar overvloedige drankgebruik.

In het appartement van zijn vriend probeert Boen haar te verleiden. Het loopt uit de hand. Hij dwingt haar met geweld op bed en verkracht haar. Hij dumpt haar in de kofferbak van zijn auto en tracht na te denken. Zijn vrouw vergeeft hem zijn slippertjes, zolang ze niet op de hoogte is. Maar dit is van een heel andere orde. Geen slippertje maar een fatale val. Hij zit diep in de shit.

Ondertussen slaagt Zita erin om haar vriendin te bellen. Dat ze in de kofferbak had geroepen en getierd, betwijfelde Mendonck. Dan had een van de buren wellicht iets gehoord. Waarschijnlijk had ze een prop in haar mond en kon ze alleen wat mompelen en wild om zich heen trappen. En was ze er ondanks alles in geslaagd om haar gsm te pakken en het nummer van Sarah in te toetsen. Sarah, die wist waar Zita zich bevond. Sarah die de garage in loopt. Ze vindt Zita. Haar stoppen slaan door. Ze stormt, opgenaaid, als een razende furie de trap op, verrast Boen en geeft hem een koekje van eigen deeg. Ze dwingt hem om de rest van de pralines op te eten. Erik Boen, die beseft dat hij het niet gaat overleven, probeert zich uit alle macht te verzetten maar wordt afgeslacht door een uitzinnige Sarah Tempelier.

Mendonck tuitte haar lippen. Hoe kon Sarah weten dat die pralines drugs bevatten? Erg onwaarschijnlijk dat Zita haar dat in die korte tijd had kunnen vertellen.

Maar goed. De vingerafdrukken van Sarah stonden op de koevoet. De voetafdrukken bij de voordeur waren afkomstig van Sarahs laarzen. Alleen bij de voordeur. Waarom alleen daar, vroeg Mendonck zich af. Was het logisch dat ze haar laarzen had uitgedaan? Bij de voordeur. En dat ze haar moordende raid was begonnen op kousenvoeten. Dat zou de moord in een heel ander perspectief kunnen plaatsen. Dan was er geen sprake van een razende furie maar van een moord met voorbedachten rade. En dan was evenmin het ondenkbare uit te sluiten. Dat ze het hele verhaal hadden verzonnen en dat Zita en Sarah de moord vooraf hadden gepland. En dat ze samen naar iets of iemand op zoek waren gegaan in de flat van Slootmaekers. Tot en met het openbreken van de kofferbak van Boen.

Zita gaat uit vrije wil mee met Erik Boen, die haar probeert te verleiden. Ze is helemaal niet gedrogeerd. Integendeel. Ze biedt Boen een paar pralines aan. Ze speelt een spelletje met hem. Ze hebben seks. Daarna gaat ze naar de badkamer en ze belt Sarah en zorgt ervoor dat de deur op een kier blijft staan. Sarah komt binnen op kousenvoeten en verrast Erik Boen, die in bed ligt en zich misselijk voelt. De twee dwingen hem om alle pralines op te eten. Boen ziet geen andere uitweg dan te vechten voor zijn leven. Met het bekende gevolg. Zita en Sarah trekken een paar kastdeuren open en forceren het kofferdeksel van de auto om het op een roofoverval te laten lijken. Als de twee wegvluchten, verliest Sarah haar gsm. Oerdom natuurlijk.

Mendonck zuchtte haar frustatie van zich af. Op de kleren van Zita noch Sarah waren bloedsporen aangetroffen. Daar zat, gezien het bloedbad dat was aangericht, ook al weinig logica in. Tenzij ze ook daarover hadden gelogen en ze tijdens de nacht van de moord andere kleren droegen, die ze later hadden doen verdwijnen. Het kon natuurlijk. Ze hadden er ruimschoots de tijd voor gehad. Alles kon. Aan Boen kon ze het in elk geval niet meer vragen. Die was dood.

Dat café op de Vismarkt, bedacht Mendonck. Met een beetje geluk kon de waard zich nog herinneren welke kleren Zita droeg die avond. En of ze daar überhaupt was geweest. En of Erik Boen daar was geweest. Daar moest ze dringend een keer achteraan. Zoals er zo veel zaken waren waar ze dringend een keer achteraan moest. De Spaanse les bijvoorbeeld, waar Slootmaekers en Boen elkaar hadden leren kennen. Ze staarde naar de loft. In gedachten verzonken.

Of was het toch Slootmaekers die aan de touwtjes trok? Terwijl ze het dacht, doofde Slootmaekers de lampen in huis, alsof wat hij te verbergen had toch nooit aan het licht zou komen. De kerel kon gerust zijn. Hij was de dans ontsprongen dankzij zijn ijzersterk alibi. Maar was dat wel zo ijzersterk? Kon hij met de hogesnelheidstrein heen en weer zijn gereden? 's Nachts. Of had hij een auto gehuurd? Of een chauffeur? Dat zou hij wel een formule 1-coureur moeten hebben ingehuurd, bedacht Mendonck. Toch bleef ze halsstarrig vasthouden aan haar denkspoor. Was Slootmaekers wel de sukkel die hij hun voorspiegelde? Hij had blijkbaar een nieuwe computer gekocht. Dat was gemeld door de inspecteur die Slootmaekers schaduwde. Was dat verdacht, vroeg Mendonck zich af, en in gedachten zag ze de wuivende palmbomen, de screensaver die was aangesprongen nadat Slootmaekers tijdens haar vorige bezoek haastig de vuilnisbak van zijn pc had geledigd. De man was een ICT-expert. Zo iemand weet dat je vuilnisbak leegmaken niet noodzakelijk hoeft te betekenen dat de bezwarende informatie van je harde schijf is gewist. Wilde hij zijn voorzorgen nemen? Om erger te voorkomen. Was dat de reden dat hij een nieuwe pc had gekocht? Om weer met een schone lei te beginnen.

Mendonck schudde langzaam met haar hoofd, liet haar gedachten de vrije loop.

Als Zita noch Sarah de moord had gepleegd, dan had iemand van de gelegenheid gebruikgemaakt om Erik Boen uit de weg te ruimen en de schuld op de meisjes te laden.

Was het Aimée Gysemans geweest? Misschien achtervolgde ze haar man al geruime tijd en had ze besloten dat de tijd rijp was om toe te slaan. Zita had beweerd dat ze iemand had horen schreeuwen. Boven. In de slaapkamer. Voordat Sarah er was.

Het licht in de flat ging weer aan, alsof dat de bevestiging was van haar gedachte.

Slootmaekers!

Mendonck volgde haar intuïtie, stapte uit en belde aan.

Ze deed het zoals ze door het leven vlinderde, elegant maar met verrassende accenten en een heel eigen, onvoorspelbare maar diepzinnige toets.

'Hallo?'

'Meneer Slootmaekers. Nadia Mendonck. Wilt u even openmaken?'

'Waarom?' klonk het hees.

'Omdat het koud is.'

Twee minuten later stond Nadia Mendonck in de ruime loft. De glimlach die haar mondhoeken deed opkrullen, vloekte met de omstandigheden. Haar psychologisch overwicht was verpletterend.

Over Slootmaekers' buik spande een sweatshirt. Hij was blootsvoets en droeg een trainingsbroek. Op zijn bureau stond een rol keukenpapier. Mendonck staarde ernaar en bleef ernaar staren. Slootmaekers voelde haar ongezonde belangstelling en toen hij vluchtig naar zijn kruis keek en langs zijn droge lippen likte, wist Mendonck het wel heel zeker. Het voze kereltje had zitten masturberen.

'Wat wilde u nog weten?'

'U volgt het nieuws op tv, neem ik aan', zei Mendonck.

'Zelden. Ik kijk zelden tv. Waarom?'

'Maar u hebt wel een internetverbinding', zei Mendonck en ze liep naar de gloednieuwe laptop. Ze duwde tegen de muis. Ze kon het niet laten. Er verscheen een document. Met symbolen en pijltes. ICT-gedoe.

'U bent nog laat aan het werk', zei Mendonck en ze draaide op haar hakken en keek Slootmaekers vrijpostig aan. Hij was hypernerveus. Dat was volgens Mendonck te wijten aan haar nieuwsgierige aandacht voor zijn gloednieuwe portable. Maar ook aan het feit dat ze een vrouw was. Ze vroeg zich af of Slootmaekers naar homofilmpjes keek.

'Is dat de reden van uw bezoek?'

Mendonck staarde Slootmaekers aan. Ze bleef staren. Het duurde bijna een minuut voor hij brak.

'Ik heb het gehoord, ja.'

'Wat?' vroeg Mendonck.

'Dat er twee verdachten zijn opgepakt.'

'Dat is de reden voor mijn bezoek', loog Mendonck. 'Onze excuses hiervoor. We staan erop om alle betrokkenen persoonlijk op de hoogte te brengen.'

'Oké. Bedankt. Dan euhmm...' mompelde Slootmaekers, en hoewel hij het probeerde te verbergen, zat er opluchting in die woorden. Hij maakte een onhandig gebaar naar de deur.

'Nieuw?' vroeg Mendonck en ze streelde met haar vinger langs het glanzende metaal. De screensaver was aangesprongen. Een tropisch aquarium. Geen strand met palmbomen.

'Wat? Nieuw?'

'De screensaver. De vorige keer was het een strand met palmbomen. Dacht ik.'

'Ja. Jaja. Een mens moet af en toe een keer veranderen', zei Slootmaekers en hij zette een paar onzekere passen in de richting van de deur. Duidelijk in de war.

'Mooie pc', zei Mendonck.

'Ja. Bedankt.'

'Ik ben dringend aan een nieuwe toe', voegde ze eraan toe en het woord 'ook' slikte ze in, kwestie van het er niet al te dik op te leggen. 'Wat kost zo'n ding eigenlijk?'

'Weetni. Ik heb hem al een hele tijd.'

'Hmm. Mooi. U draagt zorg voor uw spulletjes', zei Mendonck. Uiterlijk kalm, maar binnenin borrelde het. Waarom loog die kerel, vroeg ze zich af. Ze drukte Tom Slootmaekers vormelijk de hand. Liep naar de deur. Bleef staan in de deuropening. 'U hebt geen vragen?'

'Vragen? Welke vragen?'

'Over de dood van uw vriend, bijvoorbeeld.'

'Nee. Eigenlijk niet. Ik probeer dat achter me te laten.'

'Oké. Dat kan ik begrijpen. Dan heb ik nog één vraag', zei Mendonck zeemzoet en ze haalde de foto's van Zita en Sarah uit haar jaszak. 'Kent u deze meisjes?'

'Nee.'

'U hebt hen ook nooit ontmoet?'

'Nee. Nooit.'

'Goed. Bedankt. Nog één vraagje.'

'Ja?'

'We hebben nu twee verdachten opgepakt, dat klopt. Maar we hebben nog steeds geen moordwapen. Zolang we dat niet hebben gevonden, wordt het moeilijk om de vermoedelijke dader of daders achter de tralies te krijgen. Begrijpt u?'

'Ja.'

'Vandaar de vraag: ontbreekt er een mes in uw keuken?'

'Nee, en die...'

'In de garage, dan?'

'Nee. En die vraag is me al eerder gesteld. Het antwoord was negatief.'

'Dat weet ik. Maar het blijft me verbazen dat u daar zo zeker van bent. Ik heb er geen flauw benul van hoeveel messen er in mijn huis rondslingeren.'

'Ik wel', klonk het kribbig.

'Hebt u ze dan geteld?'

'Inspecteur, ik ben nogal ordelijk op dat vlak. En ik heb een goed geheugen. Ik heb een verklaring afgelegd. Daar wens ik niet op terug te komen. Mag dat volstaan?'

'Yep. Dan rest me niets anders meer dan u nog een prettige en vooral vrúchtbare avond te wensen. O, misschien nog één dingetje', zei Mendonck. 'In verband met de recente nieuwsberichten. We weten niet of het werkelijk zo is, maar denkt u dat uw vriend Erik het in zich had om vrouwen op een, laten we zeggen nogal directe en agressieve manier het hof te maken?'

Tom Slootmaekers staarde Mendonck aan met open mond.

'Daar is me nooit iets van opgevallen.'

'Laat maar', zei Mendonck met een misprijzende grimas. 'Daar zullen we de volgende keer dan wel wat dieper op ingaan.'

'Nee! Natuurlijk niet', riep Slootmaekers. 'Natuurlijk wist ik dat niet! We hoeven het daar niet over te hebben. Hoe kom je erbij!'

Mendonck snoof en plantte haar voeten stevig op de grond.

'Kijk, meneer Slootmaekers, mocht ik een hartsvriendin hebben, ik zou die vraag kunnen beantwoorden. En ook willen beantwoorden. Mocht mijn beste vriendin op deze manier zijn vermoord, ik zou alles vertellen wat ik over haar wist, ook dat ze van sm-spelletjes hield en regelmatig naar een mannelijke hoer ging om hem te vernederen, en ik kan erin komen dat het geen pretje is als je in de media moet vernemen dat je appartement wordt gebruikt om vrouwen te verkrachten, maar door halsstarrig elke medewerking met de politie te weigeren, maak je het er niet beter op. Integendeel.'

'Wat heeft dit te betekenen! Ga je me beschuldigen van medeplichtigheid! Of wat!'

'Is daar dan een reden toe?' vroeg Mendonck fijntjes.

'Er komt geen volgende keer', zei Slootmaekers, ijzig koud nu. Mendonck schrok van de ommezwaai. Het drong plots tot haar door dat ze alleen was. Ze was hier in een bevlieging naartoe gereden. Zelfs Deleu wist niet waar ze was. Ze onderdrukte de rilling tussen haar schouderbladen. Probeerde alle emotie uit haar stem te bannen.

'Meneer Slootmaekers? Kunnen we dit op een rationele manier afhandelen?' vroeg Mendonck en ze begon ostentatief met haar gsm te spelen. 'Uw vriend Erik Boen ging regelmatig naar de hoeren. Daar hebben we bewijzen van gevonden. En als u me nu zegt dat u dat niet wist, dan geloof ik u niet. Is dat een beschuldiging? Ik denk het niet.'

De neusvleugels van Tom Slootmaekers gingen snel open en dicht.

'Mocht ik zeggen dat jullie samen naar de hoeren gingen', zei Mendonck. Ze kon het niet laten. 'Dat zou een beschuldiging zijn. Zonder harde bewijzen dan toch.'

Ze wachtte niet op een antwoord en liep naar het trapgat. De deur sloeg met een klap achter haar dicht.

XI

Hij staart me aan. Drinkt traag van zijn cola. Blijft ondertussen kijken.
Wie 'hij' is?

Hij is mijn vriend. Mijn vriend uit noodzaak. Hij heeft de ogen van
zijn zus. Als ik er te lang naar kijk, word ik botergeil.

'Er is iets', zegt hij. Sissend als een slang bijna. Ik kijk op.

'Wat?'

'Er is iets met mijn zus.'

'Met Gisela? Wat dan?'

'Weetni. Ze ziet een advocaat.'

'Advocaat?' herhaal ik. Toonloos. Beetje zoals een krassende papegaai.
Toch lijk ik de vermoorde onschuld. Daar ben ik in getraind. 'Waarom?'

'Weetni. Ze zegt er niks over. Maar er moet iets gebeurd zijn. Iets heel
ergs.'

'En hoe...?'

'Ik heb een brief onderschept.'

Hij staart me aan. Met steeds weer die sprankel wantrouwen in zijn
ogen.

'Een brief. En wat stond er in?'

'Niet veel. Een heleboel onbetekenende blabla. Dat hij het betreurt
dat ze niet langer wil doorgaan, want dat er een doorbraak in zit.'

'Hmm', mompel ik. 'Doorbraak.' Ik doe alsof ik diep nadenk. Mijn
hart beukt tegen mijn ribben. De bitch geeft het op! Ze heeft het eindelijk
opgegeven. 'Maar er staat niet bij waarom? Of waarover het gaat?'

'Nee. Hij betreurt het dat ze geen gebruik meer wenst te maken van zijn diensten en geopteerd heeft voor een confrater. Er zat ook een gepeperde ereloonnota bij.'

Fuck! Fuck fuck fuck! Ik vind geen woorden. Ik moet mijn smoel in de plooi houden. Waarom kijkt hij zo naar mij?

'Heb je haar er al over aangesproken?' vraag ik langs mijn neus weg. Moet opletten dat mijn stem niet begint te zweven.

'Ja.'

'En?'

'Ze was razend.'

'Waarom?'

'Omdat ik haar briefwisseling opengemaakt heb.'

'Hmm. En nu?'

'Ze spreekt van verhuizen. Naar de stad.'

Ik staar maar wat naar mijn handen. Ze beven gelukkig niet.

'Hmm. En jij? Ga je mee?' probeer ik.

'Nee. Ik blijf hier.'

'Hm. Ik ook. Voorlopig.'

'Voorlopig?' zegt hij. Hij lijkt wel een puppy nu met die grote, vochtige hondenogen van hem.

'Je denkt toch niet dat ik mijn leven hier ga slijten. Ben je gek!' schreeuw ik en plots weet ik het. Ik weet wat me te doen staat. Dit is het ideale moment. Ze ziet er slecht uit. Echt waar. Ze is moe van het tegen windmolens vechten. En het wegkwijnen van haar moeder zal er ook wel geen goed aan doen.

Pas op. Ik heb dat brave mens niks aangedaan. Waarom zou ik ook. Ze vernietigt zichzelf. Ze weet het, denk ik. En ze gaat eraan kapot. Ik heb haar zalig verklaard. Nu al. In gedachten welteverstaan.

Waarom?

Omdat de brave vrouw haar mond heeft gehouden natuurlijk.

Waarom ze haar mond heeft gehouden?

Weet ik veel. Vraag dat aan haar. Maar wacht niet te lang. Want dan zul je haar moeten opgraven.

Hèhèhè.

Bon. Dit is niet het moment om me op te winden. Broere heeft me in het oog. Hij kijkt zo vreemd, onthecht, alsof hij met zijn ogen ruikt. Stront ruikt. Ik sta op. Druk hem de hand.

'Heeft dat sollicitatiegesprek nog wat opgeleverd?'

Ik vraag het om maar iets te vragen. Heeft met betrokkenheid tonen te maken. Mensen hebben dat graag, denk ik.

'Ja', zegt hij. 'Ik maak een kans, denk ik.'

'Wow. Wanneer weet je het?' vraag ik en ik veins interesse, alsof ik blij ben. Voor hem, begrijp je. Gewone mensen dóén zulke onzinnige dingen. En ik boots hen perfect na. Dit is fun!

'Volgende week.'

'Cool! Ik ben ervandoor. We zien elkaar. Oké?'

'Oké.'

Ik loop naar buiten. De angst glijdt van me af. Ik spring op mijn fiets. Zusje staat er alleen voor. Dat moet hard zijn. Haar broer weet nergens van. Daar mag ik nu toch wel van uitgaan. Zo'n slappe lul kan het toch niet zijn. Als hij het had geweten, dan was de drek nu uit de riool gespoten.

Wist je dat ik gehuild heb aan het ziekbed van zijn moeder? Pervers. Toegegeven. Vooral omdat zíj er ook was. Gisela, bedoel ik. Misschien heb ik zo, onbewust weliswaar, een wig gedreven tussen haar en haar broer.

Wat ze doet? Wie?

Ah. Gisela!

Ze poetst. In de plaatselijke bakkerij.

Of ik haar nog gezien heb sedert 'het voorval'?

Zal wel zijn! Ik volg haar. Elke dag. Als de school uit is, wacht ik haar op en volg haar. Op een respectabele afstand. Met mijn fiets. Bij de rand van het domein, waar het bos overgaat in van dat ruige, kniehoge gras, neem ik een andere weg, langer in afstand, dat wel, maar met de fiets gaat het sneller. Ik nestel me op mijn favoriete plekje in het struikgewas. Zie haar dan komen. Van heel ver. Het is een lang recht stuk.

Wat ik doe?

Masturberen natuurlijk.

Hèhèhè.

Meestal kom ik klaar voordat ze uit het zicht is verdwenen. Meestal wel. Bangelijk opwindend is dat. Voor mij mocht het zo nog een tijdje doorgaan. Maar dat kan nu niet meer.

Mijn schuld is dat niet. Wie is er begonnen? Heb ik ooit een advocaat genomen?

Hèhèhè.

Nu is het gewoon nog wachten op dat allesbeslissende moment. Dat nu plots schrikbarend snel dichterbij komt.

Schrikbarend snel.

11

Nadia Mendonck zat gefrustreerd te droedelen. Bij Jos Bosmans, het dikkopje met de hitlersnor, had ze zopas, zoals te verwachten was, bot gevangen. De profetische woorden van good old Bosmans dreunden nog na op haar trommelvliezen.

'Ik moet dus een huiszoekingsbevel uitvaardigen voor een plaats delict die in diezelfde hoedanigheid van boven tot onder doorzocht is door een team toprechercheurs! Is het dat wat je me vraagt? En dat alles omdat de eigenaar van het desbetreffende pand een nieuwe computer heeft gekocht?'

Bosmans had natuurlijk een punt, besefte Mendonck, ondanks haar frustratie, en, om het met de woorden van Deleu te zeggen, ze mocht zich gelukkig prijzen dat Slootmaekers geen advocaat in de arm had genomen en geen klacht had ingediend wegens intimidatie door de politie.

En toch. Er was iets dat niet klopte met Slootmaekers. Iemand had naar iets gezocht in zijn flat. En waarom had hij, net nu, een nieuwe pc gekocht? En belangrijker, waarom had hij dat verdoezeld? En wat was er met zijn oude pc gebeurd?

Mendonck had de zaak bezocht waar Slootmaekers zijn nieuwe pc had gekocht en ze had aan de zaakvoerder gevraagd of hij tweedehands pc's verhandelde, in de hoop de oude pc van Slootmaekers op de kop te kunnen tikken. Een Toshiba van de Satellite Pro L670-reeks, wist ze, een vrij duur én vrij recent model, en dus was het nog verdachter dat Slootmaekers de pc nu al van de hand had gedaan. Ze had, tot ergernis van de zaakvoerder, meer dan twee uur rondgesnuffeld in de opslagplaats, maar had niet gevonden wat ze zocht. Dat impliceerde niet noodzakelijk dat Slootmaekers zijn oude pc had laten verdwijnen, maar toch.

Maar toch.

Zita De Bruycker en Sarah Tempelier waren ook vandaag nog een keer ondervraagd. Eerst afzonderlijk. Daarna samen. Zita, die uiteindelijk psychologische bijstand had aanvaard, zag er al heel wat zekerder uit tijdens die ultieme confrontatie. Dat vond Mendonck prima. Ze mocht het meisje wel. Ze moest het alleen zien te rooien, zonder de steun van haar ouders. Mendonck wist wat dat betekende.

Zita en Sarah waren bij hun eerdere versie gebleven en hoewel ze niet op tegenstrijdigheden betrapt konden worden, was er geen hond, ook Deleu niet, die hun versie van de feiten geloofde. Een van beiden zou het gelag betalen, wist Mendonck, als de zaak voor een assisenjury zou komen. Ze had er ook een vermoeden van wie in dat geval aan het kortste eind zou trekken. Sarah Tempelier. Ongetwijfeld. Zij was degene die naar boven was gegaan.

Nadia Mendonck had ook gepraat met Aimée Gysemans en had zich voorgenomen om de weduwe van Erik Boen, hoewel zij een alibi had, nog een keer uitgebreid het vuur aan de schenen te leggen. Gysemans had die bewuste nacht tot drie uur 's nachts op Facebook gezeten. Dat was nagetrokken. Aan de hand van de berichtjes die ze had verstuurd. En wat dan nog, had Mendonck gedacht. Iemand anders kon in haar plaats achter de computer hebben gezeten.

Maar wie?

Slotsom was dat het bezoek uiteindelijk was uitgedraaid op een gezellige koffieklets.

Deleu was ondertussen op de Vismarkt zijn licht gaan opsteken. De waard had Zita en Sarah herkend. De exacte datum kon de man zich niet meer herinneren, maar een van de kelners wel. Die herinnerde zich ook de ruzie tussen de twee meisjes. Omdat de jonge man zelf een oogje had op Zita, vermoedde Deleu, die bot had gevangen met de foto van Erik Boen. Jammer, heel jammer, want dan kon de mogelijkheid niet worden uitgesloten dat het Zita De Bruycker was die Erik Boen had benaderd, op straat, bedelend om een lift, en dat feit zou niet in haar voordeel spreken en haar zaak geen goed doen.

Mendonck, die als een op hol geslagen trein van de ene naar de andere plek was gedenderd, had ook gesproken met Freddy Bollaerts, de leraar Spaans. De man kende Boen en Slootmaekers, die niet had gelogen. De twee hadden inderdaad bij Bollaerts in de klas gezeten. Stille kerels, noemde hij hen. Op de vraag of de twee elkaar op de avondschool hadden leren kennen, moest hij het antwoord schuldig blijven. Mendonck was erin geslaagd om een aantal medestudenten te pakken te krijgen. Nieuwe informatie leverde dat niet op. Een meisje herinnerde zich een grappige anekdote. Tijdens een conversatieles waarbij naar de reden werd gevraagd waarom de studenten voor Spaans hadden gekozen, had Tom Slootmaekers geantwoord dat hij een zwak had voor Spaanstalige meisjes. Daar was toen hartelijk om gelachen, herinnerde het meisje zich. Slootmaekers was er doodkalm onder gebleven.

Op zich geen wereldschokkend nieuws natuurlijk, maar wat Mendonck wel de moeite waard vond om te onthouden was dat Slootmaekers de opmerking had gemaakt, niet Erik

Boen. Daar twijfelde het meisje niet aan. Voornamelijk omdat ze Tom Slootmaekers zo'n koddige dikkerd vond en zeker geen gepatenteerde rokkenjager.

Nadia Mendonck zuchtte en bekeek haar droedel. Een paar borsten met overdreven dikke spenen, ongetwijfeld een freudiaanse verwijzing naar het gemis van haar moeder. Ze had ook twee mannetjes getekend, primitief, cirkeltje met vijf lijntjes. Daarnaast stond in gotische letters het woord 'Dellen'.

Nadia Mendonck luisterde naar de stem van haar onderbewuste.

'Er waren eens twee vieze mannetjes', mompelde ze. 'Erikje en Tommetje. Ze gingen samen naar de hoeren.'

Nadia Mendonck rolde haar stoel achteruit en trok een lade open. Ze nam er een dossier uit. Schreef het adres op een stukje papier.

***

Sarah Tempelier had een bekentenis afgelegd. Amper een halfuur nadat ze had vernomen dat haar vriendin Zita, die kampte met een ernstige depressie, was opgenomen in een gespecialiseerd ziekenhuis. Dirk Deleu herlas haar verklaring voor de vijfde keer. Ze zat vol tegenstrijdigheden.

Zo had Sarah verklaard dat ze Erik Boen had gedwongen om de hele reep chocolade op te eten. Het moordwapen had ze van thuis meegebracht. Op de vraag waarom ze had gekozen voor een gekarteld mes, had ze geantwoord dat ze in paniek was en daar niet bij had stilgestaan. Ze had het eerste het beste mes meegegraaid en het na de moord in de Leuvense Vaart gegooid. Ze meende zich zelfs te herinneren op welke plek. Klonk allemaal best wel aannemelijk, abstractie gemaakt van het feit dat het moordwapen een mes was met een glad lemmet. Ze had de kofferbak opengebroken met de koevoet, die aan de muur hing. Zita had haar aan de telefoon gezegd dat ze was gedrogeerd en daarna was verkracht. Sarah was de trap op gelopen. Buiten zichzelf van woede. Ze had Boen aangetroffen in de slaapkamer. Had hem bedreigd met het mes en hem gedwongen de hele reep chocolade op te eten. Boen had haar aangevallen. Ze had hem doodgestoken. Einde verhaal. Op de vraag hoe het kwam dat ze, witheet van woede, toch nog de tegenwoordigheid van geest had gehad om haar laarzen uit te doen voor ze naar binnen ging, had ze beweerd dat de speurders zich vergisten. Ze was naar binnen gegaan met haar laarzen aan en had daarna haar voetafdrukken uitgewist. Ook dat was gelogen. Er waren geen voetafdrukken uitgewist. Op de vraag waarom ze de lade stuk had gemaakt, had ze geantwoord dat ze in paniek op zoek was gegaan naar een doek om de voetsporen weg te vegen.

'Lade stuk', mompelde Deleu en hij legde het blad opzij. Verzinsels waren het. Bewust of niet, vroeg Deleu zich af. Had Sarah Tempelier bewust gelogen? Het kon natuurlijk. Om zichzelf vrij te pleiten en de schuld op Zita te laden. Dat zou dan wel een heel erg perverse zet zijn. Deleu betwijfelde dat en dus bleef er geen andere optie meer over dan dat Zita de moord had gepleegd en dat Sarah haar vriendin in bescherming wilde nemen.

Of was er toch een derde in het spel? Deleu wilde hopen van wel. Heel graag zelfs.

***

Haar diepuitgesneden decolleté leek op een gulle lach. De tieten waren overduidelijk nep maar dat nam niet weg dat ze de vrouw in se wel sympathiek vond.

'Mag ik binnenkomen?' vroeg Mendonck.

'Eigenlijk is het mijn vrije dag', zei Jannie Goegebuer aarzelend. 'Vandaag wil ik niks in mijn mond en niemand in mijn buik.'

'Heb ik dat dan gevraagd?'

De creoolse grijnsde. Ze mocht die blonde schooljuf met dat tikkeltje meer wel.

'Kom maar', zei Jannie en ze trok de deur van haar flat open en maakte een uitnodigend gebaar naar het onopgemaakte bed. 'Sorry voor de rommel. Ga zitten. Gaat het over je vent? Of heeft het te maken met Keki?' vroeg Jannie en bij die laatste vraag kon ze de onrust in haar stem niet verbergen.

'Waarom vraag je dat?'

'Jouw vent heeft me ongerust gemaakt.'

'Dat is helaas een van zijn minder leuke eigenschappen', zei Mendonck en ze zocht oogcontact met de appetijtelijke creoolse. 'Waarom is Keki eigenlijk weggegaan?'

'Dat weet ik niet.'

'Ze had een vriend, heb ik gehoord. Een blanke vriend die haar af en toe wat geld toestopte.'

'Ja. Dat klopt.'

'Zou je hem herkennen?' vroeg Mendonck en ze haalde foto's van Tom Slootmaekers uit haar jaszak en gaf ze aan Jannie. Een hele reeks foto's deze keer, die ze had bemachtigd op Facebook. De creoolse zei geen ja of geen nee. Ze keek heel aandachtig naar de foto's. Twijfelde bij twee foto's in profiel.

'Zou kunnen', zei Jannie. Nadia Mendoncks schouder kriebelde. Ze durfde niet te krabben. 'Het was in elk geval een hufter. Zo'n uitgezakt type als deze. Zo iemand die je al vergeten bent nog voor hij de hoek is omgedraaid. Ze had wel meer van die hufters in portefeuille. Maar eentje was wel heel dom en uitermate vrijgevig. Hij heeft zelfs een occasieautootje voor haar gekocht, denk ik.'

'Denk je?'

'Ja. Keki heeft het in de prak gereden.'

'Weet je nog...'

'Ja. Een rode mini. Fel beestje.'

'Heb je het er ooit met Keki over gehad? Over die bewuste vriend, bedoel ik?'

'Nou. Niet echt. Hij was stapelgek op haar en zij profiteerde van zijn puberale verliefdheid. Denk ik.' Jannie bekeek de foto's nog een keer. 'Heeft die vetzak haar wat aangedaan?' zei ze en haar donkere ogen vlamden op.

'Nee', haastte Mendonck zich om haar te bedaren. 'We zijn op zoek naar die man, maar voor een heel andere zaak.'

'Goh. Dan zijn die twee misschien toch met de noorderzon vertrokken', zei Jannie en haar blik werd om de een of andere onverklaarbare reden somber.

'Heb je een manier om Keki te bereiken?' vroeg Mendonck. 'Gsm, e-mail, MSN, Facebook, ik zeg maar wat.'

'Ik heb haar vroeger wel een paar keer gebeld, maar ze nam nooit op.'

'Je hebt haar nummer?'

'Ja. Maar daar schiet je niks mee op. Ik heb het onlangs nog een keer geprobeerd. Nadat jouw vent hier is geweest. Het nummer is niet meer in gebruik. Op zich niks om wakker van te liggen.'

'Waarom niet?' vroeg Mendonck.

'Keki verandert wel vaker van nummer. Dan koopt ze gewoon een nieuwe prepaid simkaart.'

'Waarom doet ze dat?'

'Om haar klantenbestand uit te zuiveren. Om van lastige en opdringerige klanten af te zijn.'

'Ah. Oké.'

'Ik heb haar ook gemaild. Twee keer. Maar hetzelfde verhaal. Ik heb nooit een antwoord gekregen', zei Jannie. 'Daarna heb ik het opgegeven.'

'Je kent dus wel haar e-mailadres?'

'Ja. Ik ken zelfs haar toegangscode. Als ze ook die niet veranderd heeft ondertussen, natuurlijk.'

Weer voelde Mendonck een kriebeling tussen haar schouderbladen. Weer durfde ze niet te krabben.

'Wil je dat ik haar mailbox open?'

'Ja. Graag.'

'Misschien had ik dat al veel eerder moeten doen', zuchtte Jannie en ze schoof achter de pc, opende Hotmail, typte Keki's e-mailadres in. Het wachtwoord had Mendonck niet mee. Het ging te snel.

'Lekker kutje', zei Jannie, die Mendoncks nieuwsgierige blik voelde.

'Wat?'

'Lekker kutje. Dat is haar wachtwoord', grijnsde Jannie. De mailbox sprong open. Hij zag bloedrood. Zat vol met seksgerelateerde spam. 'Ze heeft het nog niet veranderd.'

'Mag ik?' vroeg Mendonck. Ze besefte dat ze geduldig moest zijn maar haar hart bonkte in haar borst. Ze pakte de muis en opende het postvak 'Send'. Er waren geen mails verstuurd. Al gedurende meer dan een jaar niet meer. 'Ze gebruikt dit mailadres niet meer, denk ik', zei Mendonck en ze klikte nerveus de mailbox dicht.

'Nee. Blijkbaar niet. Ze zal een andere geopend hebben. Heeft zo te zien schoon schip gemaakt met haar verleden.'

'Ja. Zo te zien wel', zei Mendonck en ze stond op en gaf Jannie een hand. 'Bedankt. Ik weet voorlopig genoeg. Je hoort nog van mij.'

Toen ze buiten op de drempel stond, stuurde ze een sms naar Deleu.

HotKeki4Ualone@hotmail.com pasw. 'Lekker kutje' open mbox en
verander pw. Doe het NU xxx

***

Ik heb al vele vrouwen ontmoet. En ik
zal er waarschijnlijk nog veel meer ontmoeten. Maar geen vrouw zoals jou. Daar
ben ik zeker van.
Mijn leven zal nooit meer hetzelfde
zijn. Alsof ik niet heb geleefd. Zonder
jou is alles anders. Donkerder. Waardeloos.
En daarom, liefste hartendief, wil ik je
nooit meer kwijt.Ik kan niet meer zonder
jou.
Echt niet.

Je Tommetje
Xoxoxoxoxo

Ps. Foto niet op internet zette hé... nat
poesje ☺

'Geen vrouw zoals jou', mompelde Bosmans en hij snoof
misprijzend en zocht visuele steun bij Deleu. Ondertussen
had Mendonck met snelle, gretige vingers het attachment
opengeklikt. De waterige ogen van Tom Slootmaekers
staarden haar aan. Om zijn pens spande een leren jekker en
hij probeerde stoer in de lens te kijken. Dat maakte hem
nog potsierlijker dan hij al was. Mendonck keek achterom,
naar Bosmans, met een niet mis te verstane hunkering in
haar ogen.

Tientallen dergelijke e-mails hadden de revue gepasseerd. Gevuld met puberale bespiegelingen over een toekomst van gebakken lucht. In een van die mails kwam Erik Boen ter sprake. De drie zouden samen iets gaan drinken. Het was een van de laatste mails die Slootmaekers naar Keki had verstuurd.

'Ze is verdwenen, Jos', zei Mendonck met aandrang. 'En belangrijker! Nadat Keki Vrouwenvliet is verdwenen, heeft Slootmaekers haar nooit meer een e-mail gestuurd.'

'En dan?' gromde Bosmans. 'Hij niet. Maar zij ook niet. Misschien hadden ze ruzie. Zoiets gebeurt wel vaker.'

'Nee. Omdat hij wist dat het zinloos was. Omdat hij weet wat er met haar gebeurd is', zei Mendonck vol overtuiging.

'Waarom schrijf je geen scenario's voor thrillers?' mompelde Bosmans.

'Ik denk dat het allemaal wat gecompliceerder is dan jullie denken', zei Schele Pierre, die al een tijdje in de deuropening stond. Hij liep naar Deleu en gaf hem een stuk papier.

'Hier. Weet je 't nog? Die haar van die creoolse hoer. We hebben er nog een gevonden. In de auto van Boen.'

'Welke haar? Welke hoer?' reageerde Bosmans fel. Deleu kreeg een kleur. Schele Pierre mompelde 'sorry' en stond er wat onhandig bij. Bosmans fixeerde Deleu.

'We hebben een haar van Jannie Goegebuer gevonden', probeerde Mendonck de zaak te redden.

'Gevonden? Waar? Bij haar kapper?' foeterde Bosmans, die de bui al zag hangen.

'In een haarborstel', mompelde Deleu. Hij besefte dat het geen zin had om nog langer verstoppertje te spelen. 'Ik ben die vrouw gaan ondervragen, nadat we die advertentie hadden gevonden in Boens auto. Ik ben in haar flat geweest. In de badkamer.'

'En...'

'...ik heb de haaranalyse betaald uit eigen zak, ja', zei Deleu. 'Sorry.'

'En waarom?' vroeg Bosmans nurks.

'Omdat ze beweerde dat ze Erik Boen niet kende en er dus geen rechtstreekse link was met het slachtoffer en omdat ik de belastingbetaler niet onnodig op kosten wilde...'

'Belastingbetaler my ass!' gromde Bosmans.

'Sorry, Jos. Maar ik wilde zekerheid. We wisten toen nog niet dat de haar die werd gevonden in de slaapkamer van Tom Slootmaekers van Zita De Bruycker was. Ik wilde weten of Jannie Goegebuer er was geweest. Samen met Erik Boen.'

'Nee', zei Schele Pierre. 'Maar ze heeft wel in zijn auto gezeten! In de auto van Erik Boen. Tenzij er een van haar haren aan Boens gulp is blijven hangen.'

'Hoewel ze beweert dat ze Boen nog nooit heeft ontmoet', deed Mendonck er nog een schepje bovenop. 'Jos?'

Bosmans gaf het op. Hij liep naar zijn kantoor.

'Jos?' probeerde Mendonck.

'Waar blijft die gast?' was Bosmans' droge repliek. Nadia Mendonck kreeg een blos op haar wangen. 'Slootmaekers. Pak hem op.'

XII

Vandaag. Vandaag gaat het gebeuren.

Waarom?

Ze gaat weg. Naar de stad. Het kleine meisje in de grote stad. Wat een giller.

Ze heeft haar baan opgezegd. Dat weet ik van haar broer. Ik gok erop dat ze vanavond vertrekt. Met de laatste bus waarschijnlijk. Ik betwijfel of ze geld heeft voor een taxi. Ik ken het traject van de enige bus die ons dorp rijk is. Ik beheers ook de dienstregeling. Meer zelfs. Ik weet wie waar en wanneer op de laatste bus stapt.

Niemand.

Hèhèhè.

Celientje bezoekt haar zieke man op dinsdag en donderdag. En Hugo. Daar zit geen regelmaat in. En wat die lomperik in de stad gaat uitvreten. Geen idee. En het interesseert me ook geen bal.

Trouwens, het maakt niet uit. Ik ga haar pakken voordat ze bij het bushok is. Ik kan alleen maar hopen dat ze voor de kortste weg kiest.

Waar ík ben?

In het gras.

Hèhèhè.

Ik lig op mijn buik en ik wacht. Ik draag de oliejekker waar mijn vader zaliger mee ging vissen. Ik heb ook zijn zuidwester op mijn hoofd. Ik wil geen sporen achterlaten.

Overdreven voorzichtig?

Kan zijn. Maar laat ik je dit vertellen. Voorkomen is beter dan genezen.

De zenuwen gieren door mijn keel. Als haar broer haar vergezelt, ben ik gezien. Goh, man, die spanning, ik kan het niet meer aan, echt niet. Natuurlijk heb ik een plan! Maar laat me nu met rust. Ik moet er effe vantussen. In mijn kop, bedoel ik. Me effe concentreren op iets anders.

Vlees drogen bijvoorbeeld.

Vlees drogen doe je het best met een droogmachine, maar dat idee heb ik begraven. Hoe kom ik daar aan? En waar verberg je zo'n machine? Nee, ik heb gekozen voor de oven. Trager maar wel effectief. Probleem is dat de damp niet kan ontsnappen. Je moet de deur van de oven dus op een kiertje zetten, wat evenwel zorgt voor energieverlies. Om nog maar te zwijgen van de geurhinder. Maar bon, daar verzin ik wel weer iets op.

Eerst en vooral moet het vlees gedurende vierentwintig uur gemarineerd worden in een geconcentreerde zoutoplossing. Dat versnelt het droogproces en verlengt de houdbaarheid. Dat pekelen daar is geen speciale apparatuur voor nodig. Dat kan ik om het even waar doen. Geen probleem. So far so good.

Ze schrijven ook dat je het vlees in dunne reepjes moet snijden. Dat gaat dus niet lukken. Daar heb ik een cirkelzaag voor nodig. Of een slijpschijf. Maar ik ga me er niet druk over maken. Niet nu. We zien wel wat dat wordt.

Laat ik me concentreren op het droogproces. Cruciaal onderdeel van het proces is de temperatuur. Die moet constant blijven. Ik zal dus de hele nacht wakker moeten blijven, denk ik. Mijn moeder voer ik een slaappil. Die vreet ze tegenwoordig zoals tictacmuntjes.

De temperatuur, dus! Is ze te hoog, dan zal het 'product' verbranden. Dan worden de cellen beschadigd, waardoor het vlees later minder gemakkelijk water opneemt en de smaak en de voedingswaarde verminderen. De vitamines worden afgebroken en er ontstaat een licht verbrande smaak. Maar is dat dan een probleem? Nee, ik denk het niet. Ik ben niet van plan om mijn verovering op te vreten, integendeel, het product mag niet opnieuw vocht opnemen want ik wil het bewaren, liefst zo lang mogelijk, en wat de vitamines betreft, het is me slechts te doen om de emotionele vitamines.

Hèhèhè.

Andere risicofactor is dat de temperatuur te laag is. Dan bestaat het gevaar dat het 'product' niet voldoende gedroogd wordt of duurt het veel te lang. Sommige bronnen spreken van twaalf tot tweeënzeventig uur. Nee, die luxe heb ik niet. Niet zolang mijn moeder leeft tenminste en haar mollen zou net iets van het goede te veel kunnen zijn, vrees ik.

Dus ja. Ik heb mijn keuze gemaakt. Nood breekt wet. Ik ga voor zeventig graden. Dat lijkt me de aangewezen temperatuur voor het eindresultaat dat ik in gedachte heb. We zien dan wel wat het wordt. Ben benieuwd.

Razend benieuwd.

Jij ook?

Hèhèhè.

Fuck!

Daar!

Daar komt ze.

Ze is alleen!

Sterk begin!

Oké. Heb ik alles?

Ik graai in mijn tas. Alles is er. Vleesmes. Touw. Zout. De schop en de emmer liggen klaar. Dat heb ik gisteren geregeld.

Gisterennacht, ja.

Nog honderd meter, schat ik. Het schemert al. Het is koud. In mijn hoofd. En in mijn hart. Ze heeft een reiskoffer bij zich. Op wieltjes. Geen probleem. Die begraaf ik samen met de resten. Ik weet waar. Ik heb mijn huiswerk gemaakt.

Nog tachtig meter. Mijn hart bonkt in mijn kruis. Ik word stapelgek.

Nog zeventig.

Zestig.

Wat als ze ontsnapt? Nee, dat kan niet. Het mag niet. Ik ben met de fiets. Ze heeft geen schijn van kans. En de jutezakken. Ja. Ze liggen op de bagagedrager van mijn fiets.

Vijftig.

Stel. Ze vlucht weg. Geeft niet. Ik haal haar zo in. Geen probleem. Maar de koffer. Ik kan niet op twee plaatsen tegelijkertijd zijn. Wat als iemand de koffer vindt?

Veertig.

Focussen. Ze zal niet weglopen. Daar geef ik haar de kans niet voor. Diep in- en uitademen. Zal ik haar voorbij laten lopen? En dan haar naam roepen? Nee. Geen goed idee. Niet arrogant worden.

Dertig.

Kan ze nog ontsnappen? Nee. Onmogelijk. Wat is dat geluid? Dat geronk! Fuck! Een auto. Een fokking auto!

Twintig.

De auto komt aangetuft. Damn. De pastoor. Klootzak! Alsof hij het ruikt. Bloed ruikt. Verloren zieltjes. Ze blijft staan. Kijkt achterom. Ze is bij hem geweest. Dat weet ik zeker. Ze is gelovig. Hij vertraagt. Ze kijkt de andere kant op. Toont geen emotie. Is vastbesloten. Goed zo. Goed zo, meisje.

Ze kruisen elkaar. Hij kijkt nog eens in zijn achteruitkijkspiegel. Jaja, eerwaarde. U bent de laatste die haar in leven heeft gezien. Enfin. De voorlaatste.

Hèhèhè!

Tien.

Ze kijkt de auto niet na. Ze kijkt naar de grond. Ze is vastbesloten. Stapt flink door. Ze draagt laarsjes. Afgeboord met pels. Konijn, denk ik. Sexy is dat. Met wollen kousen erboven. Een muts. Al die rommel ga ik verbranden. Behalve haar slipje. Dat bewaar ik. En misschien haar bh. Ik weet het nog niet. Als ik er over mediteer, zijn er altijd die rode en gele flitsen die het feestje verstoren.

Waar?

In mijn kop natuurlijk. Waar anders! Alsof mijn hersenen exploderen. Dat moet ik onder controle zien te krijgen. Het enige dat ik zeker weet, omdat ik het heb zien gebeuren, is dat ik mijn mes in haar kut ram. Diep.

Tot aan het heft. Het bloed sijpelt over de rug van mijn hand. Over mijn pols. Daarna ontploft mijn kop. En wordt alles bloedrood.

Alles!

Nul.

Nul meter!

We zijn op gelijke hoogte.

Hoor je 't?

Ik wel!

Ik hoor haar ademen. Waanzinnig opwindend is dat. De wereld staat stil. Behalve de struiken. Ze ritselen. Ik katapulteer me naar haar toe.

Yihaaaahhhhh!

Ze kijkt. Haar ogen bevriezen. Er ontsnapt een kreet. Geluidloos. Ik pak haar bij de haren. De muts valt op de grond. Ze struikelt over de koffer. Valt. Probeert te schoppen. Tanden.

Ahh.

Fuck. Fucking bitch.

Mijn mes flitst omhoog. Nee, nee, dit wil ik niet. Nog niet! Zo gemakkelijk kom je er niet van af. Ik beheers me. Sleur haar ruw op de grond. Ze trapt, klauwt, rochelt. Kronkelt zich in de meest onmogelijke bochten. Het heeft geen zin. Ik ben van gewapend beton.

Ik geef haar een harde trap tegen haar slaap. Krek. Haar kop vliegt opzij. Ze stoot de lucht uit haar longen. Nog eentje. Andere kant. Krek! Ze wordt slap. Ik pak haar bij de kraag van haar jasje. Sleur haar in het struikgewas. Ze is bewusteloos. Ze is gewichtloos. Het gaat vanzelf. Ik lik het bloed van mijn hand. Godverdomme! Ben je dood of wat! Teef! Je mag niet dood. Nu nog niet!

Wat! Wat zeg je?

Shit, ja.

De koffer!

Bedankt.

Ik schiet uit het struikgewas. Heb hem te pakken. De muts! Shit! Ik graai de muts mee en duik weer de struiken in. Ga op mijn knieën zitten uithijgen.

Bedankt!

Nu is het goed. Alles. Goed. De buschauffeur heeft haar nooit gezien. De pastoor wel. Ik moet voorzichtig zijn. Alle sporen zorgvuldig verwijderen. Ze zullen komen zoeken. Hier. Komen. Zoeken.

Rotzakken!

Waarom laten ze dat meisje niet met rust!

Er hangt een kluit modder aan haar slaap. Ik veeg hem weg. Met mijn vingertop.

Wat ik voel?

Ik voel liefde. Ze borrelt op van diep in mijn ingewanden. Ze is zo mooi nu. En van mij. Helemaal van mij. Ik kan het amper geloven. Zou ze dromen? Van mij dromen?

Ik ben hard.

Ik kan niet wachten.

De vingers van mijn rechterhand.

Ze knopen mijn gulp los.

Nee! Klootzakken, nee!

Niet nu!

Niet hier!

Ik knoop mijn gulp zelf weer dicht en loop gehurkt naar mijn fiets. Pak de jutezakken. Het touw.

De sporen! Die moet ik verwijderen. Niet vergeten. En die twijg? Wat doe ik met die afgebroken twijg!

Ze zullen komen zoeken!

De hypocrieten!

Hier.

Komen.

Zoeken.

Fuck!

Ademt dat wijf nu of ademt ze niet!

Ze mag nog niet dood.

Niet nu!

12

In stukken, in een gescheurde vuilniszak, zo ontdekten ze hem, met heel veel geluk en een oneindige dosis geduld. In het containerpark in Mechelen. Er was geen twijfel mogelijk. Zijn vingerafdrukken stonden er op.

De vingerafdrukken van Tom Slootmaekers, die zijn oude portable had gedemonteerd. De harde schijf, die nog steeds zoek was en waarschijnlijk bij het huisvuil was beland, had hij eruit gehaald.

Toen Mendonck hem vriendelijk had gevraagd of hij paranoïde was, had hij met een geringschattend trekje om de lippen verklaard dat hij wilde voorkomen dat cruciale data betreffende zijn lopende ICT-projecten in de verkeerde handen terecht zouden komen. Daarop had Mendonck hem geconfronteerd met de infantiele mails die hij had geschreven aan Keki Vrouwenvliet. Toen ze vroeg of er wellicht nog andere cruciale informatie, zoals sporen van afpersing en/of het beramen van een moord, tussen het huisvuil was gesneuveld, had Slootmaekers een advocaat geëist, iets wat hem, daar hij eerder al officieel was ondervraagd, niet kon worden geweigerd.

De twee waren ondertussen al bijna drie uur in conclaaf. Tijd winnen, vreesde Deleu, want ze konden Tom Slootmaekers voorlopig niet langer dan achtenveertig uur vasthouden en van die achtenveertig waren nu al drieëndertig kostbare uren verstreken.

De flat van Slootmaekers was voor de tweede keer binnenstebuiten gekeerd, maar behalve een doos vol seksspeeltjes, handig ingewerkt in een keukenla met rollagers, was
er niks nieuws gevonden wat de moeite loonde. Geen lijk.
Geen onderdelen van een lijk. Geen Keki Vrouwenvliet,
prompt gebombardeerd tot vermiste persoon nummer
één. Slootmaekers hield er wel van om af en toe een robbertje te seksen met een opblaaspop. En wat dan nog? Dat die
pop, overigens van uitstekende kwaliteit – met trilfunctie
in mond, vagina én aars – een huid van getint rubber had
en nep kroezelhaar, deed in dit stadium van het onderzoek
evenmin veel ter zake.

Over dergelijke trivia dacht Deleu na terwijl hij grasduinde in het DNA-rapport dat hij had opgevraagd in Frankrijk.
In de stoffige Belgische dossiers met onopgeloste moorden
en ongeïdentificeerde slachtoffers had hij geen relevante
informatie gevonden en dus was hij, bij gebrek aan een
Europese criminele databank, noodgedwongen in de
ViCLAS-databank gedoken, die ook in Nederland, Frankrijk, Duitsland, Engeland, Zwitserland, Noorwegen en
Canada wordt gebruikt en dossiers bevat van gewelddadige
en seksueel getinte misdrijven waarbij nog geen verband
bestaat tussen dader en slachtoffer. Eén dossier had zijn
onvoorwaardelijke aandacht getrokken.

Het ging om een onopgehelderde moord in Frankrijk. In
La Braillerie. Daar was zowat een jaar geleden, in het Parc
Urbain de Détente, het lichaam van een gekleurde vrouw
ontdekt, begraven naast een greppel. Het verminkte lijk
werd, na een periode van hevige regenval, door de hond van
een toevallige voorbijganger gevonden. Het slachtoffer was
naakt en in vergevorderde staat van ontbinding. De exacte
doodsoorzaak vaststellen was niet meer mogelijk geweest,

maar dat de vrouw was vermoord, daarover kon geen twijfel bestaan. Haar geschatte leeftijd was vooraan in de dertig. Dat ze tot nog toe niet was geïdentificeerd, had te maken met het feit dat er geen papieren of persoonlijke spullen waren gevonden, maar vooral met het morbide detail dat haar hoofd en handen ontbraken. Het lijk was sowieso in een te ver gevorderde staat van ontbinding om nog vingerafdrukken te kunnen nemen. Enige aanknopingspunt was een grote, niervormige moedervlek onder de oksel van de vrouw.

Dat detail was in Frankrijk in een signalement op tv geweest, zonder resultaat. Online was slechts een beknopte samenvatting van de autopsie beschikbaar en dus had Deleu, die nooit over één nacht ijs ging, bij de Franse autoriteiten het volledige rapport van de lijkschouwing opgevraagd, waarop het nog even wachten was.

Wat hij wel al had ontvangen, was een DNA-profiel opgemaakt door de Fransen en aanwezig in de databank van de Franse tegenhanger van het Belgisch Nationaal Instituut voor Criminalistiek en Criminologie, waar het dossier nu al meer dan een jaar lag te wachten op opheldering, want vergelijkingen met dossiers van vermiste personen hadden niks opgeleverd en het was precies dat laatste wat Deleus aandacht had getriggerd.

Keki Vrouwenvliet was immers nooit als vermist opgegeven en bovendien was het dorpje La Braillerie net over de Franse grens gelegen, in de buurt van Moeskroen.

Deleu dacht na over al zijn bevindingen. Uit de beknopte autopsie herinnerde hij zich dat in het bloed noch de maaginhoud van de vermoorde vrouw sporen van drugs waren aangetroffen. Maar analyse van het okselhaar had aangetoond dat de vrouw niet vies was van cocaïne. Daar was, herinnerde Deleu zich uit zijn gesprek met Jannie, ook

Keki Vrouwenvliet niet vies van. Scheikundig onderzoek van de excrementen en lijkdelen had aangetoond dat het slachtoffer niet was vergiftigd.

Dirk Deleu schoof zijn stoel achteruit en liep met hooggespannen verwachtingen naar het lab van de technische recherche. Een vergelijking met het DNA-materiaal dat was gevonden in de auto van Erik Boen drong zich op. Je wist maar nooit.

Toen hij in het lab kwam, zat de technicus afwezig in zijn haar te krabben.

'Is er wat?' vroeg Deleu.

De technicus keek op. Hij staarde Deleu aan met holle ogen. Snoof.

'Inspecteur', zei de man. 'Laten we eerst alles nog eens op een rijtje zetten. Dit haarstaal, dat is gevonden in de auto van Erik Boen, behoort toe aan Jannie Goegebuer. Klopt dat?'

'Ja', zei Deleu, die was gaan zitten op de hoek van het bureau, voorbereid op het ergste.

'Oké. En dit is het opgevraagde DNA-profiel van het ongeïdentificeerde vrouwenlichaam dat een jaar geleden is gevonden in het Parc Urbain de Détente in het Franse dorpje La Braillerie?'

'Klopt.'

De technicus zoog zijn longen vol en liet de lucht langzaam ontsnappen.

'Dát is onmogelijk!'

'Onmogelijk?' herhaalde Deleu.

'Inspecteur. Als al de informatie die u me hebt gegeven klopt, dan is Jannie Goegebuer al een jaar dood! Daar is geen speld tussen te krijgen.'

Je kon een speld horen vallen in het ruime lab dat plots te klein leek voor Deleu, die vertwijfeld naar adem hapte.

***

Jannie Goegebuer, die een DNA-staal had afgestaan, volgens de geëigende procedure deze keer, was gedurende meer dan drie uur ondervraagd maar was blijven volhouden dat ze nooit in de auto van Erik Boen had gezeten. Meer zelfs, ze was bij haar eerdere verklaring gebleven. Ze had de man nog nooit gezien. Laat staan ontmoet. Bosmans had haar, gezien de recente ontwikkelingen met Deleu in de hoofdrol, laten gaan.

Ondertussen had Mendonck nagelbijtend het resultaat van de DNA-analyse afgewacht. Er zat niets anders op. Dat rapport, eindelijk klaar, had haar met stomheid geslagen.

De haar uit de auto van Erik Boen was niet van Jannie Goegebuer, maar matchte wel met het DNA-profiel van het onthoofde vrouwenlijk dat was gevonden in La Braillerie. Dat maakte het allemaal nog een stuk complexer.

Mendonck zuchtte. Hier stond ze nu. Klaar om de kastanjes uit het vuur te halen en om op een discrete manier proberen recht te trekken wat de heer Deleu in al zijn ijver krom had gebogen.

Na het derde belletje ging de deur op een kier. De creoolse keek Mendonck onderzoekend aan.

'Heb je een huiszoekingsbevel', klonk het hautain.

'Nee, maar...'

'Oprotten dan!'

De deur ging dicht. Mendonck duwde de punt van haar schoen tussen de deurkier.

Jannie Goegebuer trok de deur wagenwijd open. Haar ogen gloeiden op.

'Wat heeft dat godverdomme te...'

'Ik heb je hulp nodig', klonk het deemoedig.

De creoolse zette haar handen in haar zij. Er kwam een diepe frons tussen haar wenkbrauwen.

'Twee jonge meisjes worden beschuldigd van moord', zei Mendonck en ze trok haar voet terug. 'Als die aanklacht hard wordt gemaakt, dan is hun leven om zeep. Ik heb je hulp nodig. Officieus. Ik beschuldig je nergens van. Dat beloof ik.'

Jannie liep weg. De deur bleef open. Dat gebaar beschouwde Mendonck als een stilzwijgende instemming en ze ging naar binnen. Sloot de deur.

'Kan ik op je discretie rekenen?' vroeg Mendonck.

Jannie snoof. Ze begreep er niks meer van.

Mendonck haalde de haarborstel die Deleu had ontvreemd, uit haar handtas en legde hem op de lage salontafel.

'Is die haarborstel van jou?'

'Hoe kom je daar aan?'

'Mijn man, inspecteur Deleu, heeft hem gepikt in jouw badkamer. Dat is een onvergeeflijke blunder. Daar ben ik me van bewust. Een blunder die het hele onderzoek op de helling kan zetten.'

'Vraag maar', zei Jannie en ze genoot van haar privilege.

'Is die haarborstel van jou?' herhaalde Mendonck haar vraag.

De creoolse trippelde dichterbij, plukte de borstel van de salontafel en bekeek hem nauwkeurig.

'Weet je ook waar jouw vriendje die borstel gepikt heeft?'

'In de badkamer', antwoordde Mendonck op een nogal serviel toontje. Ze voelde nattigheid. 'Hij stak in een roze toilettas.'

'Die is van Keki', zei de creoolse en haar ogen lieten Mendonck niet meer los. Mendonck ging zitten toen wat ze had gevreesd plots een feit werd. De haar, gevonden in de auto van Erik Boen, was niet van Jannie Goegebuer maar van Keki Vrouwenvliet. 'En nu wil ik weten wat er met haar is gebeurd!'

'Dat zijn we aan het uitzoeken', zei Mendonck en haar gedachten buitelden over elkaar. Keki Vrouwenvliet had in de auto van Erik Boen gezeten. Daar zat logica in. Gezien de mails die Slootmaekers had verstuurd. Daarna was Keki vermoord. Onthoofd. En haar lijk was gedropt in een klein park, net over de grens met Frankrijk. Er moest nog bitter weinig uitgezocht worden, vreesde Mendonck. Ze zuchtte, wist hoegenaamd niet hoe dit gesprek verder moest.

Jannie Goegebuer stond op. Ze deed de deur op slot en duwde de sleutel tussen haar beha. Ze ging voor Mendonck zitten. Bijna neus aan neus.

'En nu ga jij me vertellen wat er met Keki is gebeurd.'

'Heeft Keki een niervormige moedervlek onder haar oksel?'

'Niervormig? Wat is dat, niervormig?'

'Zoals een nier', zuchtte Mendonck. 'Een pindanootje met de peul er nog omheen. Zoiets.'

'Kweeni', zuchtte Jannie. 'We zijn geen potten.'

'Had ze vrienden, familie, in Frankrijk? Dicht bij de Belgische grens. In...'

'Had. Keki is dood. Is het niet?'

'Ik vrees van wel.'

'Daar ben ik blij om', zuchtte Jannie. Mendonck kon die woorden niet plaatsen. Ze zocht oogcontact met Jannie. Die staarde haar aan met dode ogen. Alle glans was eruit verdwenen. 'Het klinkt egoïstisch. Ja. Maar ik hield van dat mens, weet je. Haar plotselinge vertrek heeft me onnoemelijk veel pijn gedaan. Kun jij dat begrijpen?'

'Ja. Ik denk het wel.'

'Ze is vermoord, is het niet?'

'Ja.'

'Wanneer?'

'Ongeveer een jaar geleden, denken we.'

'Denken jullie?' zei Jannie Goegebuer en ze knikte. Opeens ging ze verzitten. Ze plantte haar handen stevig op haar dijen, in het reine met zichzelf en haar emoties en klaar voor de aanval. 'Haar lichaam is gevonden. In Frankrijk. Maar het is nooit geïdentificeerd geraakt', haastte Mendonck zich om de draad weer op te pakken.

'Hoe kan dat! Jullie hadden toch een signalementsfoto op tv kunnen zetten. Of in de krant. Keki had veel vrienden. Keki was bijzonder... In Frankrijk?' riep Jannie Goegebuer, duidelijk niet van plan om dit over haar kant te laten gaan. Ze hapte naar adem. De woordenvloed doofde. Ze staarde wezenloos voor zich uit, alsof ze in een diepe afgrond keek. 'Zeg dat het niet waar is!' riep ze en haar ogen schreeuwden om antwoorden.

Mendonck voelde haar benen slap worden. De gruwelen waarmee je in dit beroep wordt geconfronteerd, hadden haar eens te meer in de tang. Ze knikte alleen maar.

'Wat hebben ze met haar gedaan! Zeg het me!'

'Ze hebben haar onthoofd en haar handen afgehakt.'

'Wie...' Jannie hapte naar lucht. 'Wie doet zoiets?'

'Dat gaan we uitzoeken. Met jouw hulp.'

'Die foto's', schreeuwde Jannie en ze greep Mendonck bij de schouder. 'Laat me die foto's zien!'

'Welke foto's?'

'Van die twee mannen. Die twee griezels. De foto's die je de vorige keer hebt getoond.'

'Liever niet.'

'Liever niet', herhaalde Jannie vol ongeloof. 'En waarom...'

'Omdat ik het onderzoek geen schade wil toebrengen. Ik denk dat het beter is om je uit te nodigen voor een line-up.'

'Line-up?'

'Ja. Een rij mannen van vlees en bloed. Jij moet er de juiste uitkiezen.'

'Doe ik! Je kunt op me rekenen!'

'Goed.'

'Bedankt', zei Jannie. 'Maar nu wil ik graag alleen zijn.'

De creoolse liep naar de deur en stak de sleutel in het slot.

'Waarom bedankt?'

'Voor je eerlijkheid. En rot op nu, wil je.'

Mendonck liep naar buiten. Met hangende schouders. Toen ze bijna bij de lift was, kromp ze in elkaar. De hartverscheurende schreeuw van Jannie Goegebuer drong door tot in de toppen van haar tenen.

***

'Meneer Slootmaekers', zei Mendonck en ze deed geen moeite om haar walging te onderdrukken. 'Deze keer is het officieel. U ging wel naar de hoeren! En nu luister ik naar uw verhaal.'

Tom Slootmaekers zat erbij als een voddenbaal, al was dat wellicht slechts schijn. Hij was formeel herkend door Jannie Goegebuer, als de vriend van Keki Vrouwenvliet, had zich gewillig in hechtenis laten nemen en was officieel in beschuldiging gesteld voor de moord op Keki Vrouwenvliet.

'Ik heb heb haar een keer bezocht', mompelde Slootmaekers en hij staarde naar de foto van de rondborstige Keki.

'Koopt u voor elke hoer die u een bezoekje brengt een auto?' vroeg Deleu monotoon.

Slootmaekers pufte. Keek snel van links naar rechts.

Plantte zijn voeten stevig op de grond, alsof hij een vlucht overwoog.

'Hoe... hoe...'

'We hebben uw rekeninguittreksels nagekeken. We hebben de garagist bezocht bij wie u de auto hebt gekocht, samen met Keki. We hebben een positieve identificatie. De man heeft u herkend. We hebben het chassisnummer gecontroleerd. De auto is door u betaald en ingeschreven op naam van Keki Vrouwenvliet. Er is met andere woorden, meneer Slootmaekers, geen speld tussen te krijgen. U hebt voor Keki Vrouwenvliet een rode Mini gekocht die ze twee weken later in de prak heeft gereden. Was dat de reden waarom u haar hebt vermoord?'

In de kamer heerste plots een tergende stilte. Mendonck staarde naar de foto van Keki Vrouwenvliet. Ze had een prachtige glimlach, het enige wat er van haar overbleef. De gedachte maakte haar woest maar ze beheerste zich.

Tom Slootmaekers, die de onderhuidse spanning niet meer kon bolwerken, duwde zijn handen op zijn slapen.

'Ik heb haar niet vermoord.'

'Wie dan wel?' vroeg Deleu.

'Dat weet ik toch niet.'

'Oké. Laten we beginnen bij het begin. Wanneer heb je Keki ontmoet en wanneer heb je haar voor het laatst gezien?'

'Ik zag haar graag.'

'Dat vroeg ik niet', sneerde Deleu, die zich ongemakkelijk voelde. Waarom wist hij niet. Wellicht had het te maken met de manier waarop Slootmaekers die laatste woorden uitsprak. Ze klonken echt. Gemeend. Ook Mendonck schuifelde nerveus op haar stoel.

'Ik heb Keki leren kennen een jaar of twee geleden. Ik was zot van haar. Ik wilde alles voor haar doen. Alles.'

'Maar?' vroeg Deleu.

'Maar ze wilde niet. Ze wilde geen relatie.'

'Hoe heb je haar leren kennen?'

'Ik heb haar foto gezien. Op internet. Erik heeft haar aangesproken.'

'Erik Boen?'

'Ja. Erik durfde zoiets. Ik niet. Ik was bang dat ze me zou afwijzen.'

'Afwijzen?' viel Mendonck in. 'Dus je wist niet dat ze een hoer was?'

'Jawel. Jawel. Maar toch...'

'Toch wat?'

'Ik ben al mijn hele leven alleen. Ik wilde een vrouw. Ik heb haar nooit gezien als een hoer. Ik dacht dat ze van mij zou gaan houden. Als, als, ze voelde hoe... hoe...'

'Maar dat is nooit gebeurd', zei Deleu droogweg.

'Nee.'

'Heb je haar daarom vermoord?'

'Ik heb haar niet vermoord!'

'Meneer Slootmaekers', zei Deleu. 'Ik ben het beu om in cirkeltjes te draaien. Keki Vrouwenvliet is verdwenen. Vermoord. Je hebt haar niet meer gemaild na haar verdwijning. Waarom niet?'

Slootmaekers bleef het antwoord schuldig. Hij zat maar wat voor zich uit te staren. Met schuldige ogen. Dat wel.

'Meneer Slootmaekers?'

'Omdat... ze had het uitgemaakt.'

'Nee. Omdat je wist dat ze dood was', zei Deleu.

'Dat... dat wist ik niet.'

'Waarom heb je haar dan niet meer gemaild? Je mailde haar elke dag. Op het wanhopige af!'

'Ze wilde dat ik haar met rust liet. Ze wilde nadenken. Ik heb dat gerespecteerd.'

'Gerespecteerd', snoof Mendonck. Ze was het spuugzat.

'Zal ik u vertellen hoe het gegaan is?'

Deleu tuitte de lippen, ten teken dat ze zich moest inhouden maar het was al te laat.

'Je hebt Keki Vrouwenvliet vermoord. Toen ze niet meer op je avances wilde ingaan. Er is een haar gevonden van Keki Vrouwenvliet. In de auto van Erik Boen. Is dat de reden waarom je haar hebt vermoord? Heeft Erik Boen je liefje afgesnoept? En kon je ziekelijke ego dat niet verkroppen? Heb je hen daarom allebei vermoord? Meneer Slootmaekers? Heb je eerst Keki vermoord en daarna je vriend Erik omdat die te veel wist?'

'Hoe... hoe is Keki om het leven ge...'

'Zo', zei Deleu en hij opende de rode map die al de hele tijd als een tikkende tijdbom op de hoek van het bureau lag.

De ogen van Slootmaekers werden groot en star toen hij de foto's zag van de onthoofde Keki Vrouwenvliet. Zijn verstomming was totaal. Hij hapte naar adem als een vis op het droge. Zijn gezicht trok wit weg, alsof het van marmer was. Hij stond op. Begon op zijn benen te beven.

'Meneer Slootmaekers', zei Mendonck. Hard en genadeloos. 'Wat hebt u met haar hoofd en haar handen gedaan?'

Slootmaekers slikte. Hij probeerde een paar woorden aan elkaar te rijgen maar het bleef bij gestotter, zonder wezenlijke betekenis. Hij zwijmelde achteruit. Zocht steun, zocht naar een houvast dat er niet was. Hij zakte door zijn benen. Kreunde en kokhalsde.

XIII

Ons hele huis stinkt ernaar. Naar Gisela. Dat komt door die lange haren, denk ik. Echt vies is dat, verbrande haren. Om te kotsen. Echt waar. Mijn moeder snuift. Ze kan er kop noch staart aan krijgen. Ze weet natuurlijk dat er meer aan de hand is, maar bewijs dat maar eens. Ik heb haar wijsgemaakt dat ik honger had. Ik heb iets in de oven gezet. Spareribs. Uit de diepvriezer. Ik ben ze er vergeten uit te halen. Ben op de sofa in slaap gesukkeld. De ribbetjes zijn inderdaad verkoold. Ze staart naar de zwartgeblakerde resten. En dan naar mij. Er zit walging in haar blik.

'Ooit!'

'Ooit wat!'

'Ooit vliegt ons huis in brand', mompelt ze.

Ik ontbloot mijn tanden. Hef traag mijn hand. Ze heeft het begrepen. Loopt weg. Naar de trap.

Hèhèhè.

Ik grijns en loop naar buiten. Naar het tuinhuis. Ze ziet me niet. Niet vanuit haar kamer. Ik trek de deur open, pluk de grijze vuilniszak van de grond en spring op mijn fiets. De zak slingert heen en weer aan mijn stuur. Ik neem een binnenweg. Rijd naar de mergelgroeven. Rechtstreeks naar de groeven.

De sporen uitwissen was trouwens niet nodig. Niemand vermoedt iets. Ik heb me zorgen gemaakt om niets. Wat is er eigenlijk gebeurd? Niks. Toch? Meisje neemt de bus en verhuist naar de stad. Dat is wat er echt is gebeurd. Ik moet ophouden met mezelf gek te maken. En jij ook! Hoe ouder hoe gekker, zo lijkt het wel. Als ik niet op mijn tellen pas, word ik nog paranoïde. Zoals mijn moeder. Het schooljaar is bijna ten einde. Ik ben achttien. Ik moet hier weg. Tijd om mijn eigen leven te gaan leiden. Anoniem. In de stad. Zonder al die pottenkijkers. Op mijn eentje. Hoewel. Misschien zoek ik toch beter een partner. Kwestie van de façade geloofwaardiger te houden.

We zien wel.

Ik heb andere dingen aan mijn hoofd nu. Ik trap stevig door. Voel de vermoeidheid in mijn kuiten bijten. Ik ben de hele nacht wakker gebleven. Het is weekend. Ik slaap straks wel bij. Ik ga het niet halen, vrees ik. Verdomme! Ik kan mijn ogen niet van de zak afhouden. Alsof je een verse lading porno hebt gekocht en onderweg naar huis bent. Het 'product' is alleszins afgekoeld. En intact. Ben benieuwd. Zo razend benieuwd.

Gewoon effe piepen. Meer niet.

Hier. Hier is het goed!

Ik ben achttien. Ik doe wat ik wil!

Ik stal mijn fiets tegen een boom. Kijk behoedzaam om me heen. Er is niks. Niemand. Ik ga met mijn rug tegen de boom zitten.

Verdomme! Waarom kan ik niet wachten? Ze gaat niet meer weglopen. Echt niet! Waarom ben ik toch zo verrekt ongeduldig? En waarom doen mijn vingers altijd dingen waar ik niet om vraag? Op een dag hak ik ze echt waar af. Stuk voor stuk.

Kijk! Maar kijk dan toch!

Ze prutsen de zak open.

De aanblik snijdt me de adem af. De geur is te verwaarlozen. Ik haal Gisela's hoofd voorzichtig uit de zak. De haren zijn weggeschroeid. Dat is jammer maar het gaat de pret niet bederven. No sir!

Ik duw haar neus tegen mijn neus. Ze had al een klein wipneusje. Nu zijn het alleen nog neusgaten. Toch sexy. Vooral omdat haar lippen op een kiertje staan. Ik wil er mijn tong in duwen. Nee. Nog niet. Ik wil niet klaarkomen. Nu niet.

Godverdomme!

Haar schedel lijkt gekrompen. Echt waar. Al het sap is er uit verdampt. Het vel kleeft strak tegen het been. Ja. Hoe moet ik dat beschrijven? Zoals bij een stokoud vrouwtje.

Zie je het?

Maar dan zonder de rimpels. Haar ogen zijn zwarte gaten. Ik vermoed dat ze weggesmolten zijn. Dat is goed. Ik zou die blik toch niet kunnen verdragen. Ik duw mijn vinger in het roetholletje. Hij verdwijnt erin. Tot aan mijn knokkel. Stoot tegen iets hards.

Wat is dat? Het fascineert me. Damn. Ik was beter wat ijveriger en aandachtiger geweest tijdens de lessen biologie. Misschien haar hersenen? Jammer dat ze verdroogd zijn. Jammer. Anders kon ik misschien proberen om mijn pik... hohoho...

De lachkramp vertrekt ergens diep in mijn buik. Ik word gek. Helemaal stapelzot. Rol hikkend door het vochtige gras. Breng haar hoofd dichterbij. Ik lik langs haar lippen. Langs de barsten en kloven. Fenomenaal is dit. Ze ziet pikzwart. Gelooid. Van leer. Van mij. Misschien had ik de rest van haar lijf ook in de oven moeten duwen. Maar dan moet ik het eerst versnijden. Nee, dat lukt me niet. Te veel troep.

Ik pak voorzichtig haar oorlelletje vast. Het is dun, en keihard. Ik probeer het te doen wiebelen.

Krek!

Afgebroken.

Ik staar naar het zwarte stukje gedroogd vlees in mijn hand. Steek het voorzichtig in mijn mond. Chips met baconsmaak. Met wat gezonde verbeelding. Maar ze hadden gelijk. In dat artikel op internet, bedoel ik. Het smaakt verbrand. Een beetje zoals spek dat helemaal is uitgebakken. Wel lekker eigenlijk. Ik slik het door.

Hèhèhè.

Fuck.

Fuckkk!

Waarom kom ik altijd klaar als ik dat niet wil? Jou ook. Stomme lul! Jou hak ik ook af!

Mijn handen hebben de boodschap begrepen. Ze keilen het hoofd in de zak. Ik spring op mijn fiets en trap mijn longen uit mijn lijf. Ik moet naar de mergelgroeven. Ik ga haar lijf neuken. Nu. Voordat er wormen uit kruipen. Misschien eet ik een stukje schaamlip. Rauw. We zullen zien.

Gelukkig ben ik niet pal onder de kin beginnen te zagen en heb ik de hals heel gelaten, zo kan ik, als ik dat wil, haar kop op haar romp schroeven en dan, en dan neuk ik de boel helemaal stuk.

Helemaal.

Stuk.

Ik slaap niet meer.

Masturbeer aan één stuk door.

Ik zie steeds weer dat mes.

Diep begraven.

In zijn schede van vlees.

Zalig was dat.

Ze was al dood toen.

Denk ik.

Jammer.

Nee. Zalig.

Haahhhh.

Dat bloed!

Haahhhh.

En die borsten.

Wat doe ik met die borsten!

Velletjes zijn het. Dat hangt daar pront en parmantig. Je snijdt het af. En wat gebeurt er! Bruine stukken slap vel heb je over, met vetkwabben erin. En stinken dat dat doet. Nu al! En dat wijven daar zo trots op zijn.

Sletten! Godverdomme!

Ja. Jij ook!

Je wijf dan! Lul!

Hèhèhè.

Ik heb ze in zilverpapier verpakt. Haar tieten, bedoel ik. Ze liggen onder de romp. Hopelijk zijn er geen beesten op afgekomen.

Nee. Niet freaken. Ik heb het hol behoorlijk goed afgesloten. Om het vrij te maken heb je een olifant nodig. En die hebben we hier niet. Toch niet in het bos.

Hèhèhè.

Haar kut. Daar moet ik ook iets mee doen. Voordat ze rot wordt.

Ik bedoel maar, hoeveel kansen krijgt een mens?

Snap je?

It's a long way to Tipperary,

It's a long way to go.

It's a long way to Tipperary,

To the sweetest girl I know.

All together now!

It's a long way...

13

Bosmans was onbereikbaar voor commentaar en ook Deleu gaf niet thuis. Zijn lange neus snuffelde wellicht in het stof van de archieven, dacht Nadia Mendonck. Ze zuchtte van frustratie, vloekte hartgrondig. Dat luchtte op. Eens te meer was gebleken dat ons rechtssysteem zo lek is als een zeef en dat een gewiekste advocaat inderdaad het verschil kan uitmaken.

Tom Slootmaekers was vrij.

Zijn raadsman had een kort geding aangespannen bij de rechtbank van eerste aanleg en had zijn gelijk gehaald. De stomme procedurefout – het nieuws van de verlenging van Slootmaekers' aanhouding stond al op internet nog voordat de griffier van Bosmans het bevelschrift had laten betekenen – was ontvankelijk verklaard. Dat stond hier zwart op wit. Op het stuk papier dat Nadia Mendonck verfrommelde en weggooide. En door die stomme fout was Slootmaekers voor onbepaalde tijd, tot en met de bodemprocedure, op vrije voeten en kon hij naar hartenlust eventueel bewijsmateriaal manipuleren of laten verdwijnen.

'Fuck!' schreeuwde Mendonck. 'Fucking fucking klotelandje!'

Ze had het gevoel dat ze zou ontploffen als ze nog een seconde langer bleef zitten. Ze schoot haar jas aan en liep naar buiten. Zo gemakkelijk kwam die dikke kwal er niet van af. Desnoods was ze zelfs bereid om, totdat de heren magistraten hun flater hadden rechtgezet, te gaan kamperen voor Slootmaekers' flat. Al was het maar om te voorkomen dat hij op de loop zou gaan. Ze zou verdomme in het vliegtuig op zijn schoot gaan zitten mocht dat nodig zijn. Ondanks haar frustratie waren haar gedachten bij die twee onschuldige meisjes, argeloze slachtoffers, die nog steeds in de gevangenis zaten te verkommeren.

'Fuck! Klote fuck!'

Mendonck holde de trappen af, dook in haar Clio en scheurde weg. Ze had honger maar dat zou haar worst wezen. Tom Slootmaekers, daar ging het om. Hij was schuldig. Zo schuldig als de pest. Hij zou de dans niet ontspringen. Geen denken aan. Mendonck, de rede verstikt door woede, reed, gelukkig zonder veel erg – het was na middernacht – door het rode licht.

Een bekentenis. Dat was het enige wat nog ontbrak om de zaak af te ronden. En nu, door dat stomme voorval, moest wellicht alles worden overgedaan. Het was om tegen de muren op te vliegen.

Voor café Den Amitié parkeerde ze haar auto half op het trottoir en ze liep de Merodestraat in.

Ondanks haar voorzorgen was het alsof Slootmaekers haar komst had geroken, want toen ze de straat overstak, ging in zijn loft het licht uit. Hij was dus thuis. Dat was goed. Een geruststelling, toch.

Mendonck keek ingespannen naar het donkere raam. Ging haar fantasie met haar aan de haal, vroeg ze zich af. Toch kon ze zich niet van de indruk ontdoen dat het gordijn had bewogen. Alsof Slootmaekers op de loer lag. Ze kreeg het plots koud. Besefte dat ze op haar hoede moest zijn. Als Slootmaekers was wie ze dacht dat hij was, dan kon ze beter om assistentie vragen. Maar aan wie? Ze had geen poot om op te staan. Ze snoof en vermande zich. Overwoog om aan te bellen, maar hield zichzelf tijdig in bedwang. Het zou niks oplossen. Integendeel. Zich nu een weg naar binnen forceren zou koren op de molen van Slootmaekers' advocaat zijn.

Aan de overkant van de straat reed een klein wit autootje weg. Vreemd, dacht Mendonck, en ze kneep haar ogen tot spleten, maar de bestuurder bleef wazig. Het was te donker. Ze had het gevoel dat die auto daar al een hele tijd had gestaan. En dat ze hem al eerder had gezien. Ze had niemand op straat zien lopen noch instappen.

Mendonck, gefocust op het autootje dat de hoek omdraaide, schrok zich te pletter. Ze had de jonge vrouw die haar sleutel in het slot stak, niet horen of voelen naderen. De dertiger keek vluchtig om en knikte vriendelijk. Ze was klein en slank en haar grote borsten vloekten met de rest van het plaatje.

'Moet u, euhmm, hier zijn?'

'Nee. Dank u', zei Mendonck en ze beantwoordde het gebaar met een stugge hoofdknik en liep weg, in de war gebracht door deze onverwachte kans. Nee. Geen denken aan. Geen stommiteiten meer, dacht ze.

Een paar meter verderop, uit het zicht van de jonge buurvrouw van Tom Slootmaekers die ondertussen naar binnen was gegaan, bleef ze staan.

Het licht in de hal ging aan. Mendonck zuchtte en peuterde een steentje tussen de geribde hak van haar Dr. Martens-laarzen vandaan. Dat irriteerde haar al de hele tijd. Het was een keitje. Klein. Bijna plat. Vierkant van vorm. Mendonck keek omhoog. Naar de grauwe lucht. Een teken van boven kwam er niet. Dat kon ook moeilijk. Er was slechts grijs. Zelfs geen streepje maanlicht. Ze ademde diep in en uit.

De voordeur, voorzien van een pneumatisch scharnier, zwaaide tergend langzaam dicht. Een paar millimeter – ongeveer de dikte van een plat keitje – voordat de schoot vastklikte in het slot, blokkeerde de deur.

Toen het licht in de hal voor de tweede keer aanging, hield Mendonck, die zich had verscholen in een portiek aan de overkant van de straat, haar adem in. Tom Slootmaekers stond te drentelen in de hal. Hij had iets in zijn handen maar ze kon niet zien wat. Plots kwam de jonge vrouw opnieuw in beeld. Ze had een stapel linnengoed in haar handen, lakens vermoedde Mendonck, opgelucht dat ze niet als een kip zonder kop naar binnen was gelopen.

Slootmaekers ging op de toppen van zijn tenen staan, legde iets op de plank in de hoogte en liep daarna naar de lift. Dat de voordeur niet in het slot was gevallen, hadden ze niet door. Geen van beiden. Slootmaekers, die de vrouw galant liet voorgaan, wurmde zijn kont mee in de lift.

Pas toen het licht in het halletje voor de tweede keer uitging, liep Mendonck behoedzaam naar de overkant van de straat. Ze bukte zich, duwde de deur open en gooide het platte steentje in de goot.

Terwijl ze haar ogen liet wennen aan de duisternis, vroeg ze zich af waar ze in godsnaam mee bezig was. Ze zag dat de lift was gestopt op de derde verdieping.

Het licht aansteken durfde ze niet. Ze haalde een piepkleine Maglite uit haar handtas en richtte de krachtige straal op de plank. Het onopvallende doosje was van riet.

Mendonck bekeek de yalesleutel in haar hand. Keek vervolgens naar de deur waaruit de jonge vrouw en wellicht ook Slootmaekers waren gekomen en die vermoedelijk naar de kelder leidde. Ze ontgrendelde het slot, legde de sleutel weer in het doosje en voelde de adrenaline door haar lijf razen. Wat had die vetzak zo laat op de avond nog in de kelder te zoeken, nadat hij net op vrije voeten was? Terwijl ze de stenen trap afdaalde, hoorde ze een geluid. Een zacht ruisen. Bijna niet waarneembaar, alsof er beneden in het donker iemand was die heel erg zijn best deed om niet op te vallen. Ze doofde haar zaklantaarn en hield de adem in. Zo bleef ze een poos staan luisteren. Hoe ze zich ook inspande, ze hoorde niets meer.

Een gemeenschappelijke ruimte verdorie! De vroegere kelders van het industriële complex. En waren die tijdens de huiszoeking wel doorzocht? Waarschijnlijk niet. Hoewel. Het was niet allemaal kommer en kwel bij de politie en lang niet alle speurders waren dom. Ze groef in haar geheugen en probeerde zich het rapport van de huiszoeking voor de geest te toveren. Het lukte haar niet. Ze was te gespannen.

Het gedeelte dat toebehoorde aan Slootmaekers was wellicht doorzocht. Met die gedachte probeerde Nadia zich te sussen. Hoewel. Zeker was dat niet en vanzelfsprekend al evenmin, en als Slootmaekers iets te verbergen had, dan zou dit wel eens de ideale plaats kunnen zijn. Gemeenschappelijk en niet rechtstreeks gerelateerd aan de misdaad.

Nadia Mendonck ademde nog maar een keer diep in en uit, zich ervan bewust dat ze zichzelf aan het opjutten was, maar ze kon het niet laten. Hiervoor deed een mens het! En gaf een huiszoekingsbevel toegang tot de gemeenschappelijke ruimtes? Of had je dan als onderzoeksrechter gegarandeerd een procedurefout aan je broek?

Mendonck vloekte binnensmonds. Ze aarzelde. Had het gevoel dat er iets of iemand was. Vlakbij. Dat gevoel, zo wist ze, gekweekt in het weeshuis waar ze was opgegroeid, zou ze wellicht nooit meer kwijtraken. De angst voor naderend onheil, vanuit welke richting dan ook. Ze duwde de gedachte weg en liep naar beneden.

De ruimte was klein, ongeveer vier bij vijf schatte ze. Er waren draden gepannen. Overhoeks. Er hingen wasknijpers aan. Aan de muur waren een aantal zekeringkasten bevestigd. Verder was er niets, behalve een vuilnisblik en een versleten borstel. In de hoek lag een stapel opgebonden kranten, slordig getast. Iets verderop lonkte een donker gat. Het oefende een bijna hypnotische aantrekkingskracht op Mendonck uit. Ze schuifelde ernaartoe alsof ze erdoor aangezogen werd. Wat op haar wachtte, was een eng, naargeestig gangetje dat deze ruimte met de volgende verbond. Gebukt liep ze door het gangetje, dat met zijn afgeronde hoeken op een tunnel leek. Een konijnenpijp die naar schimmel rook, en zweterige lijven. Ze rook aan haar oksel. Net wat ze nodig had, de geur van haar deo. Dennenfris.

In de volgende ruimte stond een hoop rommel, die aan niemand leek toe te behoren. Het frame van een fiets. Stukken triplex. Piepschuim en isolatiewol, waarschijnlijk achtergelaten door de werklieden die dit pand hadden gerenoveerd. Er stond ook een grote maar stokoude stookoliebrander.

Rechts was een deur. Ze was niet op slot. Dit kamertje had een laag plafond, waardoor Mendonck het gevoel kreeg dat ze de grond in kroop. Er stonden zes wasmachines. Netjes op een rij. Lege wasmanden. Waspoeder. Aan de rechterkant was nog een deur. Aan de tegenoverliggende wand stond een werkbank tegen de muur. Met verroeste werktuigen, die, aan de laag stof te zien, in geen eeuwen waren gebruikt. Waarschijnlijk een overblijfsel uit het industriële verleden van dit gebouw.

In de hoek een brede platte diepvriezer in afgeschilferd rood met Coca-Cola erop. Ook dit collector's item was stokoud. Er lagen vergeelde tijdschriften op.

Mendonck duwde de deurkruk naar beneden en kwam opnieuw in een gangetje terecht. In deze ruimte – de onderkelderde oppervlakte leek oneindig – waren zes deurtjes. Er hingen naambordjes op. De deur van Tom Slootmaekers was verzegeld en afgespannen met plastic politielint, zag Mendonck tot haar opluchting.

Haar collega's van de technische recherche hadden, gelukkig, niets aan het toeval overgelaten.

Mendonck keerde op haar stappen terug. Opgelucht maar ook ontgoocheld. Dat wilde ze niet ontkennen. Haar ingeving was getriggerd door de stille hoop om nog wat extra bezwarend materiaal te vinden. Dat kon ze nu wel vergeten.

Ze trok de deur in het slot en hoorde het opnieuw. Dat rare geluid. Gedempte voetstappen. Toen de deur dicht was, hield het op. Alsof iemand het erom deed. Ze voelde haar borstspieren verkrampen, deed haar zaklamp uit en bleef staan, doodstil, met ingehouden adem. Boos op zichzelf, want ze hoorde niks meer.

Waarom was ze zo opgefokt? Het was waarschijnlijk de wind, die door het keldergat ruiste. En het was terwijl ze zich afvroeg of ze spoken begon te zien dat ze het hoorde. Een zacht zoemen. In de hoek.

Nadia Mendonck stak haar Maglite aan. Terwijl ze dichterbij schuifelde, gleed de straal over het afgeschilferde rood van de diepvrieskast. Ze twijfelde, duwde wat tijdschriften opzij en legde haar hand op het deksel. Ze voelde de trillingen. Binnenin. En toen ze knielde, wist ze het zeker. Die diepvriezer, dat museumstuk, zoemde. De stekker stak in het stopcontact.

Pas toen haar vingers zich om de brede rechthoekige handgreep kromden, zag ze het hangslot.

Die verdomde vrieskist was vergrendeld. Mendoncks

ogen vonden bijna onmiddellijk waarnaar ze in een reflex op zoek gingen. De zware staaldraadtang. Een been stak uit de gereedschapsbak onder de werkbank. Mendonck pakte de tang. De haren in haar nek gingen rechtop staan toen ze het slot te lijf ging. Het zou wel lukken. Tenzij het slot van gehard staal was, maar dat was het niet want de tang had geen enkele moeite met het slot, dat met een droge tik op de grond viel.

Nadia Mendonck hoorde haar adem ruisen tot diep in haar hersenen. Duizelig werd ze ervan. Met ingehouden adem lichtte ze traag het deksel op en toen de lichtcirkel in de diepvriezer gleed, sloeg ze haar hand voor haar mond om het niet uit te schreeuwen van puur afgrijzen.

***

Dirk Deleu schoof het autopsierapport met een bedacht-zaam gebaar opzij, uitermate geïntrigeerd door wat hij zopas had gelezen. Hij liet de informatie bezinken en zijn ogen fixeerden een vlekje op het behang. Niervormig, zoals de moedervlek onder de oksel van Keki Vrouwenvliet. Zijn zicht werd troebel. De vlek dijde uit. Was dat een metafoor voor dit onderzoek, vroeg Deleu zich af. Het antwoord was ja. Het had geen zin eromheen te draaien. Wat hij had ge-lezen was ronduit verbijsterend. Veel erger dan ze ooit hadden durven vermoeden.

De moord op Keki Vrouwenvliet was geen crime of pas-sion. Integendeel. De slachtpartij bleek minutieus gepland. Lang vooraf. Dat kon niet anders. Dat haar lichaam was gevonden, was een toevalstreffer en uitsluitend te danken aan een periode van nooit geziene overvloedige regenval, waardoor de aangrenzende vijver buiten zijn oevers was getreden.

Deleu herinnerde zich de woorden van zijn Franse collega met wie hij een kort telefonisch onderhoud had gehad. 'Er waren geen sporen. Geen enkel. Degene die dit heeft gedaan, was niet aan zijn proefstuk toe.' Woorden die Deleu, na het bestuderen van het autopsierapport, alleen maar kon beamen. Hoofd en handen verdwenen. Afgehakt. Bovendien werden er sporen van een detergent aangetroffen. Het lichaam van het slachtoffer was gewassen en daarna schoongespoten met een hogedrukreiniger, waarschijnlijk ergens anders dan op de vindplaats van het lijk, én: niet alleen uitwendig. Ook de vagina van Keki Vrouwenvliet was schoongespoten, of beter, stukgespoten. Evenals haar anus.

Keki Vrouwenvliet was dus hoogstwaarschijnlijk op een beestachtige manier verkracht. Urenlang. Voor of na de dood, dat was niet meer uit te maken. Wellicht allebei, dacht Deleu, en hij voelde een huivering langs zijn ruggengraat glibberen.

'Een seriemoordenaar', mompelde Deleu. Dat was het woord dat zijn Franse collega in de mond had genomen: *un tueur en série.*

Was Tom Slootmaekers een seriemoordenaar? En wie waren dan zijn andere slachtoffers? Erik Boen? Had Slootmaekers ook die moord gepleegd en geduldig gewacht op een kans om de schuld in de schoenen van iemand anders te schuiven? Het kon. Erik Boen was een forsgebouwde man. Geen frêle vrouw. Wist Erik Boen dat Slootmaekers Keki Vrouwenvliet had geliquideerd? Wellicht wel. Er was een haar van Keki gevonden in de auto van Boen. Had Boen haar proberen te waarschuwen? Was Keki bang en had ze hulp gezocht? Het kon. Alles kon. Temeer daar het alibi van Tom Slootmaekers lang niet meer zo onkreukbaar was als op het eerste gezicht was verondersteld. Bosmans had niets aan het toeval overgelaten. Hij had een rogatoire commissie naar Lecce gestuurd. Daar was zowat iedereen aan de tand gevoeld die van ver of dichtbij met Slootmaekers te maken had.

De exacte tijdsbesteding van Slootmaekers, een externe medewerker en daardoor amper op de vingers gekeken, was niet in kaart gebracht. Hij haalde strikt zijn deadlines en dat volstond. Hij werkte alleen. Op zijn eigen computer. Was niet aangesloten op het bedrijfsnetwerk. Ook de man aan wie Slootmaekers regelmatig rapporteerde over zijn vorderingen, was lang niet zeker van zijn stuk. Het gebeurde wel vaker dat er een dag werd overgeslagen. Soms twee. Hij kon het zich niet herinneren en zijn agenda bleek een puinhoop.

Het versterkte Deleus twijfel alleen maar. Hij herinnerde zich de woorden van Nadia. Pietje-precies, op het maniakale af. Ze had gelijk. Slootmaekers was methodisch, perfectionistisch, maatschappelijk geslaagd, maar bang voor gevoelens en asociaal. Waren dat tekenen aan de wand, vroeg Deleu zich af. Leed de man aan een obsessief compulsieve stoornis? Het had er alle schijn van en dat ziektebeeld paste daarenboven perfect bij het profiel van de georganiseerde seriemoordenaar, bij wie het contact met de werkelijkheid meestal niet is verstoord maar die wel ernstige problemen voornamelijk in de privésfeer ondervindt.

Slootmaekers was razend verliefd op Keki, bijna op het infantiele af, en het was dan ook niet verwonderlijk dat toen hij eenmaal besefte dat hij de controle kwijt was, hij de schuld bij het toekomstige slachtoffer legde. Met andere woorden, toen Keki Vrouwenvliet het uitmaakte, was ze virtueel dood en was het gewoon aftellen tot haar zorgvuldig georkestreerde einde.

Tom Slootmaekers een georganiseerde seriemoordenaar? Maar als dat waar was, wie had hij, abstractie gemaakt van Erik Boen, die een vervelende getuige was, dan nog meer vermoord? Bovendien was ook Boen wellicht geen doetje. Maar er is een verschil tussen een seksverslaafde en een obsessief compulsieve lustmoordenaar. Misschien wist Boen nog veel meer over Slootmaekers. Ze gingen tenslotte wel vaker samen op pad.

Kon Slootmaekers zijn vriend hebben vermoord? Wellicht wel. Deleu had de website van B-Europe geconsulteerd. In exact twaalf uur kon je, met drie keer overstappen, van Lecce in Brussel Centraal staan. Idem dito voor de terugreis. Zonder gebruik van de hogesnelheidstrein en de bijbehorende verplichting om te reserveren en jezelf te identificeren. Een gewoon treinticket, ook internationaal, kon je nog steeds cash betalen. Zonder enige vorm van identificatie.

Dirk Deleu zette zijn gsm aan. Er waren twee oproepen. Allebei van Nadia. Hij belde haar op. Het rinkelde.

Een.

Twee.

Drie keer.

***

Net voor de vierde beltoon was Nadia Mendonck er eindelijk in geslaagd om haar gsm af te drukken. Haar borst schokte op en neer en haar handen trilden. Het was Deleu maar ze durfde niet opnemen. Doodsbang was ze. Geschokt. Tot in het diepst van haar ziel. En ze wilde nog maar één ding. Hiervandaan, heelhuids. Zo snel mogelijk.

Ze schuifelde voetje voor voetje door de konijnenpijp. Met gestrekte arm, haar pistool voor zich uit. Haar andere hand hield contact met de wand. Om de drie à vier passen hield ze halt en ze probeerde haar ademhaling te controleren en te luisteren. Het enige wat ze hoorde was een zacht, pulserend geluid, alsof haar hersenen voortdurend noodsignalen uitzonden.

Ze versnelde haar pas. Als er ergens nog maar iets bewoog, zou ze schieten.

Weg. Ik moet hier weg.

Haar vingers verkrampten toen ze een oneffenheid voelden in de wand, die gelukkig niet glibberig was. Dat had ze mentaal niet aangekund.

De konijnenpijp leek eindeloos. Ze liep voorovergebogen. Had pijn in haar rug maar ze wilde haar hoofd niet stoten. Haar hoofd. Koel. Koel houden. Koel hoofd.

De opluchting was immens, niet in woorden te vatten, toen haar gekromde vingers eindelijk de ruwe bakstenen wand van de keldermuur vonden. De eerste ondergrondse kamer. Ze was er. Bijna.

Eerst was er een zacht ruisen. Daarna alleen nog pijn.

Het pistool kletterde tegen de grond.

XIV

Het is donker maar ik zie mezelf, weerspiegeld in het glas. Wat ik zie bevalt me wel. Ik knipoog. Mijn andere ik knipoogt terug. We mogen elkaar.

We hébben fouten gemaakt. Dat weet ik. En wat ik ook weet is dat ik veel geluk heb gehad dat ik er mee weggekomen ben. Maar ach, stuntelen we niet allemaal? Als we jong en onbezonnen zijn, bedoel ik. Dat is toch eigen aan de jeugd. Onderweg naar volwassenheid. Of is het volwassendom. Volwassen. Dom. Heb je hem?

Hèhèhè.

Maar goed. Het verleden is het verleden. Wat telt is het heden. Ik ben gezapiger geworden. Beredeneerder. Logisch, ik ben een heel stuk ouder nu. En een mens leert van zijn fouten. Ik probeer afstand te nemen van de dingen. Het lukt me aardig. Het is tijd.

Tijd, ja.

Waarom vraag je dat?

Ah, je bedoelt de tussentijd. Al die jaren die de brug hebben geslagen tussen mijn jeugd en volwassenheid. Niet zo veel. Vooral gedroomd. Me geconformeerd. Om niet op te vallen. Om geen zonderling te zijn. Gemakkelijk was dat niet, nee. Maar goed, dat doet er nu niet meer toe.

Mag ik verder met mijn verhaal?

Of interesseert het je niet meer?

Zeg het maar. Ik heb tijd. Tijd zat. ☺

Oké. Dankjewel.

Hèhèhè.

Mijn dorp?

Nee. Naar mijn heimat ben ik nooit meer teruggekeerd.

Gisela?

Haar lijf heb ik begraven. Toen het begon te stinken.

Nee. Ook haar graf bezoek ik niet meer. Ach. Ik heb schoon schip gemaakt. Een mens mag niet in het verleden blijven leven. Zelfs de enige tastbare herinnering, haar ovengedroogde hoofd, heb ik uiteindelijk weggegooid.

Waarom?

Omdat dat spul zo broos is dat het gewoon uit elkaar valt.

Herinner je je het oorlelletje! Dompie!

Hèhèhè.

Waar ik ben?

Nu, bedoel je?

Goh. Ik ben woonachtig in de stad nu.

Wat ik doe?

Ik heb een huis, en beroepshalve ben ik jager. Daarnaast heb ik ook nog een andere job, meer mainstream, én ik heb ook een auto, hèhèhè – weet je 't nog, die crazy tochtjes op mijn fiets?

Maar hou nu effe op met vragen stellen, wil je. Je komt het allemaal wel te weten. Later. Laten we ons nu concentreren op het heden. Het is dus, zoals ik al zei, donker. Jaja. Grijns. In mijn ziel en ver daarbuiten. Oeps. Ben in een poëtische bui.

Wat? Of ik alleen ben?

Zijn we niet allemaal alleen! Zei hij in een opwelling van melancholie, niet gespeend van enige zin voor dramatiek.

Hèhèhè.

Maar nee. Je hebt gelijk. Naast me zit een vrouw. Een prachtexemplaar. Al is ze niet al te best gemutst vandaag. Logisch wellicht. Ze zit eigenlijk niet. Ze ligt. Met haar rug op de zit van de passagiersstoel. Voeten vastgesjord aan de hoofdsteun. Allesbehalve comfortabel. Maar wel origineel. En ik wil vrij zicht hebben op haar kut. All the way. Ze schreeuwt, denk ik. Maar het gaat moeizaam. Daar is die prop katoen natuurlijk niet vreemd aan. Prima geluiddemper is dat. Moet wel opletten dat ze niet stikt. Dat zou de pret drastisch drukken. En mijn moeilijke jeugd kan ik niet meer inroepen als excuus. Haar ogen zijn expressief maar ze worden wel stilaan mat. Ze heeft geen traanvocht meer over, vermoed ik. Ze heeft het mijns inziens eindelijk door. Weet dat ze dood moet. Dat weten we allemaal.

Wie het is?

Haar naam begint met een... hèhèhè. Zeg ik lekker niet.

Geduld. Oké! Of het houdt hier op. Hier en nu. Ik hóéf dit niet te vertellen.

Goed.

Ja. Goed, goed, goed. Ik weet dat je je zult gedragen.

Hèhèhè.

Haar nagel is afgebroken. Yup. Zopas. De overgebleven nagels krassen het interieur van mijn auto stuk. Vooral het dashboard is zwaar gehavend. Met diepe krassen erin. Maar daar maak ik me niet druk over. Een auto is een gebruiksvoorwerp. Beetje zoals een vrouw. Het dient niet om te showen of om er andere mensen de ogen mee uit te steken. Het dient om te gebruiken.

Hèhèhè.

Gelukkig heb ik haar armen tussen haar benen gewrikt. Toen ze bewusteloos was, bedoel ik. Voordat ik haar in de auto heb gepleurd en haar heb vastgesjord aan de hoofdsteun.

Waarom gelukkig?

Ha.

Anders had ze op zijn minst mijn dij opengehaald met die vlijmscherpe nagels van haar. Ze is boos, weetjewel. Nee. Naakt is ze niet. Nog niet. Het is koud buiten. Ik ben toch geen onmens.

Hoe ik haar te grazen heb genomen?

Gewoon. Ik heb haar onverwachts een mep tegen haar slaap gegeven. Poef. Licht uit.

Hoe dat kon?

Gewoon. We kennen elkaar. Ze is meegegaan uit vrije wil. Simpel.

Waar ik nu aan denk?

Boh. Ik denk erg veel aan haar kut. Ook als ik af en toe mijn ogen op de weg houd. Daar ga ik iets mee doen. Met die kut, bedoel ik. Iets speciaals.

Wat zeg je?

Of ik niet bang ben?

Waarvoor?

De flikken!

Zeg, hallo! Toch niet hier. Kijk om je heen. Op dit uur. En pikkedonker. Ik zie ze van ver komen. Of staan. Nee, maak je geen zorgen. Trouwens, we rijden helemaal binnendoor. Er is een verschil tussen voorzichtigheid en paranoia. Daar ben ik ondertussen wel uit.

Jaja. Natuurlijk. Op het publieke traject, de grote weg zeg maar, lag ze in de kofferbak. Denk je dat ik gek ben of wat?

Waarom ik haar niet in de koffer laat liggen?

Omdat ik dan een deel van de pret moet missen. Een belangrijk stuk. Het voorspel. Haar angst. Ik wil hem proeven.

Luister. Relax. Maak je geen zorgen. Ik heb dit traject al verschillende keren afgelegd. Jaja. 's Nachts. Ik laat niks meer aan het toeval over. Ik heb zelfs een hogedrukreiniger bij me.

Jaja. In de kofferbak.

Wat ik nog meer heb meegenomen?

Een mes.

Uiteraard.

Hèhèhè.

Je bent veel te nieuwsgierig.

Je wilt het echt weten?

Oké.

Doe je ogen dicht.

Laten we een spelletje doen. De Allerslimste Mens Ter Wereld. Zoiets.

Ja.

Oké. Beeld je in dat je op een verlaten weg rijdt. Het is steenkoud. Drie uur 's nachts. Naast jou ligt een vastgesjorde teef. Vrouwelijk, mannelijk,

236

maakt niet uit. *Ze heeft in haar broek gepist. Van pure miserie. Je wilt met haar spelen. Straks. Daarna maak je haar af.* En hoewel dat een goede daad is – jaja, geloof me maar –, toch ga je je een beetje triest voelen als het voorbij is. *Als ze dood is. Zo gaat dat. Neem het van me aan.* Toch is er nog geen man overboord. *Want je kunt nog altijd met haar spelen. Voordat je haar finaal in stukken hakt, bedoel ik.*

Ben je nog mee?

Oké. Je gaat dus opnieuw met haar spelen. Anders nu. Deze keer is het een heel andere look and feel. Ze is passief. Biedt geen weerstand meer. Ze is helemaal van jou. Nog warm. Ja. Enfin. Lauw.

Nee. Neeneenee.

Maak je geen zorgen.

Niemand gaat je betrappen. *Een hut. Laten we het daarop houden.* Oké. Honderd procent safe. Geen huis in de buurt. Er komt niemand. Nee. Ook geen vrijende stelletjes.

Auto?

Onze auto, bedoel je?

Geen probleem. Die parkeren we uit het zicht. In het donker.

Hallo! Vergeet die auto nu! Daar zorg ik voor. Ik heb zelfs vier nieuwe banden besteld.

Maar goed. Ben je eindelijk zover? Concentreer je. *Je gaat twee keer met haar spelen. Misschien drie keer. Uren aan een stuk als je dat wilt.* Dat laat ik aan jouw fantasie over. Maar daarna volgt onherroepelijk het minder prettige gedeelte. *Het lijk moet verdwijnen. En, ja, je moet het lijk onherkenbaar verminken.*

Waarom?

Wel. Niet dat iemand haar echt gaat missen. Maar stel, worstcase-scenario, dat ze toch op zoek gaan en dat ze de stoffelijke resten vinden. In dat geval moet je ervoor zorgen dat identificatie uitgesloten is.

Nope.

Er mogen geen sporen zijn. Niet van haar. Noch van jezelf.

Spannend. Ik weet het.

Hou ze dicht. Je ogen. Dichthouden.

Oké. Je kent de opdracht.

Nu de vraag. De quizvraag.

Wat heb je mee? In de kofferbak? Tadaaa!

Wat? Wat zeg je?

Een schop? 't Zal wel zijn. Maar goed. Correct. Eén juist antwoord.

Wat?

Pervert!

Of je het hoofd mag houden?

Tuurlijk mag je dat.

Ze is van jou.

Helemaal van jou.

Maar, remember, geen gedoe met de oven. Er zijn nog andere manieren om vlees te conserveren. Hèhèhè.

Goed. Genoeg. Zoek het zelf maar uit.

Waarom je er de mensheid een dienst mee bewijst?

Dat zoek je ook zelf maar uit.

Waarom vraag je het haar niet?

Hèhèhè.

Nu kan het nog.

Nu wel.

Ze is nog niet dood.

Jaja. Ik ga een levend wijf stukneuken. Voor de eerste keer.

Hèhèhè. Het moest er toch ooit van komen.

Wat?

Ah ja, de quizzzz!

Oké. Een schop. Dat was een prima antwoord. En een hogedrukreiniger. En een mes.

Prima! Nog twee.

Twee juiste antwoorden en je mag naar de volgende ronde.

De klok tikt. Nog zeven seconden.

Zeven seconden voor twee juiste antwoorden.

Waanzinnig spannend is dit.

Toch?

14

Dirk Deleu, eindelijk terug thuis na zijn ommetje, keek op zijn horloge. Het was kwart over drie en Nadia was er niet. Op kantoor was ze evenmin en in Mechelen was het publieke leven allang uitgedoofd. Ook haar auto had hij niet gezien, althans niet in buurt van hun flat, al hoefde dat niet te betekenen dat de Clio er niet was. De parkeerplaatsen waren schaars.

Deleu liep naar de kapstok en probeerde zich te herinneren welke jas Nadia vanochtend aanhad. Steeds dezelfde. Dat gifgroene ding, elegant, maar flinterdun.

Hopelijk heb je het niet koud. Dat was zijn eerste gedachte. Daarna ging hij op zoek naar sporen van menselijke aanwezigheid. Er waren er geen. Was ze thuis geweest om iets te eten, vroeg hij zich af. Hij had haar de hele dag niet gezien, een bewuste strategie waar hij zich nu schuldig over voelde, maar als Nadia Mendonck pissig was, dan kon je maar beter andere oorden opzoeken. En toch, de voorlopige invrijheidstelling van Slootmaekers – een van die typische tegenslagen die hijzelf had leren te relativeren – had haar immens teleurgesteld.

Deleu kreeg de keukentafel in het oog en wist nu heel zeker dat Nadia hier sinds vanmorgen niet meer was geweest. Hij was als laatste vertrokken en zijn broodplank en beker stonden nog op tafel. Die zou ze op het aanrecht hebben gezet. Zonder erover te zeuren. Ze vergaf hem het verzuim, liefdevol en tolerant, maar wel met één wenkbrauw opgetrokken, waardoor er een kuiltje in haar wang kwam. Alleen al daarvoor zou je die beker en die plank laten staan, dacht Deleu en hij glimlachte. Hij miste haar.

Hij drukte nog maar een keer het nummer van Nadia. Deze keer kreeg hij zelfs geen bezettoon. Slechts de melding dat het toestel zich buiten bereik van het netwerk bevond. Vreemd. En heel verwarrend, want bij de vorige twee oproepen was Deleu op de voicemail terechtgekomen.

Hoewel de verwarming aanstond, kreeg Dirk Deleu het plots ijzig koud.

Wat was er aan de hand?

Dirk Deleu keek naar het telefoontoestel in zijn hand en zag zijn vingers op eigen houtje het nummer van Jos Bosmans intoetsen.

Veel later – Deleu had ondertussen tevergeefs het ontwakende Mechelen doorkruist – was hij bij Proximus en bestudeerde hij samen met Jos Bosmans, die vannacht al zijn duivels had ontbonden, Nadia's recente gsm-verkeer.

Haar telefoon had aangestaan. Ze was de hele dag op kantoor geweest. Behalve rond negen uur 's avonds. Toen was ze even naar buiten geweest. Een twintigtal minuten. Waarschijnlijk om ergens gauw een snelle hap te halen. Omstreeks middernacht was ze vertrokken op kantoor. Ze was niet naar huis gereden, maar naar het centrum van Mechelen. Daar was ze zowat een uur of twee gebleven. Daarna was het signaal weggevallen. Wat Deleu opviel in dit verhaal was dat het signaal was uitgevallen dicht bij de oorsprong van haar gramschap. Bosmans snoof.

'Dat is in de buurt van...'

'...de flat van Slootmaekers', vulde Deleu aan.

Toen de twee wegliepen, keek de technisch analist van

Proximus met gemengde gevoelens de ruggen van die twee lastige flikken na.

***

Tom Slootmaekers, die het pistool had opgeraapt, hield de bezemsteel voor zich uit. Strak en dreigend. Nadia omklemde haar pols en beet op haar tanden om het niet uit te schreeuwen. Niet alleen haar pols en haar arm ook haar hele schouder leek in brand te staan. Ze week terug. De konijnenpijp in. Een andere optie was er niet. Slootmaekers, die met lege ogen voor zich uit staarde, leek niet van plan om te wijken. Integendeel. Hij kwam haar achterna. 'Het heeft geen zin', zei Mendonck. Zo neutraal mogelijk. 'Mijn collega's weten waar ik ben.'

'Ah ja, waar blijven ze dan zo lang?' siste Slootmaekers en hij snoof en ontblootte zijn tanden.

Nadia Mendonck zweeg maar toonde geen emoties. Dat was de beste strategie, want ze had het gevoel dat Slootmaekers kracht putte uit haar angst. Ze was bang. En al zeker na haar ontdekking in de diepvriezer. Toch wist ze dat ze vooral geen angst mocht tonen. Dat was net wat hij wilde. Ze week achteruit. Op de tast. Hier in deze konijnenpijp had ze geen enkele kans tegen deze massieve brok frustratie. Haar linkerhand was nog steeds gevoelloos.

'Jullie moeten me met rust laten! Hoor je! Me met rust laten!'

'Ik heb de indruk dat het andersom is', zei Nadia en ze schrok van haar woorden. Dat die nog zo neutraal uit haar mond rolden. Een half mirakel was het. Elke knook in haar lijf leek gekraakt. Slootmaekers verroerde niet. Begreep niet wat ze bedoelde. 'Ik heb de indruk dat jij het bent die mij heeft aangevallen.'

'Wat doe je hier!'

'Ik wilde je het goede nieuws persoonlijk komen vertellen. Ik ben naar binnen gekomen samen met een buurvrouw van jou', loog Nadia. Ze gleed uit de claustrofobische konijnenpijp. Eindelijk. Eindelijk lucht. 'Dat had ik niet moeten doen. Akkoord. Maar ik moest dringend plassen. Heb blijkbaar de verkeerde deur genomen. En toen ging het licht uit. Spijtig misverstand.'

'Mis-ver-stand', mompelde Slootmaekers en hij leunde tegen de muur.

'Ja. Maar ik kan er begrip voor opbrengen. Het zijn moeilijke weken geweest. Voor ons allemaal. Laat me gaan en we vergeten dit incident. Beloofd.'

'Welk goed nieuws?'

'Dat je definitief buiten vervolging bent gesteld.'

Slootmaekers kon zijn verbazing niet verbergen. Hij begon net niet te hijgen. Het gaf Mendonck hoop, die ze dadelijk zelf fnuikte met de woorden: 'We hebben de echte dader te pakken.'

'Je liegt!' schreeuwde Slootmaekers en zijn ogen spuwden vuur.

Slootmaekers kwam los van de muur. Hij richtte het pistool op Mendonck.

'Doe geen domme dingen. Doe dat pistool weg!'

'Weg! Weg van de deur. Teef!'

Nadia Mendonck week terug, totdat haar rug de muur raakte. Haar pistool was geladen. Veiligheidspal eraf.

Slootmaekers begon te ijsberen. Maar hij hield haar nauwgezet in het oog. Pas nu realiseerde Nadia Mendonck zich dat het deksel van de diepvriezer nog openstond. Slootmaekers bleef stilstaan. Staarde naar de grond. Naar het doorgeknipte slot. Zijn hoofd draaide een kwartslag. En toen gebeurde het onvermijdelijke. Hij liep ernaartoe. Naar de diepvriezer. Mendonck overwoog de sprong. Ze deed het niet. Bleef verkrampt zitten. Ze had geen schijn van kans. Niet met een lamme arm.

De ijzingwekkende schreeuw vulde de hele ruimte en het leek of hij nog secondelang bleef nagalmen, tot er slechts een schril gefluit overbleef, althans in Mendoncks oren. Toen Slootmaekers zich omdraaide was zijn gezicht bloedrood, alsof hij zichzelf voor het hoofd had geschoten. Er kronkelden dikke blauwe aders onder zijn vel. Zijn mond ging open en dicht. Zonder klank.

'Smeuhhh...'

De loop van het pistool kwam langzaam omhoog. Mendonck slikte. Keek in het zwarte gat. Was het dit? Was het echt dit maar...? De gedachte bliksemde haar laatste greintje weerstand genadeloos dood. Haar hoofd tolde.

'Smerige bitch! Dus dat ben je hier komen doen!'

Mendonck begreep die woorden niet. Kon ze niet kaderen. Ze had slechts oog voor Slootmaekers, die traag dichterbij kwam. Nadia wilde in een reflex van zelfbehoud haar handen beschermend voor zich uit steken. Haar rechterarm wilde niet mee. Slootmaekers pakte haar ruw bij de kraag en duwde haar de konijnenpijp in. Ze struikelde twee, drie keer maar slaagde er als bij wonder in om rechtop te blijven.

'Nadia. Nadiaa!' schreeuwde Deleu. Twee seconden later plukte hij met een verdwaasd gezicht een houtsplinter uit zijn wang en staarde naar het bloed aan zijn vingertop en het gat in de deur. Het was Jos Bosmans die hem een harde por gaf en hem wellicht zo het leven redde en toen de tweede kogel het glas van de liftkooi aan diggelen sloeg, was de chaos compleet.

Een hysterische Tom Slootmaekers sleurde Nadia bij de haren de konijnenpijp in. Ze trappelde met haar voeten met de tranen in haar ogen maar het had geen zin. Ze vond geen grip, verloor een schoen. Kermde van de pijn toen Sloot-maekers haar ruw tegen de grond kwakte. Hij schreeuwde iets wat ze niet kon verstaan. Nog half doof van de twee schoten die vlak naast haar hoofd waren afgevuurd.

Tom Slootmaekers ging gehurkt tegen de muur zitten. Radeloos. Met zijn handen in zijn haar. Hij wiegde heen en weer. Toen zijn gsm begon te rinkelen, leek dat niet echt tot hem door te dringen. Pas bij de tweede oproep, ongeveer een minuut later, haalde hij het toestel uit zijn zak. Hij drukte het tegen zijn oor. Keek met lege ogen wezenloos voor zich uit. Zijn gezicht vertrok tot een zure grimas.

'Klootzak. Smeerlappen. Als jullie hier een poot binnen-zetten, schiet ik haar kop van haar lijf! Begrepen!'

Het bleef stil. Er hing speeksel aan de mondhoeken van Slootmaekers en zou zijn borst niet op en neer zijn gegaan, dan had je kunnen denken dat hij dood was.

'Ik bén er nog!' schreeuwde Slootmaekers en de woorden gaven hem de energieboost die hij nodig had. Nadia Mendonck voelde haar borst tintelen. Dirk! Dirk was er. Ze probeerde het hoofd koel te houden. Ze observeerde. Probeerde haar kansen in te schatten.

'Nee. Ik kom niet naar buiten. Jullie gaan weg. Nu! Anders... anders...' mompelde Slootmaekers en hij verbrak de verbinding. Zag hij het hopeloze van zijn zaak in, vroeg Mendonck zich bang af. Overwoog hij om te capituleren? Moest ze dat bewustwordingsproces proberen te stimuleren? Maar hoe?

***

Het had, ondanks de politie-escorte, toch nog een halfuur geduurd, maar nu was ze er eindelijk. De moeder van Tom

Slootmaekers, onderweg gebrieft, stond te trillen op haar benen. Deleu streelde over haar schouder. Er zat medeleven in dat gebaar, hoewel hij dat helemaal niet voelde. De moeder van Slootmaekers mobiliseren was voorlopig hun beste en wellicht enige optie, had hij samen met Bosmans beslist. Het pand bestormen had geen enkele zin. Er was slechts één toegang en kelderramen waren er niet. Als Slootmaekers de controle over zichzelf verloor, had Nadia niet de minste kans.

Deleu zocht oogcontact met de moeder van Slootmaekers. Hopelijk had het hoopje ellende enige invloed op haar zoon. Hopelijk wel.

'Je weet wat je gaat zeggen', zei Deleu en hij liet de vrouw zijn gsm zien. Ze knikte, maar haar ogen stonden afwezig. Deleu tikte traag het nummer in, zette de luidspreker aan en legde het toestel in de hand van de vrouw. Het rinkelde drie keer.

'Tom?'

Het bleef stil

'Tom, jongen?'

'Ma?'

'Ja, jongen.'

'Ma? Wat doe jij hier!'

'Je moet naar buiten komen, jongen. Alsjeblieft. Kom naar buiten. Ze doen je geen kwaad. Dat hebben ze beloofd. En je moet niet bang zijn. Ik ben er ook. Jongen?'

Een onheilspellende stilte was het enige antwoord.

Deleu beet van spanning op zijn duimnagel. Hij kon alleen maar aan Nadia denken. Plots wist hij waarom hij geen medeleven voor deze vrouw voelde. Hij haatte haar, deze vrouw die vaag naar viooltjes rook en een monster had gebaard.

'Tom?'

'Ze willen me erin luizen, ma. Ga weg!'

'Tom?'

Deleu vloekte binnensmonds toen de verbinding werd verbroken.

De loop van het pistool was nu zo dichtbij dat hij wazig werd. Nadia Mendonck voelde het koude metaal op haar lip. De vorige keer was ze gered door de telefoon. Deze keer was er geen redding meer mogelijk. 'Je kunt hier wegkomen', hijgde ze. De loop tikte tegen haar tanden.

'Hoe?'

'Met mij als levend schild', zei Mendonck. Toen Tom Slootmaekers de loop traag uit haar mond trok, kneep ze haar ogen stijf dicht. 'Eis een auto. We rijden weg. Honderd kilometer desnoods. Dan stap ik uit. Mijn gsm gooien we weg. Ze kunnen ons niet opsporen. Jij bent vrij. Je kunt de trein nemen. De grens over. Ik heb geld. Je mag mijn kredietkaart hebben. De code is vier drie negen...'

'Zwijg!'

'Je kunt me ergens vastbinden, als je dat...'

'Zwijg!'

Hoe meer mensen zich ermee kwamen bemoeien hoe nerveuzer Dirk Deleu werd. Pas bij de derde toon realiseerde hij zich dat zijn gsm rinkelde. Toen hij 'Slootmaekers' siste, was het in één klap doodstil.

'Ik wil een auto. Met een volle bak naft. Nu!'

'Wat bedoel je?' vroeg Deleu.

'Ik kom naar buiten. Met jouw liefje. We rijden weg. Samen. Als er iemand, eender wie, ons volgt, schiet ik haar kop aan flarden.'

Klik.

Deleu keek om zich heen. De Merodestraat zag blauwer dan de zee. Zelfs de burgemeester van Mechelen was er. En de pers. Een helikopter van de nieuwsdienst cirkelde boven de daken. Ramptoeristen werden op een afstand gehouden, al ging dat moeizaam.

Een tiental minuten later was het eb en was al het blauw geweken. Ook de pers was verdwenen. Zelfs het luchtruim was maagdelijk blank. De civiele bescherming had ook de harde kern van de ramptoeristen een eind teruggedrongen, maar in rook opgegaan waren ze niet. Tegen dat lage menselijke trekje om kracht te putten uit de misère van anderen, had zelfs Jos Bosmans geen remedie. Hij kon toch moeilijk heel Mechelen laten ontruimen? Ze hadden geen tijd te verliezen.

Deleu had zopas telefoon gekregen van Barbara, zijn ex. Ze had ondanks alles te doen met Nadia. Het had Deleu, een gevoelsmens, diep geraakt. Maar nu was het kwestie van bij de zaak te blijven. Tom Slootmaekers wilde slechts met één mens onderhandelen.

Dirk Deleu.

De kelderdeur ging langzaam open en het eerste wat Deleu zag, was de vlezige hand van Tom Slootmaekers. De vingers strak om de keel van Nadia Mendonck, die lijkwit zag. Toen ze Deleu zag, glimlachte ze en ze sloot haar ogen. Spreken lukte niet. Niet met de loop van haar eigen pistool in haar mond.

'Achteruit!'

Deleu volgde het bevel op en liep traag naar de stoep. Zoals een krab. Zonder Nadia één seconde uit het oog te verliezen. Slootmaekers kwam achter hem aan. Schuifelend. In de deuropening bleef hij staan. Hij keek nerveus van links naar rechts en daarna naar de auto. Een witte Fiat Uno.

'De sleutel zit in het contact', zei Deleu, krampachtig, ondanks zijn ambitie om neutraal te klinken. Ontembare woede. Ze welde op van diep in zijn buik.

'Achteruit!' schreeuwde Slootmaekers.

Deleu zette een paar passen terug. Tom Slootmaekers liep naar de auto en bleef staan. Hij keek naar binnen. Plots liep hij weg. Met Nadia voor zich uit. Snel. Weg van de auto. Deleu, koud gepakt, begreep er geen snars van. Slootmaekers had blijkbaar andere plannen. Bij de eerste zijstraat bleef hij staan. Roerloos. Bosmans was erin geslaagd de Merodestraat mensenvrij te krijgen en zo Slootmaekers de vrije doorgang te verlenen. Maar alle zijstraten blokkeren was blijkbaar nog steeds niet gelukt. Geüniformeerde agenten probeerden het gewriemel in goede banen te leiden. Toen Slootmaekers stijf de hoek omdraaide, kwam Deleu in beweging. Hij holde naar de hoek van de straat.

Slootmaekers zette een paar wankele passen maar bleef dan staan. Zijn schouders schokten. Alsof hij ontwaakte uit een diepe trance.

Daar stond ze. In het midden van de straat. Ze was erin geslaagd zich los te maken uit het gewoel. Ze had een slagersmes in haar hand. Haar naam was Jannie Goegebuer. Ze was doodop. Had twee dagen en nachten op de uitkijk gestaan. In haar witte autootje. Ze kwam in beweging. Liep naar Slootmaekers toe.

Nadia Mendonck proefde bloed toen de loop van het pistool ruw uit haar mond werd getrokken. Slootmaekers hief zijn arm. Nadia rook zijn zweet. Hij mikte op Jannie Goegebuer. Mendonck hapte naar lucht. De hand van Slootmaekers zat als een bankschroef om haar keel. Ze stikte. Plantte haar voeten stevig op de grond en gooide haar hoofd in haar hals. Ze hoorde iets kraken. Het schot verbrijzelde de ruit van het hoekhuis.

Deleu strekte zijn arm. Mikte. En toen Slootmaekers in elkaar stuikte, keek hij verbaasd naar de loop van zijn pistool. Er kwam geen rook uit. Witte noch zwarte. Verdwaasd realiseerde hij zich dat een van de sluipschutters had gevuurd. Jannie Goegebuer leek vastgevroren aan de grond. Mendonck knielde. Ze ondersteunde het hoofd van Tom Slootmaekers.

Toen Deleu dichterbij kwam, zag hij hoe de ogen van Slootmaekers braken. Hij hoorde zijn laatste woorden. 'Erik... Erik...heeft...alles...'

Nadia Mendonck bleef gehurkt zitten. Deleu staarde haar aan. Het duurde seconden lang. Toen hij haar in zijn armen nam, voelde hij hoe haar spieren zich ontspanden.

'Hij... hij heeft het niet gedaan, Dirk.'

'Waarom niet?'

'De diepvriezer... Hoe hij... de diepvriezer...'

'Sstttt... Stil', zei Deleu en hij klemde Nadia's hoofd tegen zijn borst en streelde haar nek. Het was Jos Bosmans die de magie verbrak. Deleu staarde zijn vriend aan, schaamde zich niet voor zijn tranen. Waarom zou hij ook.

Bosmans hielp Nadia Mendonck mee overeind en begeleidde haar naar een klaarstaande ambulance.

'Kom. Kom nu maar.'

Nadia klampte Bosmans aan.

'De kelder... de diepvriezer...'

Jos Bosmans knikte. En uit de manier waarop hij op zijn lip beet, kon Mendonck opmaken dat hij al op de hoogte was. Deleu keek hem vragend aan. Bosmans duwde hem de ambulance in. Hij keek de ambulance na zonder die echt te zien. Als in trance. Wat hij echt zag, het beeld dat hij niet, en waarschijnlijk nooit meer, uit zijn gedachten kreeg, was het diepgevroren hoofd van Keki Vrouwenvliet in de rode afgeschilferde diepvrieskast.

XV

Ze weet het niet. Maar ik zie hem. Ik kan hem zelfs ruiken. Damp. Hij wasemt uit haar lijf. Alcohol en geiligheid. Hete sloerie. Ik ga je likken. Helemaal aflikken. Van boven naar onder, van achteren en van voren. En dan, dan als je helemaal slap bent, ga je ze voelen. De hitte van mijn kloten en de kracht van mijn stoten. En dan zijn er nog m'n vingers. Ik knijp. Blijf knijpen. Totdat je darmen uit je strot puilen. Hmmm. En dan... en dan... Ik scheur je middendoor. Je scheur. Ik scheur je scheur middendoor.

Hèhèhè. Rustig. Rustig blijven. Moet m'n kop erbij houden Of beter. Hèhèhè. M'n hoofd.

Ze kijkt maar ziet me niet. Net zoals jij trouwens. Alsof ik van glas ben. Ze voelt me maar weet niet waar ik ben. Of dát ik er ben. Of wie ik ben. Ik ben nergens en overal.

Kijk.

Kek kek kekkekkek...

Maar kijk dan!

Daar heb je hem weer. Die hoerige tic. De spieren in haar kuiten trekken strak. Ze zet kracht op haar hiel en duwt zo haar kont achteruit. Hopla. Actie en reactie. Kont achteruit. Tieten vooruit. Dat deed ze thuis ook. Dat doet ze de hele tijd. Om mannen te lokken. F'cking hete slet.

Wie ze is?

Hèhèhè. Dat gaat je niet aan. Het doet er ook niet toe. Vers vlees is ze. Vlees van topkwaliteit dat ik zorgvuldig heb geselecteerd.

Wat ze aanheeft?

Hm.

Haar jurkje is dun. Veel te dun voor de tijd van het jaar. Ze gaat het koud krijgen. Straks. In dat griezelige donkere bos. Vol krullend schaamhaar. Hèhèhè... Of ze alleen is?

Nope.

De dikke, haar vriendin, staat op. Eindelijk. Daar heb je de poppen aan het dansen. Ze zet haar keel open, mijn schatje voor één nacht. Schreeuwt zich schor. Tegen die lelijke witte made. Ze heeft temperament. In haar hals klopt een ader. Sexy. Ik wou dat ik er op kon duwen. Nu al. Duwen en blijven duwen. Totdat het vel wit wordt.

Miss Piggy blaast haar wangen op. Ze lijkt niet van zins om de strijd al op te geven.

Voze, vette, stinkende kikker! Blaaskaak! Maak dat je wegkomt!

Ja! Yesss! Ze heeft het begrepen. Ze graait haar handtas van tafel. Ze gaat ervandoor. Pisnijdig. Here Jezus. Wat een kont. Haar platte schoenen doen de grond daveren.

Bam! De deur trilt na in de sponning. De ruit vliegt bijna uit de rotte kozijnen. Dat wijf is sterk. Blij dat ze weg is.

Oei, oeioeioei'kes.

Mijn schatje trekt een pruillip. Verdomd sexy hoe ze met haar lijkwitte tanden een sigaret uit het pak trekt! Zou ze dezelfde vorm hebben. Dezelfde textuur.

Wat!

Haar kut, natuurlijk. Heeft die dezelfde vorm als haar dikke zuiglippen, die zich wellustig om de filter sluiten?

Pijpen! Pijp me! Slet!

Ze snuift. Zou ze stiekem aan de sneeuw zitten? Nee. Daar heeft ze het geld niet voor. En evenmin de connecties. Jaja. Ik ken haar. Ik heb mijn huiswerk gemaakt. Zijn het traantjes misschien? Ochgod, ochhere. Ze staat op. Damn. Ze komt mijn richting uit. Oeps, effe opzij kijken. Bukken. Veter strikken. Ze mag me niet herkennen. Nog niet.

Waarom niet?

Dat ga je dadelijk merken.

Sssttt!

Hier is ze. Vlakbij. Ik ruik haar. Mijn hart bonkt tegen mijn ribben. Ze wenkt de kelner. Oeps. Zuipschuit. Nog zo'n gifgroen drankje. Ga je nog zatter worden? Ik wil niet dat je in mijn nek kotst.

Ik kijk naar de grond. En wacht. En wacht. En als ik heel eerlijk ben, moet ik toegeven dat net dát me de grootste kick geeft. Ze heeft mooie bruine teentjes. Ze heeft een beetje lak gemorst. Aan de linkerkant van haar dikke teen. Kortgeknipte nageltjes. Daar hou ik van. Haar kuitspieren trekken strak. Haar tieten suizen weg van de bar, gevolgd door haar kont.

Jaja, je hebt gelijk. Mooie kont. Mooi...mooi...mooi. Niet te dik en niet te mager. Benieuwd wat dat straks gaat geven. Verbazingwekkend dat ze al dat lekkers in dat niemendalletje geperst krijgt. Maar het is haar gelukt. Daar is duidelijk over nagedacht. Ik hou wel van intelligente vrouwen. Ze moeten het beseffen. Beseffen dat ze hoeren zijn. Allemaal.

Dellen!

Citybirds in a tree, fighting for every branch, dropping poisoned shit!

Ik heb goed gegokt. Ze kiest voor dat smoezelige hoekje, een metafoor voor haar luizige leven. Staar maar, schatje. Staar maar door die smerige ruit. Staar naar jezelf. Pijn aan het zieltje. Alleen op de wereld. Je hebt alleen nog mij.

Oeps. 't Wordt eigenlijk al wat laat. Bijna sluitingstijd. Ik mag niet opvallen. En mijn raid al evenmin.

Tijd voor wat actie.

Mijn keel is droog. Eerst nog een slok. Voilà, leeg. Nu het delicaatste. Ik laat het lege glas in mijn schoot zakken en veeg het grondig schoon met de onderkant van mijn T-shirt. Sper mijn vingers open en druk mijn nagels tegen de binnenkant van het glas.

Tik. Het staat op de toog. Vuil vanbinnen maar schoon vanbuiten. Een metafoor voor mijn eigen leven. Hèhèhè.

Wat zeg je? Je vindt dat ik overdrijf!

Zou best kunnen. Maar wat jij denkt zal me worst wezen. Je moet het maar meemaken dat zo'n pummel van een barman alleen de binnenkant van dat glas spoelt. En ik kan mijn leven toch niet van zo'n luizig stuk onbenul laten afhangen? Je leert het nog wel. Ik loop alvast naar de deur. Niet te snel. Niet te traag. Ik blijf staan. Kijk om. Ze kijkt op.

Een... twee... prijs!

'Hoi!'

Ik ga dichterbij. Het wit van haar ogen is lichtroze en zit vol rode groeven, barsten, wormen. Ze knijpt ze dicht tot sexy spleten. Verdomd professioneel. Ze scant me. Alsof ik een stuk vlees ben.

Filet pur, schatje.

Hèhèhè.

Het puntje van haar tong kruipt tussen haar lippen. Het glinstert. Rood en heet. Zoals de punt van mijn mes. Straks. Later. Veel later.

'Kennen wij elkaar?'

Ja, hautaine teef. Wij kennen elkaar. Ik heb je al twee weken in mijn vizier.

'Goh. Ik hmm... Ik vermoed van wel. Maar ik weet zeker dat ik je...'

'Praatjes! Heb je een auto?'

Ja. Een lijkwagen. Hèhèhè.

'Ja. Waarom?'

Ze zwijgt. Kijkt in mijn hoofd. Denkt dat ze in mijn hoofd kan kijken. Wat daar allemaal ligt te broebelen en te gisten. Je wilt het niet weten, schatje. Echt niet. Ze drinkt. Aan de rand van haar glas kleeft lipstick. Ze herkent me. Ik voel het. Nu gaat het komen. Ze fronst haar wenkbrauwen.

Wat kom jij hier doen? Dat gaat ze vragen. Let op mijn woorden.

'Wat doe jij hier?'

Zie je wel. Mijn psychologisch doorzicht is fenomenaal. Magistraal. Uniek!

'Ik? Niks speciaals. Babbeltje doen. Pintje drinken. Zoals iedereen. Ik kies meestal voor dinsdag of zoals vandaag, woensdag.'

Ze kijkt me stom aan. Weet niet goed wat te zeggen. Logisch. Het is niet echt een fabuleuze fenomenale gespreksopener. Toch is het geen leugen. Op dinsdag en woensdag, Champions League-dagen, maak je het meeste kans om in gelegenheden als deze een vrouw alleen te treffen. En dan nog meestal een vrouw die zich te pletter verveelt. Ze kijkt me aan. Zoals een koe naar de slachter kijkt. Hèhèhè.

'De typische uitgangsdagen, zoals donderdag en vrijdag en het weekend, spreken me minder aan. Ik vind het dan te druk. En te gemaakt plezant. Jij?'

'Gast. Luister. Ik ben moe. Voer me naar huis, wil je?'

'My pleasure.'

Ik maak een sierlijke kniebuiging. Dat had ze niet verwacht. En jij ook niet.

Geef toe!

Ze kijkt. Ik voel het. Aan de haartjes in mijn nek. Zien kan ik het niet, want ik loer vanuit mijn ooghoek naar de bar. Met gebogen hoofd. Maar ik weet het. Hoe ze kijken, bedoel ik.

De barman, die lullige pukkelsmoel, is zich van geen kwaad bewust. Het kan hem ook geen barst schelen. Da's het voordeel van de grote stad. Iedereen bemoeit zich met zijn eigen zaken. Zalig is dat. Trouwens. Hij kan ons niet zien. Ook niet in de spiegel achter de bar. Ik weet het. Zoals ik ook weet dat hier geen camera's hangen. Dan was ik hier toch niet!

Hèhèhè.

Ze pakt haar handtas. Wankelt op haar stiletto's. Ik steek mijn arm uit. Dit is niet het moment om op je bek te gaan, schatje. Haar scherpe nagels dringen in mijn huid. Pijn.

Lekkerrr.

'Ik... ik moet...'

'Niks, schatje. Niks moet. Alles mag.'

Dirk Deleu tuurde ingespannen door het oculair van de stereomicroscoop. Hij had er geen flauw benul van waar die rode en blauwe vlekjes voor stonden. 'De blauwpaarse zijn grampositieve en de rode gramnegatieve bacteriën', verduidelijkte wetsdokter Van Grieken met een dunne stem. 'Let ook op de hoge concentraties.' Toen alles begon te schemeren en de vlekken in elkaar vloeiden, gaf Deleu het op. Hij wreef in zijn vermoeide ogen en keek de politiearts aan, hengelend naar een verklaring. 'De blauwe zijn stafylokokken, de rode zijn chlamydia trachomatis, neisseria gonorrhoeae en last but not least, meningokokken!'

Deleu, hondsmoe, kon er geen touw meer aan vastknopen en dat zijn rode ogen smeekten om een verklaring, besefte hij niet eens meer.

'Moordenaars, stuk voor stuk. Maar ik bespaar je de details', zei de wetsdokter en hij maakte een kwartdraai, militaire stijl, en liep met stroeve passen naar het hoofd van Keki Vrouwenvliet, ontdooid en uitgestald in een steriele kast met doorsteekhandschoenen. De aanblik was afschuwelijk. De slappe huid was, ondanks Keki's bruine huidkleur, onnatuurlijk bleek. Met roodbruine vegen en kneuzingen. Uit de oogkassen – de ogen ontbraken – sijpelde een roodachtig waterig vocht. De wetsdokter wees naar een slijmerige gele vlek op de wang. 'Hier woonden ze, onze kleine vriendjes. In dit pus.'

Van Grieken maakte opnieuw een kwartdraai, zette zijn brilletje met fijn montuur af en zocht oogcontact. 'Dat is allesbehalve uitzonderlijk. Wat wel opmerkelijk is, is dat de huid volkomen gedeshydrateerd is en nog amper vocht bevat. Maar wat me nog het meest zorgen baart, zijn, zoals ik al zei, de gigantisch hoge concentraties beestjes.'

'Dokter? Waar wilt u eigenlijk naartoe?' vroeg Deleu nerveus en hij ging zitten. En opnieuw verzitten. Zijn rug deed pijn, alsof hij geradbraakt was. Hij wist wel beter. Stress was het. Pure, ongefilterde stress, die zich had opgehoopt ter hoogte van zijn wervelkolom.

Van Grieken kwam broederlijk naast Deleu zitten. Een gemoedelijke geste waar je de wetsdokter zelden op zou betrappen. Hij duwde zijn vinger tegen zijn lip, bedachtzaam, alsof het verwoorden van zijn gedachten een explosie zou kunnen veroorzaken.

'Naar huis eigenlijk', zei Van Grieken en er kon een zuinige glimlach vanaf, gedomineerd door de diepe rimpel in zijn voorhoofd. 'Wat ik bedoel, inspecteur Deleu, is dat het net dat vocht in de huid is waarin ze het best gedijen. Het is een rijke voedingsbodem voor bacteriën, die zich bovendien slechts kunnen vermenigvuldigen en groeien bij kamertemperatuur.'

'Dus u bedoelt...'

'Inderdaad. De reden waarom men vlees niet opnieuw mag invriezen is omdat de bacteriën bij invriezen niet afsterven.'

Deleu sloot zijn ogen. Nadenken lukte niet meer. Toch was de verduidelijking van de wetsdokter niet meer nodig.

'Dit hoofd is tientallen keren ontvroren en daarna weer ingevroren.'

***

Wandelroute "De Dellen"

Het stond hier zwart op wit. Hier. Op deze wegwijzer, halfverscholen tussen het groen. Geen twijfel mogelijk. Nadia Mendonck wreef in haar ogen, alsof ze het nog steeds niet kon geloven. Ze vervloekte zichzelf. In stilte. Maar daarom niet minder gemeend.

Dat ze dat bij haar eerste bezoek niet had gezien! Was ze langs een andere route gekomen, vroeg ze zich af. Ze wilde het graag geloven. Maar het excuus sneed geen hout. Zo groot was Berg en Terblijt niet en bovendien denkt een gps niet na.

Nadia kwam pas bij haar positieven toen een fietser voorbijreed. De man met de rossige baard – het archetype van de doorsnee Berg en Terblijtenaar – keek vluchtig maar daarom niet minder nieuwsgierig achterom en hobbelde het bospaadje in.

De Dellen waren dus geen hoeren maar een natuurgebied. Dat besef sterkte haar alleen maar in haar overtuiging, hoewel ze de enige overblijvende believer was. De enige die nog geloofde in de onschuld van Tom Slootmaekers. Daar waren de laatste woorden van de man niet vreemd aan en vooral de manier waarop hij ze had uitgesproken.

'Erik', had hij gestameld, met grote, ongelovige ogen. Ogen die niet begrepen hoe het zover had kunnen komen. Ogen die de hel hadden gezien. En dan was er ook nog zijn, op zijn minst, bizarre reactie toen hij in de diepvriezer het hoofd van Keki Vrouwenvliet had ontdekt. Tom Slootmaekers was even onthutst geweest als Nadia zelf. En die reactie was niet gespeeld. Kon niet. Niet onder de gegeven omstandigheden en midden in een gijzeling.

Het had Nadia aan het denken gezet. Ze had haar aanvoelen proberen te delen met Deleu, die niet van haar bed was weg te slaan. Hij had geduldig geluisterd, dat wel. Maar hem ervan overtuigen dat ze misschien vanaf het begin op de verkeerde jacht hadden gemaakt, was Nadia niet gelukt. Deleu, doodmoe, had haar gevraagd om het allemaal wat te laten bezinken. En hij had haar op het hart gedrukt om alsjeblieft een broodnodige rustpauze in te lassen en voor een keer te luisteren naar de wijze raad van een man. Namelijk de psycholoog bij wie ze in het ziekenhuis in behandeling was.

Toen zijn gsm had gerinkeld en Deleu met duidelijke tegenzin gevolg had gegeven aan het verzoek van de wetsdokter en was weggegaan, had zij precies hetzelfde gedaan. Ze had haar kleren bij elkaar gescharreld en had in stilte haar kamer verlaten.

Het eerste wat ze had gedaan na de vlucht uit haar claustrofobisch kleine ziekenhuiskamertje was nog een keer gaan praten met de moeder van Tom Slootmaekers, drie kamers verderop. Met in haar handtas een foto van Erik Boen. Deze keer had de vrouw de man op de foto wel herkend.

Boen was een keer bij haar langs geweest, herinnerde ze zich en wat ze zich eveneens herinnerde was dat haar zoon, die Boens auto had zien stoppen, doodsbang voor hem was geweest. Tom had zijn moeder gesmeekt om zijn aanwezigheid niet kenbaar te maken. Het gesprek met Boen was kort geweest. Iets in de zin van:

'Is Tom hier?'

'Nee. Die komt hier niet vaak. Is hij niet thuis?'

'Nee.'

'Moet ik hem een boodschap overbrengen?'

'Je bent er zeker van dat hij hier niet is?'

'Nee, hij is hier niet.'

'Als hij me het geld niet geeft dat hij me schuldig is, dan is zijn briljante carrière voorbij. Zeg hem dat maar.'

Dat was het einde van het gesprek geweest. Erik Boen had de hele tijd geglimlacht en was weggelopen voordat de verbaasde moeder van Slootmaekers had kunnen reageren. Ze had haar zoon over het voorval geïnterpelleerd, maar hij had niets losgelaten. Beweerde dat het leugens waren en dat hij met die man niets uit te staan had.

Kort nadien was haar zoon beginnen te reizen voor zijn werk. Ze had nooit begrepen waarom, beweerde de vrouw, maar toen was ze in snikken uitgebarsten. Helemaal kapot.

Nadia, die had aangevoeld dat er meer was, was geduldig blijven wachten. Totdat de aap inderdaad uit de mouw kwam. De moeder van Slootmaekers had haar vastgeklampt en haar gezegd dat die vreselijke beelden niet in de media mochten komen.

Nooit!

Toen Nadia haar was blijven aankijken, was het eruit gekomen. Mondjesmaat. Met horten en stoten.

Ze had de memorystick gevonden in haar brievenbus, een dag of vijf nadat Boen was komen aanbellen. Haar zoon was diezelfde dag voor de eerste keer op zakenreis vertrokken naar het buitenland. De memorystick bevatte een filmpje. Het had haar de adem afgesneden. Ondanks de erbarmelijke kwaliteit van de beelden was haar Tom duidelijk herkenbaar. Hij droeg een pamper, zoals een baby. Was verwikkeld in een soort van bondage-act. Met een donkere vrouw. Het was afschuwelijk gênant. Ze had de memorystick vernietigd en de resten doorgespoeld in de wc. Verbijsterd. Ze had er nooit met Tom over gepraat. Met niemand eigenlijk.

Toen Mendonck haar had gevraagd om die zwarte vrouw te beschrijven, was de moeder van Slootmaekers dichtgeklapt. Ze was beginnen te beven, alsof ze dadelijk opnieuw in shock zou gaan. Nadia had op de rode knop gedrukt en had zich uit de voeten gemaakt. Dat die donkere vrouw Keki Vrouwenvliet was, daar twijfelde ze geen seconde aan. Slootmaekers had zich voor schut laten zetten en zich onsterfelijk belachelijk gemaakt. Keki had alles gefilmd. Of wellicht was het Erik Boen geweest, want hoe kwam hij anders aan dat filmpje? Of allebei. Wie precies wat had gedaan, zou helaas nooit meer opgehelderd kunnen worden. Feit was: een van beiden, wellicht Keki, had Slootmaekers onder druk gezet. Waarschijnlijk om de man, professioneel een bolleboos maar op sociaal vlak een onbeholpen sul, geld uit zijn zak te kloppen. Slootmaekers had Keki vermoord, alleen of met de hulp van Boen, waardoor hij uiteraard nog meer onder druk kwam te staan. Vandaar dat Boen naar eigen goeddunken kon beschikken over Slootmaekers' flat. Een privilege dat ook hij uiteindelijk met de dood had moeten bekopen.

Ja. Wellicht was het zo gegaan. Al kon ook die hypothese niet, en waarschijnlijk nooit meer, hard worden gemaakt, toch leek het de enig logische gang van zaken.

En toch. Wie was wie in dit bizarre verhaal? En wie was Erik Boen echt? Hij had geen strafblad in België. En evenmin in Frankrijk. Dat had Nadia uitgezocht. Maar hoe zat dat met Nederland? Dat terrein was onontgonnen, besefte ze. En had Slootmaekers hem uiteindelijk omgebracht? Een mens in nood maakt rare sprongen. Nee. Nadia dacht van niet. Niet na haar wedervaren in de kelder van Slootmaekers' flat. De waarheid, zo besefte ze, lag hier. In De Dellen. In Berg en Terblijt. In dat onooglijke gehucht waar iedereen iedereen kende maar niemand iemand vertrouwde. En juist daarom de biotoop waarin een seriemoordenaar prima gedijt.

Nadia Mendonck startte haar Clio en draaide de hoofdweg op. Ze zou het raadsel ontsluieren. Hier en nu.

Het nieuws van haar komst had zich blijkbaar alweer razendsnel verspreid, want de deur van het ouderlijk huis van Erik Boen ging al open nog voordat Mendonck op de bel kon drukken.

Yolande Stuyck stond in de deuropening. Toen ze zich zonder een woord te zeggen omdraaide en het donkere gangetje inliep, leek ze op een standbeeld dat tot leven was gekomen. Mendonck trok de deur dicht, liep de vrouw achterna en ging ongevraagd zitten. In een oude, krakkemikkige schommelstoel.

Yolande Stuyck leunde met haar rug tegen de voorraadkast. Ze vertrok geen spier en toch voelde Mendonck dat er iets fout zat.

'Was hij van hem?' vroeg Mendonck

'Wat? Van hem?'

'Dit', zei Mendonck en ze zette kracht op de bal van haar voeten. De schommelstoel wiebelde krakend op en neer.

'Van je man?'

'Ja.'

'Hoe is hij eigenlijk gestorven?'

'Hartaanval.'

'Het spijt me.'

'Jij hebt er niks mee te maken', zei Yolande Stuyck laconiek en ze ging eindelijk zitten. Op een keukenstoel. Bedaard. Op het randje. Ze dronk een slok water.

'Wie dan wel? Wie heeft er wel iets mee te maken?'

Yolande Stuyck zette het glas met een té luide tik op tafel, maar zweeg.

'Had het te maken met Erik?' drong Mendonck aan.

Yolande Stuyck taxeerde haar met halfdichtgeknepen ogen.

'Wat wilt u eigenlijk van mij?'

'Ik wil uw zoon beter leren kennen.'

'Mijn...'

'...zoon is dood. Dat weet ik. Dat hebt u me de vorige keer al verteld', zei Mendonck en ze richtte zich op. Dat was een bewuste zet. Ze wilde indruk maken. Boven de moeder van Erik Boen uittronen. 'Maar ik wil graag weten hoe hij was toen hij nog leefde. Toen hij nog kind was.'

'Hij was een kind zoals een ander.'

'En naarmate hij opgroeide?'

'Normaal. Beetje schuw. Onopvallend.'

'Niet opvliegend?'

'Nee.'

'Nooit?' hield Mendonck aan.

'Nee.'

'Waarom hebt u dan die zware sloten op de deur van uw slaapkamer gemonteerd?'

'Omdat ik alleen ben', zei Yolande Stuyck en ze stond stroef op. Ze draaide zich om. Dat deed ze om haar gezicht te verbergen, dat grauw was. Vaal, zoals de lucht, vlak voor een wolkbreuk. Toen ze zich vastklampte aan het aanrecht, hoopte Mendonck dat het eindelijk zover was. Dat de vrouw haar breekpunt had bereikt en zou gaan praten.

'Het is mijn schuld. Ik ben onvruchtbaar.'

Dat was niet de reactie die Mendonck verwachtte. Ze had gehoopt op een smeuïge bekentenis, dat kleine Erik dol was op het folteren van insecten en zich onledig hield met bizarre experimenten en rituelen die het daglicht niet verdroegen.

'Wat is uw schuld?' probeerde Mendonck nog, maar toen de vrouw een afwerend gebaar maakte, wist ze dat dit gesprek was afgelopen nog voordat het goed en wel was begonnen.

XVII

Ze ligt eindelijk in bed. Helemaal slap nu. Helemaal van mij.
Eindelijk.
Eindelijk ga ik mijn verloofde neuken. In een echt bed. Ben wel moe.
Moet effe op adem komen. Geen lachertje, zo'n slappe brok vlees de
trappen op dragen.
Dood?
Nee. Tuurlijk niet. Ben je gek. Nog niet. We moeten er samen door.
Door het hele proces. Daar hebben we het toch al over gehad. Voor ze
doodgaan is er hun grenzeloze angst. Daar wil ik van genieten. Met
volle teugen. Daar kan en mag geen twijfel over bestaan. Het is de kern
van mijn zijn. Maar deze keer moet ze ook meegaand zijn. Niet de hele
tijd tegenstribbelen. Bang, maar dan slaafs bang. Snap je? Vandaag
benader ik eindelijk de perfectie. Ik ben er helemaal klaar voor.
Wat?
Je zit nog met een vraag?
Hm. Shoot.
Of het doden van een mens mij geen schuldgevoel geeft?
Hèhèhè. Tuurlijk niet. Waar kom je nu weer mee aanzetten? Een
dronken chauffeur, kanker, de pest, de duivel, ikzelf. Wat doet het
ertoe?
Trouwens. Ze zijn immers niet dood. Niet echt. Ik koester de herinne-
ring, veel loyaler dan hun familie of vrienden of welke geliefden dan ook.
Die bouwen een korte periode van, al dan niet gemeende, rouw in, bak-
keleien nog wat na over de erfenis en dan is het voorbij. Ik niet. Ik bewijs

hun de eer die aan hen toekomt zolang ik leef. Vraag dat maar aan mijn exen.

Hèhèhè.

Hoe?

Gewoon. Ik ga dan op de grond zitten. In extase. Met mijn ogen dicht en dan denk ik zo intens aan hen dat ik ervan beef. Ik begin te zweten, alsof ik veertig graden koorts heb, en soms lopen de tranen over mijn wangen van de ingehouden emotie. Ik word meestal ook hard. Maar dat komt later. Het is moeilijk om uit te leggen. Heel moeilijk. Je moet het van dichtbij meemaken.

Maar laten we bij het heden blijven. Pluk de dag.

Beginnen?

We zijn toch bezig!

Hoe het komt dat ze bewusteloos is?

Gewoon. Ik heb haar gedrogeerd. Met paddenstoelen deze keer. Veel beter dan die verrekte slaappillen. Dat is zo'n irritante zwart-witmethode. Ofwel slapen ze niet en dan bieden ze te veel weerstand óf ze slapen en dan moet ik noodgedwongen een paar stappen overslaan en lijkt het alsof je een dooie neukt al van het begin.

Nu?

Ze slaapt niet. Maar ze is ook niet weerspannig. Ze zweeft.

Waar?

Ergens tussen mijn lul en het bed. Hèhèhè. En ik heb zo'n flauw vermoeden dat dat nog een hele tijd zo gaat blijven. Ze is dus nog niet dood. Nog lang niet. Als ze zich een beetje gedraagt tenminste.

Waar we zijn?

In de chique loft van mijn vriend. Tommeke. Niet mis, hé! Kerel verdient geld als slijk.

Waarom hij dat toestaat?

Pfft. Omdat hij mijn vriend is. En omdat hij geen keuze heeft.

Waarom?

Omdat die bitch uit zijn leven is natuurlijk. Ze chanteerde hem, de dwaze verliefde kloot. Enfin. Dat heb ik hem doen geloven. Ik, de klusjesman weetjewel, was het die de verborgen camera in zijn flat heb gemonteerd. Die bitch wist nergens van.

Hoe? Je weet niet over wie ik het heb! Je herinnert je toch nog onze nachtelijke rit, mag ik hopen?

Ja, die ja. In de auto. Met haar voeten aan de hoofdsteun gesjord. Dat was ze. Kaka, of Kika of zoiets. Het liefje van Tommeke. Het is trouwens dankzij mij dat hij haar heeft leren kennen. De onhandige knurft.

Wat? Of hij het weet? Tommeke!

Tuurlijk! Hoe kon ik hem anders naar mijn pijpen laten dansen. Omdat ik het vuile werk voor hem heb opgeknapt. Hij was maar wat blij.

Wat? Wat vraag je?

Ah! De quiz. Hèhèhè.

Tof dat je dat nog weet. Bon. Effe denken. Als ik het me goed herinner, dan hadden we de schop, de hogedrukreiniger en het mes. Right!

Oké.

Wat had je zelf gedacht?

Inderdaad. Prima gok. Er was een fles krachtige industriële ontstopper. Ja. Die heb ik over wat restte gegoten.

Condooms?

Nee. Fout! Dan had ik toch die hogedrukreiniger niet moeten meezeulen.

Waarom?

Om haar kut schoon te spuiten natuurlijk. Ik heb je toch gezegd dat er geen sporen mochten achterblijven.

Ach, ga weg. Safe sex. My ass!

Als ik haar neuk, ik bedoel als ze van mij is. Ja, dood, ja! Dan is ze ook helemaal van mij. Dan hebben we een relatie. Intiem en uniek. Ja. Dan is ze mijn muze. Dan heb ik haar oneindig lief. Dan bedrijven we de liefde. Echt. Puur! Condoom. Bah!

Jaja, al goed.

Excuses aanvaard.

Een hakbijl.

Prima! Proficiat!

Maar hey, kom op, echt moeilijk was dat niet. Je hebt het vast in de krant gelezen. Van dat onthoofde lijk met de afgehakte handen.

Wat zeg je? Met het mes!

Hèhèhè.

Grapjas. Je moet het maar eens proberen. Echt waar. Met een vleesmes een hand afsnijden. Dwars door het polsgewricht. Bijna onmogelijk is dat. Geloof me maar. En als je me niet gelooft, probeer het dan zelf. Of vraag het aan je slager. Die gasten zijn wel wat gewend.

Wat ik ermee heb gedaan?

Haar handen bedoel je? Van Keki?

Gewoon.

Weggegooid.

In het water. In een plastic zak. Verzwaard met stenen. Die vinden ze nooit meer terug. Nee, zelfs met geen autobus vol helderzienden.

Waarom niet?

Dat water... hèhèhè... dat water is zo troebel als de pest, man! Een vis ziet er zijn eigen stront niet meer in.

Hèhèhè.

Je ziet het. Wat de quiz betreft. Maak het toch allemaal niet zo complex! Is toch helemaal niet zo spectaculair.

Gewone gebruiksvoorwerpen heb je nodig. Een plastic zak, een grote, voor het hoofd, en een kleinere voor de handen. En een emmer, natuurlijk.

Waarom?

Hèhèhè.

Om het bloed op te vangen, tiens.

Wat?

Ja. Uiteraard!

Natuurlijk heb ik het hoofd bewaard.

Hoe?

In de oven, zeg je?

Ben je gek!

Denk je dat ik een kind blíjf, of wat!

Ik had het toch al gesuggereerd! Blijf alsjeblieft bij de zaak, wil je.

Ik heb een diepvriezer. Enfin, Tom heeft een diepvriezer.

Hèhèhè.

Waarom?

Gewoon. Ik laat het ontdooien en dan vries ik het weer in.

Na gebruik, ja, natuurlijk. Wat dacht je? Dat ik mijn lul in die brok bevroren vlees wrik?

Djeezes.

Pervert!

Of het goed bewaart?

Boh! Gaat wel. Ik vreet het niet op, hé. Al begint het nu wel stilaan slijtage te vertonen. Ja. Je moet niet lachen. Als ik ertegenaan ga, dan ga ik ertegenaan!

Ja. Er is die weeë geur telkens als het weer eens een keertje ontvroren is. En er loopt dan van dat rode slijm uit.

Nee. Niet uit de nek. Die heb ik dichtgeschroeid. Dat was trouwens nog een ontbrekend antwoord. Een snijbrander. Maar goed. De quiz is verleden tijd.

Ah? Dat slijm?

Bwah. Ja. Je kent het wel. Dat zoekt zijn weg, hé. Sijpelt uit zowat alle gaten. Ja. Mond, neusgaten, oren, ogen, enfin, oogkassen, want de ogen zijn verdwenen.

Hoe dat komt?

Geen idee. Ben nog altijd geen kraan in biologie. Jij? Ik vermoed dat ze op een dag gewoon leeggelopen zijn. Oogvlies zegt plop. Zoiets.

Kijk. Kek kek kek kek kek.

Maar kijk dan toch!

Je ziet het niet! Blinde mol! Ja. Natuurlijk. Ze beweegt. Wow!

Hmm. Ik wil haar een tong draaien. Maar ik durf niet. Da's dan weer het nadeel als ze niet echt slapen.

Ja! En wat als ze bijt! Stel dat ze bijt! Stel! Wat dan? Wat doe ik als ik thuiskom? Hè! Dachhh Aimée sjjcattje, heb eeuhn plobeuhplolleempje!

Ach, hou toch op. Geen probleem. Die tong draaien dat kan wachten.

Straks. In het bos. Als ik ze doodgemaakt heb. Ossentong, vrouwentong; 't is allemaal even lekker.

Oké. Geen tijd meer te verliezen. Hmm. Broekje glijdt vlotjes langs haar dijen. Oepsa. Intiem geschoren. Hmm. Mijn vingertjes dartelen langs haar bruine schaamlipjes. Zie je ze. Trip trip trip. Ze zijn zwart, bijna zwart. Duim aan één kant, wijsvinger aan de andere. Stevig aandrukken. Yep. Nu komt het. Kutje openspreiden.

Oohhh.

Waanzinnige kleurenpracht. Mijn ogen doen er pijn van. Zo mooi roze vanbinnen. Hmm. Wat hou ik toch van onze multiculturele samenleving! En dat contrassstttt. En hoe dat glittert en glimt en glinstert. Mijn tong hangt al uit mijn bek. Ik krijg hem niet meer dicht. Verdoofd, ben ik. Ik voel me een slak. Een intieme naaktslak. Hmm. God, wat smaakt dat lekker.

Hmm.

Hmmmm.

Hij zit erin. Hij zit er helemaal in. Ik ben het aan het doen. In een echt bed met een echte vrouw.

Hmmm. Zachtjes pompen. Oh man! Zalig!

Hmmm.

Nee. Neeje. Shit! Niet nu. Lul. Snel. Eruit. Merde. Hmmm. Erin. Duw hem erin. Snel. Neeje godverdommeeuhhh. Arghhhh!

Damn! Te snel. Veel te snel!

Fuck!

Vuile hoer!

Daar ga je voor boeten.

Godverdomme, wat een miserie.

Die gatverdamse keukenrol. Waar heb ik die gelaten? O man. Die ben ik vergeten.

Lach niet.

Niet lachen zeg ik je!!!

Oeps.

Ben jij dat?

Jij dan?
Mulatje? Mijn schatje?
Wat is dat dan, godverdomme?
Hoor je 't niet.
Dat geluid!
Voetstappen.
Fuck!!
Er is iemand! Op de trap!
Fuck!
Ze moet hier weg.
Nu.
Heeft iemand me gezien? De flikken.
Merde!
Teef!
Rotte teef!
Heb je me verraden?
Egoïst!
Egoïstische trut!
Ze moet weg. Moet hier weg.
Nu!
De achterdeur!
De slip!
Die ligt nog op bed!
Hebbes!

De gepensioneerde onderwijzeres zag eruit als een gepensioneerde onderwijzeres. Ze praatte honderduit over haar leerlingen, van wie ze de meeste nog bij naam kende. Ook Erik Boen, die ze had omschreven als een stille, ietwat stugge jongen. Nadia Mendonck luisterde gedwee. Nu er eindelijk iemand op de praatstoel zat, wilde ze de kans niet laten voorbijgaan. Terwijl ze het dacht, viel de woordenvloed stil. De onderwijzeres nipte van haar kamillethee en keek vriendelijk over de rand van haar leesbril. Ze was blijkbaar door haar anekdotes heen.

'Is er ooit iets gebeurd op school dat niet helemaal koosjer was?' vroeg Mendonck.

'Abstractie gemaakt van het obligate kattenkwaad dan?' riposteerde de onderwijzeres. Ze praatte uitermate beschaafd, hoewel niet geaffecteerd. Sans rancune ook. Hoewel haar rol in deze minigemeenschap duidelijk aan belang had ingeboet, was er geen spoortje zelfbeklag te ontdekken in haar discours. Alsof ouder worden haar niet deerde. Nadia mocht de vrouw wel.

'Ja. Abstractie gemaakt van het kattenkwaad.'

'U bedoelt iets gebeurd met Erik?'

'Ja. Maar ook in het algemeen. Het is zo kalm hier, en vredig, maar is dat ook echt zo?'

Het bleef een hele tijd stil en je hoorde de onderwijzeres

als het ware graven in de rijkgevulde tunnels van haar geheugen. Toen er een diepe rimpel in haar voorhoofd verscheen, wist Nadia dat ze beet had.

'Er is ooit een meisje verdwenen', zei de onderwijzeres. Ze slikte moeilijk, alsof het haar schuld was. Daarna probeerde ze het voorval te bagatelliseren. 'Maar dat weet u vast wel.'

'Nee, toch niet.'

'Heel spijtige zaak. Ze is spoorloos verdwenen. Van de ene dag op de andere. Ze is op school vertrokken langs haar gebruikelijke route maar is nooit thuis aangekomen. Er is nooit meer iets van haar gehoord. Of iets teruggevonden. Heel, heel erg pijnlijk. Haar ouders zijn er onderdoor gegaan. Allebei. Ook Erik was daar erg van onder de indruk. De andere kinderen trouwens ook. Wij allemaal. Maar je leert zoiets, hoe vreselijk ook, een plaats te geven. Je moet wel. Maar Erik leek wel verdwaasd. Dat herinner ik me nog. Alsof hij op een andere planeet zat. Wekenlang. En het was al zo'n stille jongen.'

'Wie was dat meisje?' vroeg Mendonck en ze vertikte het om nonchalance te veinzen. Ze ging op de punt van haar stoel zitten. Dit was een nieuwe ontwikkeling. En wat voor een.

'Rina Valk. Ze zat bij mij in de klas.'

'Heb je iets speciaals gemerkt aan haar? Die dag?'

'Nee. Echt niet. En ook niet de dagen ervoor. Rina was een gelukkig kind. Een flapuit. En ook thuis waren er geen problemen.'

'En Erik?'

'Wat bedoelt u?'

'Kende hij haar?'

'Ja. Ze zaten in dezelfde klas.'

'In dezelfde klas? En hadden die twee een speciale band?'

'Goh. Nee. Dat zou ik niet durven beweren. Erik was nogal op zijn eentje.'

'Hadden ze ruzie. Een vete? Zijn er ooit woorden geweest?'

'Nee. Ze jende Erik wel af en toe. Dat wel. Maar Rina droeg, zoals ik al zei, het hart op haar tong. Ze jende iedereen wel een keertje. Het was allemaal vrij onschuldig.'

'Wat is dat, vrij onschuldig?'

'Goh. Je weet hoe kinderen zijn.'

Mendonck antwoordde niet meteen.

'Je hebt er zelf geen?'

'Jawel. Twee. Rob en Charlotte. Maar laten we het liever over Erik hebben.'

'Goh. Zoals ik al zei. Een gesloten boek. Je had er weinig vat op. Maar hij bezorgde je ook nooit overlast. Zijn ouders waren ook stille mensen. Het zal in de genen zitten waarschijnlijk.'

'Dat betwijfel ik', antwoordde Mendonck. 'Erik Boen is geadopteerd.'

Deze informatie was overduidelijk nieuw voor de onderwijzeres. Ze zei: 'O,' en trok één wenkbrauw op maar dan heel hoog, 'dat wist ik niet.'

'Dat wist hier blijkbaar niemand', zei Mendonck.

'Waarom denkt u dat?'

'Omdat als iemand het weet, iedereen het weet', merkte Mendonck fijntjes op.

'Ja. Daar heeft u een punt', beaamde de onderwijzeres. 'Wat is er eigenlijk gebeurd met Erik? We hebben gehoord dat hij dood is. Maar de details kennen we niet.'

'Erik Boen is vermoord. We hebben de moordenaar nog steeds niet te pakken. Daarom kom ik hier mijn licht opsteken. Graven in het verleden. Begrijpt u?'

'Ja. Dat begrijp ik, maar ik vrees dat ik u niet kan helpen.'

'Is er iemand die dat wel kan?' vroeg Mendonck.

Hier moest de onderwijzeres heel diep over nadenken. 'Er is misschien nog wel iets', zei ze ten slotte. 'Iets waar Erik bij betrokken was. Lang geleden. De overbuurvrouw van Erik Boen is aangerand geweest. Met een mes. In haar slaapkamer. Erik, die de overvaller naar buiten had zien vluchten, heeft haar gevonden.'

'Was ze dood?' vroeg Mendonck. Blij dat ook kleine dorpjes onder vreselijke geheimen gebukt gaan.

'Nee. Daar gaat het hem nu net om. Ze beweerde dat het Erik was die haar had neergestoken. Tenminste, dat werd hier gefluisterd. In het dorp, bedoel ik. Erik is daar uitgebreid over ondervraagd. Hij heeft zelfs een tijdje in een gesloten jeugdinstelling gezeten toen. Enfin. Dat gerucht deed de ronde. Veel is daar toen niet over uitgelekt.'

'Maar hij is nooit veroordeeld?'

'Nee. Dat denk ik niet. Hij is hooguit een maand niet op school geweest.'

'En de overbuurvrouw?'

'Ze heeft de aanslag overleefd.'

'Ken je haar naam?' vroeg Mendonck met een verhit aangezicht en haar notitieboekje al in de aanslag. De douche was ijskoud.

'Ze is dood.'

Mendonck wist het even niet meer. Ze sloeg haar boekje dicht.

'Ze was oud?'

'Nee. Ze is om het leven gekomen in een vreselijke brand. Een dag nadat ze uit het ziekenhuis was ontslagen. Hoeveel tegenslag kan een mens hebben?'

'Omgekomen in een brand! En was er kwaad opzet in het spel?'

'Nee. Ze heeft meer dan een maand in het ziekenhuis

gelegen. Ze was nog zwak toen ze naar huis mocht. En vreselijk in de war. De brand is ontstaan in haar slaapkamer. Ze rookte veel. Ook in bed. De expert vermoedde dat ze in slaap was gevallen. De brandende sigaret heeft de rest gedaan.'

'En Erik?'

'Wat? Erik?'

'Is hij ooit een verdachte geweest?'

De onderwijzeres dronk haar kopje leeg. Mendonck kon zich niet van de indruk ontdoen dat haar stemming plots was omgeslagen. Hoe praatgraag ze was in het begin van het gesprek, zo stil was ze nu. Ze frommelde een zakdoekje uit haar mouw. Veegde haar lippen droog. Nam haar tijd.

'Ik weet het niet. Ik denk het niet.'

'Maar je bent er niet zeker van?' drong Mendonck aan.

'Misschien is er wel iemand die u een eind op weg kan helpen. Onze wijkagent. Hij is met pensioen nu.'

***

'Ach, mevrouwtje. Met pensioen of niet met pensioen. Het maakt weinig verschil uit. Hier gebeurt nooit wat.'

Nadia Mendonck ging nerveus verzitten. Ze observeerde Franciscus Olyslager, in de volksmond Sus, en bedacht dat hij hetzelfde beroep had uitgeoefend als zijzelf. Het was een verdomde schande dat die doorgezakte klomp vlees met zijn jeneverneus zich ooit politieman had mogen noemen. Hij bleef beweren dat er nooit wat was gebeurd. Weigerde elke medewerking en wees haar met zijn lodderogen gewoon de deur. Ook nu ging hij moeilijk verzitten en probeerde hij haar duidelijk te maken dat ze maar best kon opkrassen.

'Hebt u liever dat ik wegga?' zei Nadia Mendonck kordaat en ze richtte zich stroef op.

Olyslager zei niets. Zijn waterige ogen vertelden alles. Ze straalden een emotie uit die je maar al te vaak tegenkwam in dit beroep. Zelfmedelijden. Mendonck walgde ervan.

'Ik kom natuurlijk wél terug. Met mijn collega's.'

'Wat...'

'Officieel! Je krijgt een rogatoire commissie op de hals en dan doen we alles volgens het boekje', blafte Mendonck. 'Als je dat liever hebt. Ik dacht, we praten onder collega's, maar zo werkt het hier blijkbaar niet. Ook goed. Tot ziens!'

'Blijf... zitten', stamelde Olyslager. Zijn arm hing slap over de leuning van zijn stoel. Zijn nerveuze vingers prutsten aan de loszittende biezen van de zitting.

Mendonck staarde de man aan.

'Alstublieft.'

Mendonck ging zitten. Sloeg haar benen over elkaar en wachtte.

'Wat wilt u weten?'

'Alles.'

'Vraag maar.'

'Eén. Er is een kind verdwenen. Rina Valk. Ze zat in de klas van Erik Boen. Twee. Zijn overbuurvrouw is aangevallen met een mes en Boen, verdacht van die aanslag, heeft een maand in een gesloten jeugdinstelling gezeten. Die aanslag, bestaat daar ergens een neerslag van? Een pv? En Erik Boen? Kan ik zijn strafblad inkijken?'

'De officier van justitie heeft de zaak geseponeerd. Bovendien was Erik Boen nog geen zestien toen de feiten zich voordeden. Je krijgt in Nederland pas een strafblad als je ouder bent dan zestien.'

'U bent een vakman. Proficiat. Daarna, toen de overbuurvrouw was ontslagen uit het ziekenhuis, is ze omgekomen in een woningbrand. Voordat ze kon getuigen in de rechtbank. Daardoor is Boen vrijuit gegaan. Is het niet? Maar hier gebeurt nooit wat. Ik houd mijn hart vast voor de dag dat er wel iets gebeurt.'

De gepensioneerde wijkagent staarde naar zijn smoezelige pantoffels. Zijn dikke duimen cirkelden om elkaar. 'Is er nog iets wat ik vergeet?' gooide Nadia, arrogant, nog wat olie op het vuur.

'Ja', zei Sus. Zonder opkijken.

Mendonck ging op het puntje van haar stoel zitten.

'Er is nog een ander meisje verdwenen. Ze was ouder. Ze...' mompelde Olyslager en hij viel stil. Nadia hield haar mond.

'Niemand weet dat hier.'

'Maar jij wel.'

'Ja. Ik wel. Die affaire heeft Eriks vader het leven gekost. Hij was mijn vriend. Mijn enige vriend', zei Franciscus Olyslager en zijn ogen stonden droef. 'Maar het was te laat toen. Toen hadden we het al verkloot!'

'Wat? Verkloot! Spreek toch op, man!'

'Dat meisje is op een avond bij mij geweest. Ze wilde een klacht indienen. Tegen Erik.'

'Waarom?'

'Omdat hij haar verkracht had. Tenminste, dat beweerde ze. Ze had een rok meegebracht, en een broekje.'

'Een broekje?'

'Ja. Met ingedroogd sperma. Van Erik. Beweerde ze. Hij had haar bedwelmd. Met limonade. Beweerde ze. Daarna had hij haar proberen te verkrachten.'

Nadia Mendonck hapte naar adem. *Bedwelmd.* Het woord weergalmde in haar hersenen. 'En? Geloofde je haar?'

Het duurde een hele tijd voordat Sus 'ja' knikte. Er zat geen greintje energie meer in de man.

'Ik ben beschaamd. Nu wel. Maar ik dacht aan de vader van Erik. Een brave man. Mijn beste vriend', mompelde Sus en hij keek op, zocht bevestiging. Nadia keek hem staalhard aan. Ze had moeite om haar neusvleugels stil te houden. 'En die mensen waren marginalen. Die... Ach, laat maar. Ik... ik... ik heb toen de verkeerde keuze gemaakt. Dat geef ik toe. Ik heb geen pv opgemaakt. Althans niet officieel. En het broekje heb ik laten verdwijnen. Ik wilde die zaak toedekken met de mantel...'

'Het stinkend potje!'

'Wat?'

'Het stinkend potje wilde jij toedekken!' brieste Mendonck.

'Ja. Je hebt gelijk.'

'Goed. Blij dat we het eens zijn. En wat is er daarna gebeurd?'

'Dat meisje. Ze wilde het niet opgeven. Een week later stond er een advocaat in mijn kantoor.'

'En toen?'

'Ik wist niet meer wat ik moest doen. Ik ben naar Eriks vader geweest. Om de zaak met hem te bespreken... en... maar...'

'Maar wat?'

'Eriks vader heeft zich... opgewonden. Hij is gestorven. Hartaanval. Ik was erbij.'

'En hij?'

'Wie hij?'

'Erik. Erik Boen! Was hij erbij?'

'Ja.'

'En hij heeft dat gesprek gehoord?'

'Ja.'

'En toen? Wat is er daarna gebeurd? Kom op, man!'

'Nog een week later was Gisela verdwenen. Spoorloos verdwenen.'

'Hoe weet je dat?'

277

'Haar broer is bij mij geweest. Gisela was verhuisd. Naar de grote stad. Naar Amsterdam. Maar haar broer was ongerust. Hij vreesde dat ze daar nooit was aangekomen. Hij slaagde er niet in om haar te bereiken. Hij was razend nerveus. Wilde weten wat er aan de hand was met zijn zus. Hij had een brief gevonden. Een gepeperde ereloonnota van een advocaat. Ik ben er niet op ingegaan. Hij heeft me allerlei verwijten naar het hoofd geslingerd. Zeker toen ik weigerde om haar te laten opsporen.'

'En waarom heb je dat geweigerd.'

'Omdat het zo'n gedoe is. Bovendien was Gisela Massala meerderjarig en kon ze doen en laten wat ze wilde. En hoe gaat het er thuis bij zulke vreemde mensen aan toe? Wie heeft wat gedaan? Je weet het nooit. En ik had daar toch allemaal niks mee te maken. Ik...'

'Wat is de naam van die jongen?'

'Welke jongen?'

'Haar broer!'

'Hij woont hier nog. Doet iets met computers, geloof ik, maar we hebben er nooit echt veel...'

'Zijn naam!'

De mond van Franciscus Olyslager ging traag open. Er kwamen twee woorden uit. Ze sloegen Mendonck met stomheid.

XVIII

'Waar is ze!'

Ik kan het amper geloven.

Hij brult. Dat deed hij vroeger nooit. Hij ziet er ook zo verdomd vastberaden uit. Ik wil iets zeggen maar er komt geen geluid uit mijn mond. Ik hap naar adem. Ik ben als een gek de trappen weer opgelopen. Toen ik nog nahijgend uit de slaapkamer kwam – gelukkig is daar geen spoortje meer te vinden – zat hij hier plots. In de woonkamer. In de sofa. Ik ben koud gepakt. Ik voel me een slachtoffer. Voor de eerste keer in mijn leven. Het is een naargeestig gevoel.

'Wat...wat doe jij hier?'

Fuck. Ik stotter. Sorry. Ik kan er niks aan doen. Hem terugzien. Nooit gedacht dat het me ooit zou overkomen.

'Waar is ze! Rotzak!'

Dat mes. Wow. Heftig. Dat heeft hij in de keuken gevonden. Terwijl ik in de garage zat. Wat een gedoe met dat wijf. Ik heb haar een mep tegen haar kop gegeven en voor alle zekerheid nog gauw een zak over haar kop getrokken. Fuck. Waarom heb ik de voordeur in godsnaam niet op slot gedaan? Waarom ben ik zo overmoedig geworden?

Zijn ogen fonkelen boosaardig. Hij is nog altijd tenger. Maar veel peziger nu. Zou hij het in zich hebben? Wat een verbetenheid. Hij duwt zich op en komt traag dichterbij. Ik deins achteruit. Totdat ik met mijn rug tegen de muur sta.

Letterlijk.

Hij zet een pas opzij. Trekt de grote kleerkast open. Zo heftig dat een

van de scharnieren breekt. *Wow!*
'Dat meisje! Waar is ze!'
'Ssst.'
'Wat! Ssst! Klootzak!'
'De buren', probeer ik.
'De buren my ass! Waar is ze!'
Hij is gespierder geworden. Zelfverzekerder ook. Misschien moeten we maar eens bijpraten. Hoewel. Hij haat me vast. Zou hij het uiteindelijk toch te weten zijn gekomen? En hoe is het mogelijk dat hij me gevonden heeft?

Vragen, vragen, vragen.

Oeps. Hij heeft de chocolade in het oog.

'Wat is dat?' *Zijn stem klinkt lijzig nu. Gedempt, maar gevaarlijk.*
'Chocolade.' *Ik probeer het luchtig te houden.* 'Lekker? Wil je proeven?'
'Zwijg! Waar is die andere rotzak?'
'Welke rotzak?'
'De eigenaar van dit appartement.'
'Dat is geen appartement. Dat is een loft. Is vast de eerste keer in je leven dat je zoiets ziet.'

Hij antwoordt niet. Kan mijn grap blijkbaar maar matig appreciëren. Hij zet nog een stap dichterbij. De punt van het mes. Er gaat een hypnotische kracht van uit.

Wow. Heftig.

Zal ik het voelen? En wat ga ik dan precies voelen? Ik moet me concentreren want waarschijnlijk krijg ik maar één kans om deze nieuwe sensatie te kunnen ervaren en te proeven. Bang ben ik vreemd genoeg niet. Niet echt. Zou er dan toch iets mis met me zijn?

'Waar is hij!'
'Op reis. Op zakenreis.'
'Waar is dat meisje!' *sist hij en de dreiging is expliciet. Hij heeft me gezien. Ons gezien. Geen twijfel mogelijk. Hij moet op de loer gelegen hebben.*

'Welk meisje?' *probeer ik. Ik lonk naar de achterdeur. Ze is niet op slot.*

Ik overweeg de sprong. Hij raadt mijn gedachten. Manoeuvreert zijn pezige lijf tussen mij en de deur.

Ik kan geen kant meer op. Ik voel me zo vreemd nu. Onthecht. Ik denk, eerlijk gezegd, dat het geen pijn doet. Meer zoals je vlees dat heet aanvoelt. Snap je? Als dat mes door je lijf glijdt. Ik heb ooit een vetbolletje laten wegnemen. In mijn hals. De verdoving was niet optimaal. Dat gevoel was giga. Mijn vlees werd helemaal warm. Vanbinnen en vanbuiten.

'Waar is ze? Wat heb je met haar gedaan!'

Hij komt dichterbij. Met het mes voor zich uit. Zijn hand trilt. Er hangt speeksel aan zijn lip. Ik vrees dat ik in slechte papieren zit. Hopelijk worden er geen botten geraakt. Want dat doet wel pijn. Denk ik. Maar ik mag niet te veel denken nu.

Fuck! Wat doet hij nu?

Hij pakt de chocolade. Ruikt eraan. Fuck. Hij heeft het door. Ik vrees dat hij het doorheeft.

'Hier. Opvreten!'

'Hoe... hoe heb je me gevonden?'

'Opvreten. Nu!'

De afgebladderde voordeur. De open rolluiken. De gesloten gordijnen. Mendonck had dezelfde weg afgelegd. Via het breukstenen pad naar de tuin en zo naar het schuurtje, waar licht brandde. Het was alsof de tijd was blijven stilstaan. Ook nu stond de deur op een kier en Mendonck hoorde het ruisen van water in een afvoer. Alleen, deze keer klopte ze niet op de deur.

'Je doet ook iets met computers', zei Mendonck en ze leunde tegen de deurstijl. 'Dat heb je me niet verteld.'

Djeke Massala draaide zich traag om en keek in de loop van een pistool. Hij draaide de kraan dicht. Sloot zijn ogen.

'Ik had je al eerder verwacht.'

Nadia Mendonck ging zitten. Doodmoe was ze. Djeke Massala volgde haar voorbeeld. Hij koos voor de zitmaaier. Veegde traag zijn handen droog aan zijn versleten jeans.

'Dellen', zei Nadia en ze duwde het pistool rustig in haar schouderholster. Er ging geen enkele dreiging uit van de pezige Surinamer. Integendeel. Het leek of hij opgelucht was. 'Sorry. Ik had het moeten weten.'

Djeke Massala ademde diep in en uit maar reageerde niet.

'Ligt ze daar begraven?' zei Mendonck en ze keek naar Djekes beslijkte laarzen.

'Wie?'

'Gisela.'

'Ja. In de tuintjes van de buren ligt ze niet. Dus ja.'
'Waarom ben je daar zo zeker van?'
'Ze is er nooit aangekomen.'
'Waar?'
'In Amsterdam. Ze is er nooit geweest', zei Djeke en zijn lichaamshouding straalde berusting uit. Mendonck zweeg. Wachtte geduldig. Djeke snoof. Veegde zijn neus af aan zijn mouw. 'Ze weten het. Allemaal. Maar niemand, niemand die me wilde helpen. Iedereen deed alsof zijn neus bloedde. Lafaards. Daarom ben ik gebleven. En blijf ik zoeken. Pal onder hun neuzen. Totdat ik er dood bij neerval. Ik haat dit dorp.'
'Ik ook.'
Djeke Massala keek Nadia aan. Enigszins verbaasd. Door zijn glimlach schemerde opluchting.
'Waarom heb je me de eerste keer de waarheid niet verteld?'
'Omdat ik er niet klaar voor was.'
'En nu wel.'
'Ja.'
Er viel een beladen stilte. Mendonck en Djeke Massala keken elkaar aan, taxerend, alsof ze een onnozel spelletje speelden. Om ter langst volhouden.
'Mijn moeder is langzaam weggeteerd. Er was niks dat ik kon doen. Ze moet het hebben geweten.'
'Wat? Hebben geweten?'
'Wat er is gebeurd tussen Gisela en Erik. Maar ze durfde er met niemand over te praten. Bang voor de onderhuidse pesterijen. Ik begrijp haar wel. Nu wel. Probeer haar te begrijpen. Ze heeft haar best gedaan voor ons. Alles, voor ons. Ze wilde ons beschermen, denk ik. Niet zichzelf.'
'En hoe ben jij het te weten gekomen?'
'Ik had een goede band met mijn zus. Daarom heb ik

het nooit begrepen.'

'Wat?'

'Haar reactie. Toen ik per ongeluk die brief had geopend. Ze heeft me uitgescholden. Begon me te mijden. Sloot zich op. Duldde me zelfs niet meer op haar kamer. Soms was ze woedend. Soms bang. Soms lag ze te huilen. Ik begreep het niet. Ik heb lang gedacht dat iemand haar zwanger had geschopt. De waarheid heb ik pas veel later ontdekt. Ik denk dat ze me wilde beschermen. Zij ook. Dat ze me niet wilde verplichten om te kiezen tussen haar en mijn beste vriend. Dat ik me mee in een strijd moest werpen die wij, vuile bruine Surinamers, hoegenaamd niet konden winnen. Dat denk ik. Ik weet het niet. Begrijp je?'

Mendonck knikte, hoewel ze er bitter weinig van begreep. Ze zweeg. Wilde Djeke Massala de kans gunnen om zijn verhaal, dat hem ontegenzeglijk had gesloopt vanbinnen, in zijn eigen tempo met haar te delen.

'Die brief. Het was een gepeperde ereloonnota. Van een advocaat. Gisela was razend kwaad toen ze besefte dat ik de brief had onderschept. Ze sprak niet meer. Geen woord. Begon steeds meer op mama te lijken. Een paar dagen later heeft ze haar baantje in de bakkerij opgezegd en is ze weggegaan. Naar Amsterdam, zei mama. Om er een nieuw leven op te bouwen.'

'En heeft ze afscheid genomen?'

'Nee. Ja. Een briefje. Een gsm hadden we toen helaas nog niet.'

'Waarom helaas?'

'Dan had ik haar kunnen laten opsporen.'

Mendonck knikte gemoedelijk. Ze wilde de man niet onderbreken.

'Sorry', stond erop. 'Ik maak het goed met je. Later. En drie kruisjes.'

'Maar dat heeft ze nooit gedaan?'

'Nee', zei Djeke en hij keek op. Slikte moeilijk. Nadia kon zich niet van de indruk ontdoen dat er tranen in zijn ogen stonden. 'Het is het laatste dat ik ooit van haar heb gehoord. Ik dacht dat ze niks meer met ons te maken wilde hebben. Ik heb geprobeerd om haar te vergeten. Om haar de vrijheid te gunnen die ze blijkbaar nodig had.'

'Maar je hebt nooit actief naar haar gezocht?'

'Natuurlijk wel!'

Mendonck schrok van de heftige reactie. Haar vingers gleden in haar jasje. Ze hielden stil toen Djeke Massala sprak. Monotoon, met een grafstem.

'Toen mama gestorven was. Ik had nochtans een advertentie geplaatst, in de twee grootste Nederlandse kranten. Maar ze was er niet. Gisela en mama waren twee handen op één buik. En toch was ze niet op mama's begrafenis.'

'En toen ben je haar gaan zoeken?'

'Ja. Ik kende de naam van die advocaat. Ik heb hem opgezocht. Ik heb eerst de achterstallige ereloonnota moeten betalen. Daarna vertelde hij me dat ook hij nooit nog iets van Gisela had gehoord. Over de zaak die hem was toevertrouwd wilde de rotzak met geen woord reppen. Beroepsgeheim.'

Djeke zweeg, waarschijnlijk omdat hij geen raad wist met zijn verbittering.

'En wat heb je toen gedaan?'

'Ik heb hem door elkaar geschud!'

'En?' vroeg Mendonck en haar glimlach leek Djeke tot rust te brengen.

'En toen heeft hij me verteld dat het iets te maken had met Erik. Meer niet. Ik moest gaan zitten. Om op adem te komen. Mijn verbeelding is met me aan de haal gegaan. Ik was opgelucht. Kun je dat geloven! Ik heb mezelf wijsgemaakt dat die twee stiekem samen iets moois hadden opgebouwd. Ik had heus wel door dat Erik een oogje op haar had. En hij is ongeveer samen met Gisela uit ons dorp weggegaan. Ik maakte mezelf wijs dat het een ereloonnota voor de huwelijksakte was. En dat de kosten hoger waren uitgevallen dan afgesproken. Ik was zelfs bereid om in gedachten mama aan de schandpaal te nagelen. Omdat ze, haar kennende, zich waarschijnlijk had verzet tegen hun geplande huwelijk. Omdat ze te jong waren. En omdat het een gemengd huwelijk was. En toen is het uit de hand gelopen. En is Gisela weggegaan. Samen met de liefde van haar leven. Stom! Stom! Stom!'

'En verder?'

'Toen heb ik harder geknepen. En ben ik te weten gekomen dat ze een klacht had ingediend tegen Erik. Omdat hij haar had proberen te verkrachten. Ze vermoedde dat Erik iets in haar drank had gemengd. In de limonade. Dezelfde limonade die zijn moeder voor ons maakte. De smeerlap wist al lang wat hij wilde. Hij heeft gewoon het geschikte moment afgewacht. Ik ben Eriks moeder gaan opzoeken. Zoals steeds wist ze nergens van. Ze heeft me de deur gewezen. Ik ben onze wijkagent gaan opzoeken. Ook hij wist nergens van. Wist zelfs niets af van een klacht die mijn zus zou hebben ingediend. Ik wilde die advocaat opnieuw opzoeken. Hij was verhuisd. Daarna heb ik zowat heel Amsterdam ondersteboven gekeerd. Op de burgerlijke stand hadden ze nog nooit van mijn zus gehoord. In heel Nederland hadden ze nog nooit van mijn zus gehoord. Niemand. Ik heb een privédetective ingehuurd. Zinloos. Zelfs een internationaal opsporingsbericht op Interpol, waarvoor ik een politierechter heb moeten omkopen, heeft geen zoden aan de dijk gezet. Daardoor heb ik uiteindelijk moeten leren aanvaarden dat... dat...' mompelde Djeke en hij viel stil. De groeven in zijn gezicht werden dieper. Hij kneep in de steel van de schop.

'...Gisela waarschijnlijk nooit verder is gekomen dan Berg en Terblijt', zei Mendonck en haar droge keel raspte.

Djeke Massala knikte en kneep harder, totdat zijn knokkels wit zagen. Het werd stil. Doodstil.

'Hoe heb je Erik teruggevonden? Zovele jaren later?'

'Het was niet gemakkelijk. De smeerlap bleef ver weg van alle telecommunicatie. Gelukkig is de Belgische administratie veel soepeler dan de Nederlandse. Ik bespaar je de details. Ik heb ontdekt dat de rotzak getrouwd was. Ik heb een kamertje gehuurd in zijn buurt. Ben hem gaan volgen met een huurauto. Gedurende een hele tijd.'

'Maar je hebt hem niet aangesproken?'

'Nee.'

'Waarom niet?'

'Omdat ik de waarheid niet onder ogen durfde te zien. Nog steeds niet. Ergens in mijn achterhoofd speelde nog steeds de gedachte dat hij me op de een of andere manier bij Gisela zou brengen. Levend welteverstaan.'

'Maar dat gebeurde niet.'

'Nee. Maar ik had wel vrij snel door dat hij zijn vrouw bedroog. Dat hij meisjes lastigviel. Meisjes die op mijn zus leken. Op Gisela.'

Mendonck steunde haar kin in haar handen. Haar hoofd woog een ton. Ze kon alleen nog maar knikken.

'Zo ben ik bij de loft van zijn vriend terechtgekomen', zei Djeke en hij ademde diep in en uit. 'En zo heb ik het gezien... Dat meisje... en hij... ze was... ze... is ze...?'

'Ze leeft nog', zei Nadia Mendonck. 'Ze is lang een verdachte geweest.'

'En hoe... waar?'

'In de kofferbak. Ze lag in de kofferbak van zijn auto. In

de garage. Daarom heb je haar niet gevonden. Gekneveld en gedrogeerd. Klaar om afgeslacht te worden. Je hebt haar het leven gered. Begrijp je? Dat is belangrijk. Een belangrijke... je weet wel. Het zal hoe dan ook in je voordeel pleiten. Hoe... heb... je...?'

De ogen van Djeke Massala leken eerst weg te draaien en werden daarna wazig.

XIX

'Waar is dat meisje!'

'Naar... naar huis', mompel ik. Ik sta maar wat te lallen. Hij heeft me gedwongen om de hele doos pralines op te vreten. Zal best wel dodelijk zijn, vermoed ik. Hoewel. Ik ben gewoon een beetje duizelig. Te veel gezopen. Zoiets. 'Djeke, alsjeblieft man. Ze is gewoon naar huis gegaan.'

'Je liegt!'

Draaien. Alles begint te draaien. De meubels tollen rond. Heftig. Wow. Best wel heftig.

Maar genoeg. Ik moet hier weg. Ik probeer me te verzetten. Ik raak iets. Probeer er in te bijten. Hij schopt me. Fuck. Pijn. Ik val. Denk ik. Alles draait. Ik denk dat ik ga kotsen. Mijn knie doet pijn.

'Mijn zus! Wat heb je met mijn zus gedaan!'

Mijn schedel doet pijn. Mijn haar. Hij trekt mijn hoofd achteruit. Denk ik. Ik maai met mijn armen. Ik raak niks. Wow. Mijn kop begint weer te tollen. Heftig. Ik probeer mijn ogen open te houden. Ik wil het zien. Alles zien. Hij mag niet in mijn ogen steken.

'Wat heb je met mijn zus gedaan! Ik weet dat je haar vermoord hebt! Ik weet alles.'

Mijn hoofd schokt van links naar rechts maar ik voel geen pijn. Vreemd. Ben waarschijnlijk over een of andere pijngrens heen. Heftig.

'Wat heb je met haar gedaan? Met mijn zus!'

'Je zusss. Hmm. Gisela. Mooi meisssje.'

'Waar is ze!'

'Maareuuhh. Nu niet meer zo mooi.'

'Waar!'

Ik haal uit. In slow motion. Alles tolt. Ik raak iets. Mezelf denk ik. Nee, de sofa. Ik zit op mijn knieën. Hoe kan dat? Mijn hoofd draait een kwartslag. Wow. Ik ruik zijn adem. Bah. Pepermunt.

Mijn vingers. Hèhèhè. Het bot steekt naar buiten. Gaaf. Ik ben onsterfelijk. Ik heb niks gevoeld.

'Wat heb je met haar gedaan!'

'Be...beuhh...grave.'

'Waar!'

Ik zeg iets maar hoor alleen een gorgelen, zoals bloed dat door een afvoerputje kolkt. Hij steekt. Het voelt warm aan. Precies zoals ik dacht.

Hmmm. Dat deed pijn. Hij heeft een bot geraakt. Fuck. Dat doet pijn!

'Waar!'

'Del...' Ik probeer. Probeer toch nog iets goed te doen. Ieder mens heeft tenslotte recht op de waarheid. Mij hebben ze het nooit willen vertellen. Waar ik vandaan kom, bedoel ik. Moet best wel een heftige biotoop geweest zijn. 'Delle... Delleuhhh...grhhhhhhh.'

Rood.

Alles is rood.

Wow!

Heftig is dat!

Super heftig!

Ik proef bloed.

Lekker.

Mijn tong lebbert uit mijn mond.

Hèhèhè.

Alles draait.

Het plafond draait mee.

Heb me nooit kunnen indenken dat het zo'n kick zou geven. Zelfs ik niet.

Wow.

Ze moeten me dankbaar zijn.

Al die hoeren.

Dankbaar.

Hèhèhè.

Vandaag is rood de kleur van jouw lippen. Vandaag is rood wat rood hoort te zijn. Vandaag is rood van rood wit blauw. Van heel mijn hart voor jou. Schreeuw van de roodgedekte daken dat ik van je hou. Vandaag is rood gewoon weer liefde tussen jou en mij.

Vandaag is rood de kleur van schaamlippen. Vandaag is rood wat rood hoort te zijn. Vandaag is rood van rood seks bloed. Van heel mijn hart voor jou. Schreeuw van mijn rode lekkende darmen dat ik van je hou. Vandaag is rood gewoon weer liefde tussen jou en mij.

'Smeerrlaappp!'

De Bergse Heide, gelegen tussen Berg, Vilt en Houthem, is een ruig natuurgebied van honderddrieënvijftig hectare groot.

Komend vanaf Sint-Gerlach, waar Gisela Massala in de bakkerij werkte, zijn ruwweg vier zones te onderscheiden: een open vlakte, de rivier de Geul, die uitmondt in de Maas, een hellingbos en een plateaubos. Het verst verwijderd van de bewoonde wereld, rechts van de weg die Sint-Gerlach verbindt met Berg, bevindt zich De Dellen met zijn mergelgroeven, grindgroeven, dichte bebossing en moerasland dat is ontstaan door overstromingen van de Geul die zich een weg kerft door dit onbergzame gebied en tijdens dit gevecht regelmatig uit haar bedding kolkt, bomen ontwortelt en de oevers doet afkalven.

Tussen Berg en Terblijt, amper een kilometer van elkaar verwijderd, is er de rijksweg, die zich dwars door velden en akkers een weg baant tot in de buitenwijken van Maastricht, en het was op die rijksweg dat zich de bushalte bevond die Gisela Massala vermoedelijk nooit heeft bereikt.

Door dat akkerland was Djeke Massala een oneindig aantal keer gestrompeld, gewapend met spade en pikhouweel, als een zombie zijn stappen tellend, tot diep in de buik van De Dellen. Vanaf de rijksweg had hij nooit meer dan tweeduizend stappen geteld voordat hij was beginnen te graven, omdat hij ervan uitging dat tweeduizend stappen ongeveer een kilometer is en dat je een dode mens niet veel verder kunt verslepen dan dat.

Een intelligente redenering, vond Deleu, die met zijn laarzen vastgezogen in de zompige ondergrond, moedeloos om zich heen keek en besefte dat deze onderneming, ook voor een ruim bemeten ploeg gemotiveerde necrosearchers van het Disaster Victim Identification Team en ondanks het gebruik van hoogtechnologische seismografische apparatuur, wellicht een onmogelijke opdracht was. De lijkenhonden, nuttig maar niet voor het speuren naar een skelet, waren thuisgebleven.

Twee weken was het opsporingswerk ondertussen al aan de gang. Het zou nog vele weken, zo niet maanden duren voordat er misschien iets zou worden gevonden in dit door de natuur geboetseerde labyrint, besefte Deleu. Ze waren begonnen met het doorzoeken van de steengroeve en de mergelgrotten. Daar was zelfs, zij het in kleine doses en heel gericht, springstof aan te pas gekomen, wat al had gezorgd voor een rel met de plaatselijke groene jongens.

Nu speurde het team in concentrische cirkels om de plaatsen waar Djeke Massala ook al had gegraven. Massala, die wat verderop aandachtig stond toe te kijken, had, ondanks alles, een vleug hoop in zijn donkere ogen. Een hoop die Deleu, geen echte zwartkijker maar wel een realist, hoe dan ook niet deelde. Want Djekes redenering, dat je een mens niet verder dan een kilometer ver kunt dragen, mocht dan al hout snijden, garanties bood ze niet. Erik Boen kon zijn slachtoffer aan de rand van het bos hebben verborgen. Om het werk de volgende dag of dagen af te maken. Diep in het bos.

Deleu zuchtte. Zijn ogen zochten Nadia, al was het maar voor een sprankel warmte. Er kwam een diepe frons tussen zijn wenkbrauwen toen hij haar zag lopen, in de verte. Ze holde als een bezetene over het akkerland. In de richting van de rijksweg, waar haar autootje geparkeerd stond. Ze had waarschijnlijk weer een briljante ingeving. Een bevlogen moment.

Deleu glimlachte. Blij, ondanks alles. Ze pasten bij elkaar. Antipoden die elkaar aantrekken. Hij hield van ballads. Zij van harde rockmuziek. Hij was schaars met woorden. Zij een flapuit. Zo hielden ze elkaar mooi in balans. Soms was het evenwicht broos maar net dat maakt het leven boeiend, vond Deleu. En volgens hem was de valkuil niet zozeer de tegenstellingen, als wel de gelijkenissen. Ze waren allebei doorzetters. Ze hielden allebei van kinderen. En zo waren er nog wel meer gelijkenissen te bedenken, maar niet nu. Nu wilde hij er uitsluitend bij stilstaan dat ze er allebei van doordrongen waren dat geven zoveel belangrijker is dan nemen. En daarom was hij oprecht blij dat hij zijn vergissing had moeten toegeven. Blij voor Nadia, die het uiteindelijk, als enige, bij het rechte eind had gehad.

Dat ze hier nu in samenwerking met een gemengd team onder de leiding van Interpol konden speuren naar de gruwelen die seriemoordenaar Erik Boen had aangericht, was haar verdienste.

Deleu liep naar Djeke Massala en gaf de man een schouderklopje. Het moest een vreselijke lijdensweg zijn geweest. Hier komen graven, dag in, dag uit. Zonder enig perspectief op succes. Alleen. Zonder steun.

'Ik zou het opnieuw doen.'

'Wat?' vroeg Deleu.

'Hem afmaken. Dat beest de keel afsnijden.'

Deleu knikte. Zoog zijn longen vol lucht.

'Al moeten we dat hele verdoemde bos afgraven. We vinden haar.'

XX

*Ze is mijn type niet, maar toch. Ze is knap. Op haar manier. En slim.
Heel intelligent.*

Wat?

Hoe het is na de dood?

Ah, je hebt het door. Eindelijk!

Hèhèhè.

Dat je dat aan mij zou moeten vragen. Had je niet gedacht, hé!

Ik zeg het niet.

Lalalalalaahaa.

*Oké. Ik zal het zeggen. Maar dan moet je me beloven dat je mijn
verhaal verder gaat vertellen.*

Aan wie?

Iedereen die het horen wil natuurlijk.

Zweer het!

Oké. Over wie ik het heb?

Nadia natuurlijk. Miss Mendonck. Knappe griet. Toch?

Oké, oké, oké. Hoe het is na de dood.

Mij hoor je alvast niet klagen.

Hèhèhè.

Ach, hou op. Weet ik veel. Ik voel niks. Maar wat dat betreft is er niet
veel verschil met vroeger. Ik heb mezelf zien sterven. Heftig was dat. Ik
hing tegen het plafond. Heb daar een hele tijd gehangen. Roerloos. Heb
dat dikke meisje in de deuropening zien staan. Haar rooie kop toen ze me
zag liggen!

Hèhèhè.

De volgende die binnenkwam was Nadia. *Sexy ding is dat. Ze heeft mijn lijk aangeraakt. Hèhèhè. Super. Ik had zin om te masturberen. Maar dat lukte niet. Dat was een bevreemdende gewaarwording. Ik zie alles. Maar daar houdt het op. Voorlopig.*

Wat?

Of ik daar nog hang?

Ben je gek of wat!

Dat masturberen, daar ben ik nog steeds niet achter, maar ik heb al wel geleerd hoe ik me kan verplaatsten.

Hoe?

Gewoon. Aan iets denken en zoef. Ik ben er. Onwijs gaaf. Ik bloed nog steeds. Uit al mijn wonden. Niet te stoppen maar het doet ook geen pijn of zo. Ze zien het ook niet. De flikken, bedoel ik. Ze zien me niet. Beetje zoals vroeger.

Waar ik nu ben?

Ik zit op een gevorkte tak. De tak waar Nadia nu naar wijst.

Wat?

Hoe ze het doet met Deleu? En hoeveel keer?

Pervert!

Kom op, Nadia. Ik blijf hier niet eeuwig zitten. Jajaja. Hier. Hier is het. Pal onder mijn voeten. Hier ligt ze.

Ik zei het al. Ze is verdomd slim. Zij is degene die de link heeft gelegd. Mijn ouwe foto's. Ik heb de plaatsen aangekruist. De graven. En gelukkig maar. Anders hadden ze de resten van die arme stumperds nooit gevonden. En dan restte me er nog weinig om naar uit te kijken.

Begrijp je?

Nee!

Wat ik bedoel is dat je maar beter je stempel kunt drukken hier op aarde. Want verder is er voorlopig niks. Geen leven dat voorbijflitst. Geen fel licht aan de einder. Geen witte draaikolk. Geen engelen met rijstpap en sappige kutjes. Geen hemel. Geen hel.

Niks.

Bang?

Pfft. Ik ben niet in paniek. Ik maak me niet druk. Ik had ook vrij snel door hoe ik me moest verplaatsten. Tijd genoeg.

Nee.

Andere kant.

Idioot!

Ze ligt aan deze kant.

Ja. Zo.

Fun is dit. Heb alles met argusogen gevolgd. Van bij het begin van de graafwerken. Ze hebben er al twee gevonden.

Jaja. Twee. Hèhèhè.

De eerste vondst was de kat van de buurvrouw.

Hèhèhè.

Je had hun smoelen moeten zien.

Heb ik je dat niet verteld?

Sorry daarvoor.

Hoe? Gewoon. Met een stuk vlees, of kip – ik weet het niet meer – in ons kot achter in de tuin gelokt en doodgestoken met een riek.

Je wilt het niet weten?

Ook goed.

Wat? De tweede vondst?

Dat was de jackpot!

Gisela!

Zonder... hèhèhè... kop. Je had Djeke moeten zien. Toen hij haar bloesje herkende. En haar reiskoffer. Hij werd wit – eindelijk blank – en zakte in elkaar. Zonder een zucht. Ik ben hem gaan bezoeken. Troosten.

Waar?

In het ziekenhuis. Ben gauw even over en weer gevlogen. Maar nu wil ik hier zijn. Moet ik hier zijn. Ik heb maar één kans. Wie weet voor hoe lang.

Ben wel een beetje ongerust, ja. Wat gaat dat over een jaar of honderd zijn. Als al de betrokkenen dood zijn. Misschien word ik dan zelf ook vergeten. Ik hoop van niet. Zou niet erg fair zijn.

Wat? Hoe het is afgelopen met Gisela?

Ze hebben haar beenderen en wat er restte van haar kleren naar een laboratorium gebracht. Ze zijn nog steeds bezig met de proeven en zo. Heb effe meegekeken. Op de schouder van die professor. Saai. Interesseerde me maar matig. Ze hebben nog twee dagen gezocht naar het hoofd van Gisela. Dát was veel boeiender.

Nee! Natuurlijk hebben ze niks gevonden. Ik heb dat mislukte droogrookexperiment gedumpt in een waterput. Daar kunnen ze dus nog lang naar zoeken. Trouwens, wat blijft daar van over?

Ik zou wel willen helpen maar dat lukt voorlopig niet. Ik weet niet hoe. Heb al een paar dagen, enfin nachten, doorgebracht in de slaapkamer van Nadia en Dirk.

Pervert!

Niks! Niks zeg ik!

Maak er een eind aan, dan kun je 't zelf zien. Als jij niet naar de hel gaat tenminste.

Hèhèhè.

Wie? Tommeke?

Geen idee. Niet gezien. Heb trouwens nog geen enkele andere dooie of geest of zo gezien. Interesseert me ook niet. Ja. Hèhèhè. Gisela zonder kop. Dat zou wat zijn. Hou op of ik val van mijn tak.

Kom op, gasten. Graven. Zet er maar de beuk in. Je moet niet zo pietluttig voorzichtig zijn. Ze is echt wel dood, Rina Valk.

Benieuwd of haar versteende muil nog altijd openhangt van verbazing.

Naakte zielen

Genomineerd voor de Hercule Poirotprijs 1999

Onderzoeksrechter Jos Bosmans leidt het onderzoek naar een geheimzinnige seriemoordenaar, in de media bestempeld als 'De Uitbener'. Terwijl de druk van buiten alsmaar toeneemt, zit het onderzoek al snel op een dood spoor.

De pers over *Naakte zielen*:

'Zonder twijfel het beste Vlaamse thrillerdebuut van de laatste jaren.' – Het Nieuwsblad

'Ook verteltechnisch stelt Deflo zich moeiteloos op dezelfde hoogte als, zeg maar de drie groten van de Vlaamse misdaadroman. Zijn stijl is kort en afgemeten zoals het een goede thriller betaamt en de plot is op een hoogst ingenieuze manier in elkaar gestoken. Bovendien weet Deflo als geen ander spanning op te bouwen.' – Leesidee

Bevroren hart

In een Mechelse flat wordt in een badkuip een vrouwenlichaam gevonden. De autopsie brengt aan het licht dat het lijk eerst ingevroren is geweest. Bovendien blijkt na intensief speurwerk dat er zelfs sprake zou kunnen zijn van een persoonsverwisseling. Van één ding zijn Jos Bosmans en Dirk Deleu zeker: deze moordenaar, die het op alleenstaande, rijke vrouwen heeft gemunt, zal niet ophouden met moorden. Nooit.

De pers over *Bevroren hart*:

'Een steengoede thriller. Verrassend en spannend.' – CHÉ

'Een knap geconstrueerde plot.' – DE MORGEN

'*Bevroren hart* is een verademing in de Vlaamse misdaadlectuur. Deflo's personages zouden zo een verhouding kunnen beginnen met de figuren van Pieter Aspe.' – VTM-TELETEXT

LOKAAS

In een bos wordt het verminkte lijk gevonden van Johan Dewolf, commandant van de Molenbeekse rijkswacht. In zijn borstkas werd een hakenkruis gekrast. Dewolf, die met harde hand het vreemdelingenprobleem in Molenbeek had aangepakt, adviseerde om in Mechelen dezelfde tactiek toe te passen: hard toeslaan in de gekleurde wijken rond de Sint-Romboutstoren om het drugs- en migrantenprobleem de kop in te drukken. De spanning tussen migranten en extremisten loopt zo hoog op dat een burgeroorlog onafwendbaar lijkt.

De pers over *Lokaas*:

'Deflo heeft zeker het genre in de vingers. Na drie thrillers komen zijn vaste personages echt tot leven. Mechelen is een boeiende setting en met elk boek scherpt Deflo zijn stijl aan.' – STANDAARD DER LETTEREN

'Voor de derde keer bestormt Deflo de boekentoptien.' – HUMO

KORTSLUITING

In de Mechelse Kruidtuin vindt een late wandelaar naast een lege kinderwagen het verminkte lijk van Jenny Peulders. De ongehuwde moeder werd op een gewelddadige manier om het leven gebracht en haar baby is verdwenen. Een dag later wordt Yvette Serneels dood aangetroffen in haar huis. Naast het lijk ligt een jachtgeweer. De autopsie wijst niet alleen uit dat het om een zelfmoord gaat, maar ook dat de vrouw zwanger was.

De pers over *Kortsluiting*:

'Deflo boetseert een intrigerend hoofdpersonage, dat moeiteloos de rol overneemt van meer vertrouwde figuren als Dirk Deleu of Jos Bosmans.' – GAZET VAN ANTWERPEN

'*Kortsluiting* is een ijzingwekkend en bloedstollend verhaal dat de lezer bijna sympathie doet voelen voor de dader. Een knappe psychologische thriller.' – FOCUS KNACK

'Je moet talent hebben om de lezer sympathie te laten voelen voor een moordenaar die je niet kunt begrijpen... Een voor Vlaanderen vernieuwende misdaadroman met literaire allures.' – DE MORGEN

SLUIPEND GIF

GENOMINEERD VOOR DE HERCULE POIROTPRIJS 2003

Hilde Plaetinck treft na een bezoek aan Kinepolis een verwaarloosde vrouw aan op de achterbank van haar auto. Ze biedt de sukkel een lift aan, een daad van barmhartigheid die ze bijna met de dood moet bekopen. Amper van haar emoties bekomen, beseft ze dat ze wordt gestalkt.

De pers over *Sluipend gif*:

'Een knappe psychologische thriller, die het genre vernieuwt, literair en stilistisch nieuwe invalshoeken verkent en grenzen verlegt.' – De Zondag

'[...] angstaanjagende, beklemmende scènes en geloofwaardige dialogen. [...] De actie spat bij momenten van de bladzijden.' – Gazet van Antwerpen

Onschuldig

Jeanneke Janssens vindt in de gang van haar rijtjeshuis het half-naakte lijk van Martine Van Hees, haar huurster. Na de lijkschouwing blijkt dat de vrouw zwanger was en verkracht werd. Er wordt een profielschets gemaakt en men vreest dat er een serieverkrachter aan het werk is. Een monster dat het heeft gemunt op alleenstaande zwangere vrouwen. Rechercheur Nadia Mendonck, zelf zwanger, neemt de leiding van het onderzoek op zich.

De pers over *Onschuldig*:

'Van alle Vlaamse thrillerschrijvers schrijft hij momenteel met de grootste hartstocht.' – Gazet van Antwerpen

'Spannend, huiveringwekkend en beklemmend.' – Dag Allemaal

'Een plastisch geschreven thriller waarin Deflo alle registers opentrekt.' – TV-Familie

'Deflo op zijn allerbest.' – Metro

COPYCAT

Een meisje fietst 's ochtends naar school. Ze doet een akelige ontdekking. In een veld ligt het lijk van een jongeman, naakt en gruwelijk verminkt. Al snel wordt een verdachte opgepakt die bekentenissen aflegt. Alles lijkt te kloppen. Op één detail na: de verminkingen heeft de verdachte niet toegebracht. Rechercheurs Dirk Deleu en Nadia Mendonck staan voor een raadsel.

De pers over *Copycat*:

'Deflo staat steevast hoog in de toptien en dat is niet voor niks. Hij is een meester in sfeerschepping en hanteert met elk boek scherper zijn moorddadige pen.' – FLAIR

HOEREN

Aline Verbeêck is een hoer op jaren, die met haar verlepte schoonheid niet veel mannen meer kan bekoren. Haar zorgelijke bestaan verandert wanneer ze de zeventienjarige Daphné Brainard leert kennen. Ervaring en jeugdige schoonheid blijken een ideale combinatie en de zaken floreren. Daphné lokt de mannen, terwijl Aline een oogje in het zeil houdt en af en toe wat geld steelt uit de zakken van de nietsvermoedende hoerenlopers. Dat overkomt ook Leo Thuys, een op het eerste gezicht wat simpele huisvader.

De pers over *Hoeren*:

'Sterk in het opbouwen van actiescènes.' – DE STANDAARD

'Deflo zorgt voor een paar stevige bochten en verrassingen, zonder de controle over het verhaal te verliezen. [...] Zoals meestal bij Deflo zijn de hoofdpersonages emotioneel nauw betrokken bij het verhaal.' – DE MORGEN

WEERLOOS
CEL 5

In de Amazonedreef, een slecht verlichte, met knotwilgen om-
zoomde weg, verliest Jozef Michiels de controle over het stuur.
Midden in het Terkamerenbos duikt zijn Toyota de berm in. Hij
gaat op zoek naar hulp maar wordt aangereden door een dronken
chauffeur en sterft ter plekke. Als de auto wordt opgetakeld, doet
de politie een lugubere ontdekking.

De pers over *Weerloos*:

'Na zeven, door pers en publiek enthousiast onthaalde thrillers
met het Mechelse speurdersduo Bosmans/Deleu in de hoofdrol, zoekt Luc Deflo met zijn gloednieuwe reeks Cel 5 andere
horizonten op. En met succes!' – GAZET VAN ANTWERPEN

'Deflo zorgt voor een goede dosis spanning en beperkt de
gruwel. De leden van Cel 5 krijgen allen hun persoonlijke
problemen te verwerken, maar wat vooral opvalt, is de rol van
twee vrouwen: zowel teamlid Safia als verpleegster Magda zijn
sterke figuren.' – DE MORGEN

ADEMLOOS
CEL 5

GENOMINEERD VOOR DE HERCULE POIROTPRIJS 2006

Tijdens een spectaculaire inval wordt een netwerk van pedofilie
ontmanteld. Na Jozef Michiels, babysitter, komt hierbij Guy
Helmont, leverancier van de 'waar', om het leven. Hubert Devroe,
de spierbundel van de bende, ontsnapt. Maar als hij de zevenjarige Sylvie Vervoort, de enige nog levende getuige, wil vermoorden, wordt hij gearresteerd.

De pers over *Ademloos*:

'De lezer kan het boek maar moeilijk wegleggen: zo spannend is het. De ene actie is nog niet voorbij of de volgende is er al.'
– BIBLION

'Wat Deflo hier presteert, tilt zijn werk (en hemzelf) op tot de top 5 van thrillerauteurs in ons taalgebied.' – BASIS

'Met *Ademloos* zet hij opnieuw een indrukwekkende thriller neer.' – WEEKEND KNACK

SPOORLOOS
CEL 5

Film: *Ice Age*. Plaats: bioscoop Utopolis, Mechelen. Tijdstip: vroege namiddag. De zaal zit afgeladen vol. Irina Gerlach, zeven jaar, moet dringend plassen. Na de voorstelling trekt Hilde, haar zus, aan de alarmbel, want Irina is verdwenen.

De pers over *Spoorloos*:

'Deflo weet nog steeds hoe je een spannend boek schrijft en dat was dan ook het perfecte excuus om niet gestoord te worden door jengelende familie. Dankuwel daarvoor, meneer Deflo.'
– MAXIM

'Deflo schrijft in korte ritmische zinnen, zorgt voor flitsende spanning en laat personages en lezers nauwelijks de tijd om te ademen.' – WEEKEND KNACK

ANGST

Walter Vandamme leeft voor zijn werk. Zijn vrouw Hilde en zijn zevenjarige zoontje Jonas zijn gaandeweg uit zijn leven verdwenen. Walter wordt verblind en volledig opgeslorpt door het PSS, een informaticaprogramma dat hij heeft bedacht. Als zijn werkgever, de bank, daar brood in ziet, kan Walter een aanzienlijke promotie verwachten. Dan kan hij zijn gemeubileerde appartementje ruilen voor een gezellig huis en Jonas, ondanks alles, een betere toekomst geven. Met, wie weet, ook Hilde.
Eindelijk is de grote dag aangebroken. Het PSS staat op de agenda van de directieraad in Frankfurt.

De pers over *Angst*:

'Deflo bewijst in *Angst* misschien ten overvloede dat hij een goed schrijver is. [...] De dialogen zijn scherp en goed gedoseerd. [...] Een daverend slot van een prachtig boek.'
– PLANTAGE/DE BOEKENPARTNERS

'Spannende thriller, soms knap realistisch.'– DAG ALLEMAAL

'Wat Aspe is voor Brugge, is Deflo voor Mechelen.'
– HET LAATSTE NIEUWS

PITBULL

WINNAAR VAN DE HERCULE POIROTPRIJS 2008

In Mechelen wordt een jonge vrouw zo beestachtig vermoord dat zelfs ervaren speurders moeite hebben om hun emoties te bedwingen. Onderzoeksrechter Jos Bosmans is bang dat zijn rustige provinciestad zal worden overspoeld door blinde paniek en zet alle beschikbare middelen in. Maar de tijd dringt, de pers staat te trappelen aan de zijlijn en de speurders staan voor een raadsel. Ze vinden geen motief, geen aanknopingspunt, niks.

De pers over *Pitbull*:

'Deflo weet zich telkens weer te vernieuwen. In elke roman leeft hij zich meer en meer in in de boosaardige geest van zijn zieke helden. Daardoor is hij in Vlaanderen een van de weinige misdaadauteurs die begrip kan opwekken voor compleet verdraaide geesten, meestal zelf het slachtoffer van onverwerkte trauma's waaraan ze zelf maar weinig schuld hebben. [...] Tegenover de agressie en de complete gevoelloosheid plaatst Deflo een paar leden van het Mechelse politiekorps met heel menselijke trekjes.' – DE MORGEN

'*Pitbull*, de naam zegt het al, houdt de lezer genadeloos vast tot aan de laatste punt op de laatste pagina.' – CRIMEZONE

LUST

Bij geluk sta je zelden stil. En ach, kennen we het niet allemaal, dat benauwende gevoel dat ook Iris Bruweel af en toe bekruipt? Alsof je thuis geen lucht meer krijgt. En plots, die frisse wind. Dirk Janssens. Knap, charmant. Een womanizer, ongetwijfeld. Maar o zo anders dan Bert, haar sofaman met zijn eeuwige pindanootjes en zijn beginnend buikje. En het is ook zo verdomd lang geleden dat ze zich nog zó heeft gevoeld. Zo helemaal vrouw. Tot in de topjes van haar tenen.

De pers over *Lust*:

'Luc Deflo heeft een nieuwe pageturner uit.' – HET LAATSTE NIEUWS

'*Lust* is een beklijvende psychologische thriller die je meevoert naar de krochten van de menselijke geest.' – METRO

'Deflo zorgt voor een paar aangrijpende scènes.' – KNACK

Schimmen

Het doet een mens wat. Toevallig je eerste lief weer ontmoeten. Het overkomt rechercheur Dirk Deleu en hoewel er intussen vele jaren verstreken zijn, is de herinnering aan de breuk, die gehuld was in een waas van mysterie, nog altijd vers. Bovendien vraagt de dame, Ingrid Dejongh, hem om een gunst. Ze vraagt of hij haar afscheidsbrief nog heeft, want ze wil die graag terug. Als Deleu de brief terugvindt, gaat hij beseffen dat er iets is wat hij als adolescent nooit onder ogen heeft durven te zien.

De pers over *Schimmen*:

'Deflo kan schrijven, gebeurtenissen volgen elkaar snel op.'
– KRO.NL

'Een sfeervolle, psychologische thriller van formaat!'
– IEDEREEN LEEST

'Subtiliteit, rauwheid en ruwheid wisselen elkaar in een rap tempo af.' – CRIMEZONE.NL

Jaloezie

Een woonwijk in Heffen bij Mechelen wordt opgeschrikt door een moord. Irene Vandesompel werd op gruwelijke wijze vermoord. Met vierendertig messteken.
Gaandeweg wordt duidelijk dat ook gezellige buren een duister kantje kunnen hebben. Mendonck en Deleu, die van de ene verbazing in de andere vallen, raken compleet verstrikt in een web van sociale intriges en ontketenen ongewild een kettingreactie van geweld die niemand voor mogelijk hield.

De pers over *Jaloezie*:

'*Jaloezie* ontwikkelt zich volgens een ander patroon dan elk van zijn vorige vijftien thrillers. Niet voor niets maakt de auteur er telkens een erezaak van om geen bandwerk af te leveren.'
– DE STREEKKRANT

'Met zijn originele verhaallijn heeft Deflo het boek knap in elkaar gestoken. Bovendien houden de vele intriges en wendingen het tot de laatste bladzijde enorm spannend. *Jaloezie* is een sterk, origineel verhaal dat je van begin tot eind in spanning houdt. Wat ons betreft is het – tot nu toe – de beste Vlaamse misdaadroman van 2010.' – CJP

PROOI

Vijf over elf. Inge Gerets komt van een personeelsfeestje in Brussel. Ze haast zich om de laatste trein richting Mechelen niet te missen. In Sint-Guido, de dichtstbijzijnde metrohalte, ligt het perron er verlaten bij. Als Inge overweegt om een taxi te nemen en rechtsomkeert wil maken, merkt ze tot haar verbazing dat ze niet alleen is. De jonge allochtoon, zelfverzekerd en arrogant, staart haar aan alsof hij naar iets smerigs kijkt.
Blijven of weglopen? Kiezen. De essentie van het leven. Maar wat als er geen keuze is? Inge beseft dat ze als een rat in de val zit.

De pers over *Prooi*:

'Een Deflo vol suspense.' – DE MORGEN

'*Prooi* is een typische Deflo. Wie zich in zijn vorige boeken kon verliezen, kan met garantie op hetzelfde resultaat aan *Prooi* beginnen: veel vaart en harde actie, zoals er in Vlaanderen door niemand anders geschreven wordt.' – CRIMEZONE.NL

PHOBIA

6 u 15. Mechelen Noord. Berm van de autosnelweg. Een vroege wandelaar en zijn hondje vinden het lijk van een jonge vrouw. Ze ligt op haar rug, de benen onder haar plooirokje in een onnatuurlijke kromming, alsof ze niet van haar zijn, alsof ze willen wegrennen. De kleren van het dode meisje liggen op een roestvrijstalen tafel. Haar slipje is roze, met zilveren hartjes. Als tijdens de autopsie blijkt dat er geen sporen zijn van extern geweld door een derde partij en dat het meisje is gestorven van angst, staan rechercheurs Dirk Deleu en Nadia Mendonck voor een raadsel. Hoe kon Kate Verdickt, een normale twintiger, zichzelf verminken tot ze in shock ging? En belangrijker, waarom heeft ze dat gedaan?

De pers over *Phobia*:

'Een snelle en spannende thriller die geen moment verveelt.'
– ALGEMEEN DAGBLAD

'*Phobia* is puur vakmanschap: goed gedocumenteerd, spannend, to the point en met vaart geschreven.' – HET NIEUWSBLAD

LOSERS

Drie mensen, drie dromen.
Marginaler dan Piewie vind je ze niet. De goedaardige maar afschrikwekkende kolos woont nog in bij zijn moeder en zijn enige verlangen en tevens de reden van zijn bestaan is om het ooit tot volwaardig lid te schoppen van The Rockabilly Stinkers, de lokale motorclub.
Abdelkader, een spichtige, werkschuwe Marokkaan, is het spuugzat om te moeten rondkomen van kleine drugsdeals. Hij wil snel rijk worden en het doel heiligt de middelen.
Alex, professionele gigolo, is zijn luxeleventje bij zijn bazige echtgenote beu, maar is te lui en te laf om op eigen benen te staan.

Als hij de liefde van zijn leven ontmoet, zet de slaaf in een gouden kooi alles op alles om te ontkomen aan de ijzeren wurggreep van zijn huwelijk.
Toeval? Noodlot? Als de wegen van deze drie heren elkaar kruisen, is er geen weg terug en rest er uiteindelijk slechts één zekerheid: dromen zijn bedrog.

De pers over *Losers*:

'De nieuwste thriller van de populaire misdaadauteur vertelt het verhaal van drie "losers". [...] "Door omstandigheden zijn ze verplicht samen te werken, wat een hilarische cocktail geeft van spanning en humor. Ik heb echt genoten van het schrijven", vertelt de misdaadauteur.' – HET LAATSTE NIEUWS

'Deflo charmeert ook nu weer met zijn vertelstijl.' – GAZET VAN ANTWERPEN

'Zonder overdrijven is *Losers* echt topklasse van Deflo. Ik durf het zelfs bijna als geniaal bestempelen en geef dus 5 sterren.' – Guy op CRIMEZONE.NL

Voor gepersonaliseerde korte verhalen van Luc Deflo of een uitgave van zijn bundeling kortverhalen in een groot lettertype, zie lulu.com/spotlight/deflo